Księżyc we łzach

Ouarda Saillo

Księżyc we łzach

Z niemieckiego przełożyła
Barbara Ostrowska

Tytuł oryginału
TRÄNENMOND

Projekt graficzny serii
Anna Kłos

Zdjęcie na okładce
Corbis

Redaktor prowadzący
Magdalena Hildebrand

Redakcja
Ryszarda Witkowska-Krzeska

Redakcja techniczna
Małgorzata Juźwik

Korekta
Agnieszka Majewska
Bożenna Burzyńska

Powołaną przez autorkę do życia organizację pomocy małym niewolnicom – *petites bonnes*, znajdą Państwo pod adresem internetowym **www.traenenmond.de.**

Świat Książki
Warszawa 2008
Bertelsmann Media sp. z o.o.
ul. Rosoła 10, 02-786 Warszawa

Skład i łamanie
Piotr Trzebiecki

Druk i oprawa
Białostockie Zakłady Graficzne SA

ISBN 978-83-7391-386-8
Nr 4940

W imię Boga Miłosiernego, Litościwego!
Chwała Bogu, Panu światów,
Miłosiernemu, Litościwemu,
Królowi Dnia Sądu.
Oto Ciebie czcimy i Ciebie prosimy o pomoc.
Prowadź nas drogą prostą,
drogą tych, których obdarzyłeś dobrodziejstwami;
nie zaś tych, na których jesteś zagniewany,
i nie tych, którzy błądzą.

Sura I, *Otwierająca* [*Al-Fatiha*]*

* Ten i pozostałe cytaty z Koranu w przekładzie Józefa Bielawskiego, Warszawa 1986; glosariusz najważniejszych terminów arabskich i berberyjskich znajduje się na końcu książki.

1 سورة الفاتحة مكية

بسم الله الرحمن الرحيم (1)
الحمد لله رب العلمين (2) الرحمن
الرحيم (3) ملك يوم الدين (4)
إياك نعبد وإياك نستعين (5) اهدنا
الصرط المستقيم (6) صرط
الذين أنعمت عليهم غير المغضوب
عليهم ولا الضالين (7)

وآياتها سبع

Ślad łez

Gdy w pierwszych dniach 2000 roku postanowiłam, że nie będę dłużej milczeć na temat losów mojej rodziny, wiedziałam, że czeka mnie trudna droga. Nie zdawałam sobie jednak sprawy, jak wiele łez na tej drodze wyleję, jak wiele łez osuszę, jak bardzo zmieni się moje życie. Zaczęłam pisać tylko dlatego, że już od lat mieszkam w Niemczech, a życie z moim obecnym mężem dało mi poczucie bezpieczeństwa i odwagę, by powrócić do mrocznego wydarzenia z mojej przeszłości: do zabójstwa mojej matki przez mojego ojca.

Przez wiele lat sześcioro mojego rodzeństwa i ja uparcie milczeliśmy, mimo że ta tragedia wszystkich nas wykoleiła z torów normalnego życia i zamieniła nasze dzieciństwo w piekło. Wydarzyło się w tym czasie wiele rzeczy, w które dzisiaj wprost trudno uwierzyć. Jak to było możliwe, żeby wszyscy odwracali wzrok, gdy nasz ojciec stawał się coraz bardziej niebezpieczny i nieobliczalny? Jak nasi krewni mogli po śmierci naszej matki całymi latami tak nas dręczyć, katować i upokarzać? Jak w ogóle udało się nam przeżyć?

Wszyscy jeszcze żyjemy. Muna-Raszida, najstarsza, prawie straciła już z nami kontakt; mieszka w Belgii. Wspaniała, silna Rabi'a wyszła za mąż za Egipcjanina, ma dwoje dzieci i mieszka w Zjednoczonych Emiratach Arabskich. Dżabir, mój jedyny brat, mieszka wraz ze swoją młodą żoną i synkiem w Agadirze i pracuje jako kelner w restauracji dla turystów. Dżamila wciąż jeździ między Marokiem a Paryżem, gdzie pracuje jej mąż. Ma troje dzieci. Wafa jest nauczycielką w pustynnej wiosce pod Tiznitem. Moja mała siostrzyczka Asja prowadzi szkołę języków obcych w Agadirze. Ja wyjechałam do Niemiec, żeby zostać przedszkolanką, potem chciałam uczyć się dalej.

Wyprawę w straszną przeszłość mojej rodziny rozpoczęłam w Ad-Dirhu, w glinianym domu mojej babki ze strony matki, na pustyni. Tam się urodziłam 24 stycznia 1974 roku. Moja babka już nie żyje, ale jej dom jeszcze stoi. W Tiznicie spotkałam mojego stuletniego wówczas dziadka ze strony ojca – w przeszłości był zamożnym właścicielem ziemskim, ale stracił wszystkie pieniądze i został żebrakiem; zmarł w 2002 roku. Rozmawiałam z moją ciotką, siostrą mamy – wszystko, co ciotka posiada, to osioł, koza i wysprzątany gliniany dom w miejscowości położonej niedaleko Ad-Dirhu.

I rozmawiałam z moimi siostrami. Poszłyśmy razem do hammamu, pociłyśmy się, myłyśmy i rozmawiałyśmy. Potem w domu Dżamili rozłożyłyśmy materace i gadałyśmy, i płakałyśmy, i śmiałyśmy się całą noc. Przez wiele nocy.

Z początku nie było nam łatwo mówić o przeszłości. Ale gdy już zaczęłyśmy, wszystkie tamy runęły. Mówiłyśmy i mówiłyśmy, i nie mogłyśmy przestać. Prawie nie spałyśmy, czasem na wschodzie Agadiru słońce już wstawało nad pustynią, a my jeszcze rozmawiałyśmy, a gdy na zachodzie kryło się za Atlantykiem – my wciąż jeszcze rozmawiałyśmy.

Na koniec odwiedziłam nawet mojego ojca w więzieniu w As-Sawirze. To był najtrudniejszy krok na mojej drodze w przeszłość: konfrontacja z ojcem – mordercą mojej matki.

Wynajęłyśmy z Asją małego fiata i pojechałyśmy szosą z Agadiru przez nadbrzeżne góry na północ. Jest to jedna z najpiękniejszych dróg na świecie, prowadzi wzdłuż morza, potem wije się przez obszary pustynne i góry, mija małe miejscowości, a w końcu znów schodzi w dół do malowniczego portowego miasteczka As-Sawira.

Obie byłyśmy jednak tak zdenerwowane, że nie zwracałyśmy uwagi ani na piękno krajobrazu, ani na ludzi z buteleczkami cennego olejku arganowego, stojących na skraju drogi, ani na stada kóz objadających korony drzew arganowych. Asji robiło się niedobrze i co parę kilometrów wymiotowała.

Kiedy dojechałyśmy i czekałyśmy pod bramą więzienia, mnie też ścisnęło w żołądku. Czy naprawdę chciałam spotkać się z tym człowiekiem? Czy będę mogła patrzeć mu w oczy? Czy jestem już na to dość silna?

A wtedy otworzyły się drzwi więzienia i żołnierze wprowadzili mnie do środka. Ojciec stał w pomieszczeniu, które było chyba czymś w rodzaju więziennej kantyny, obok chybotliwego plastikowego krzesła – stary człowiek o bezsilnym spojrzeniu. Zrobił krok w moją stronę i wziął mnie w ramiona, i w tym momencie poczułam, że jego krew płynie również w moich żyłach. Chciałam mu powiedzieć, jaka jestem wściekła, jaka smutna, chciałam mu wybaczyć, chciałam tak wiele... Ale potem wypuścił mnie z objęć i czar chwili prysł. Już nie mogłam mówić. Siedziałam i patrzyłam na starego człowieka, który zabił moją matkę. I nie miałam dla niego ani współczucia, ani nienawiści. Byłam po prostu tylko smutna.

Rozstaliśmy się, a nie porozmawialiśmy ze sobą tak naprawdę. Trzy miesiące później mój ojciec już nie żył. Zmarł 17 grudnia 2001 roku w Tarudancie. Nie wiem, jak się tam znalazł. Nie wiem, czego tam szukał. Ta miejscowość nie ma nic wspólnego ani z nim, ani z nami. Jego ostatnim życzeniem było, żeby tam go pochowano. Z dala od rodziny.

Teraz, kiedy żyjemy już tylko my, dzieci, czuję się dostatecznie wolna, by opisać to, co się wydarzyło w owych odległych czasach, które były moją młodością i które są mi mimo wszystko bliższe niż cokolwiek innego na świecie.

Poświęcam tę książkę mojemu rodzeństwu – Munie-Raszidzie, Rabi'i, Dżamili, Dżabirowi, Wafie i Asji, którzy towarzyszyli mi w drodze przez dolinę łez. Ale poświęcam ją także mojemu synowi Samuelowi, dzięki któremu zaczęłam się zastanawiać nad rolą mojej matki i rolą wszystkich matek. Poświęcam ją Beacie von Stebut, wspaniałej kobiecie, która nie tylko mnie jednej pomogła się zadomowić w obcym kraju, w Niemczech. I poświęcam ją mojemu mężowi Michaelowi Kneisslerowi, który dał mi siłę, by tak głęboko zanurzyć się w przeszłość, na co sama bym się nie zdobyła. On też jako współautor wygładził niemczyznę mojego maszynopisu. Ważne tłumaczenia z arabskiego wykonała dr Rawhia Riad. To ona przełożyła na niemiecki szczegółowy protokół policyjny dotyczący śmierci mojej matki. Ja sama nie miałabym dość odwagi.

CZĘŚĆ 1

Agadir, Maroko

19 września 1979 roku

Śmierć

Dziewiętnastego września 1979 roku o godzinie dziesiątej umarła moja matka. Mój ojciec zabił ją na dachu naszego domu w Agadirze. Wbił jej nóż w brzuch, wciągnął ją po schodach na górę, przywiązał do drabiny, napchał jej piasku do ust, oblał benzyną i podpalił. Miała dwadzieścia dziewięć lat i była w siódmym miesiącu ciąży, gdy umarła.

Miałam wtedy pięć lat.

Teraz mam dwadzieścia dziewięć i łzy rozmazują atrament na kartce papieru, która przede mną leży. Płaczę jak dziecko, którym byłam wtedy, gdy moja matka umarła. Chcę się uspokoić, próbując sobie przypomnieć spojrzenia mojej matki. Ale nie mogę.

Moja matka miała na imię Safijja. Gdy miała siedemnaście lat, rodzice wydali ją za mąż za mojego ojca. Ojciec, wówczas dwudziestoośmioletni, nazywał się Husajn Ibn Muhammad Ibn Abd Allah, czyli Husajn syn Muhammada syna Abd Allaha. W dniu, w którym moja matka została zabita, było nas siedmioro dzieci. Muna-Raszida, Rabi'a, Dżabir i Dżamila byli starsi i chodzili już do szkoły. Ja byłam najstarsza z młodszych. Z Asją, która miała dwa latka, z czteroletnią Wafą siedziałam z rodzicami przy śniadaniu.

Było spokojnie, ale czułam, że coś jest nie tak. Wydawało mi się to jednak całkiem normalne. U nas najczęściej coś było nie tak. Pewnie mama sprzeciwiła się tacie. To było niebezpieczne. Tato kipiał z wściekłości. Zaraz powie nam, dzieciom, żebyśmy poszły na ulicę się pobawić. A potem zbije mamę. Zawsze tak robił. Kiedyś zatłukł mamę prawie na śmierć, bo wyszła przed dom, żeby nas zawołać. To, że wołała, nie było niczym złym. Złe było to, że wyszła z domu. To było zabronione.

Tato powiedział:

– Idźcie na ulicę się pobawić.

– Dobrze, tato.

Wstałam, posadziłam sobie Asję na lewym biodrze, a Wafę wzięłam za rękę. Dochodziłyśmy do drzwi, kiedy mama powiedziała:

– *Ouarda-ti*, mój kwiatuszku, twój tato chce mnie zabić. Proszę, powiedz o tym sąsiadom.

Mama powiedziała to całkiem spokojnie. W jej głosie nie było żadnej paniki. Tato się nie odezwał. Nie zaprzeczył i nie nakrzyczał na mamę, że mówi głupstwa. Siedział razem z nią przy stole i jadł śniadanie, tak jak wiele małżeństw siedzi przy stole i je śniadanie. Jakoś wydawało mi się to normalne.

Tak normalne, że słowa mojej matki mnie nie zaniepokoiły. Zaniepokoiła mnie Asja. Płakała i koniecznie chciała do mamy. Na to jednak w żadnym razie nie mogłam pozwolić, bo tato mógłby się rozgniewać. Bałam się tego. Gdy tato się gniewał, robiło się strasznie.

– Chodźmy, Asjo. Na dworze świeci słońce. Pobawimy się w *haba*, w berka.

– Nie – płakała – ja chcę do mamy.

– Teraz nie wolno, Asjo. Musimy wyjść na dwór.

Chwyciłam Asję mocno za rączkę i wyszłam z małą na ulicę. Nie myślałam o tym, co mi powiedziała mama, dopóki nie zobaczyłam płomieni na dachu naszego domu. Nie pamiętam, żebym coś słyszała. Żadnych krzyków. Żadnego wołania o pomoc. Pamiętam tylko ogień na dachu naszego domu.

I pamiętam słowa mojej matki: „*Ouarda-ti*, mój kwiatuszku, twój tato chce mnie zabić. Proszę, powiedz o tym sąsiadom". Ponoszę winę za śmierć mojej matki, bo nie potraktowałam jej słów poważnie. Bo zajmowałam się moimi siostrami, gdy mama złożyła swoje życie w moje ręce. Bo nie pobiegłam do sąsiadów.

Cóż jednak mogli zrobić sąsiedzi?

Nic. Baliby się taty, tak jak zawsze się go bali. Nie zrobiliby niczego dla kobiety, którą mąż upokarza, więzi, bije. W Maroku nikt nic nie robi dla żon katowanych przez mężów. Ja w każdym razie nie znam nikogo, kto by się temu przeciwstawił.

Gdy starsze rodzeństwo wróciło ze szkoły, a my z ulicy, tato już zgasił ogień, w którym spłonęła moja matka. Stał w drzwiach i nie wpuścił nas do środka.

– Wasza matka jest w szpitalu. Poszła rodzić – powiedział.

Pobiegliśmy jak najszybciej do szpitala. Mieliśmy nadzieję, że znajdziemy tam naszą matkę. Ale ja wiedziałam, że jej tam nie ma. Z każdym krokiem w drodze do szpitala ubywało nadziei. Gdy ludzie przy furtce nam powiedzieli, że nie ma pacjentki nazywającej się Safijja al-Fachir, nadzieja znikła.

Poszliśmy z powrotem do domu. Nie biegliśmy, tylko szliśmy. Przeszliśmy koło naszej szkoły, koło sklepu kolonialnego, koło krawca. Szliśmy bardzo powoli, bojąc się tego, co nas czeka.

Gdy doszliśmy do domu, tato znikł. Była policja, a na naszej ulicy stał karawan. Wokół zebrali się wszyscy sąsiedzi, tak że policjanci z trudem odsuwali ludzi. Potem znieśli mamę po schodach. Jej ciało było nie całkiem przykryte, zobaczyłam stopy. Nie były spalone na czarno, tylko zupełnie białe. Byłam szczęśliwa, że stopy mamy są białe, i zawołałam bardzo głośno: „Patrzcie, mama nie cała się spaliła, widzicie to białe, widzicie?". Potem włożono jej ciało do samochodu i zabrano.

My, dzieci, zbiłyśmy się w ciasną gromadkę, płakałyśmy i czekałyśmy. Nikt się o nas nie zatroszczył. Byłyśmy zgubione. Rabi'a i Muna musiały zidentyfikować zwłoki.

Po południu wrócił tato. Niósł wielki wór przewieszony przez ramię. Może chciał zapakować do niego mamę i wyrzucić. Policja od razu go aresztowała. Nie pozwolili nam z nim rozmawiać.

CZĘŚĆ 2

Prowincja Sus, Maroko

1974–1979

Ucieczka

Moja matka była w zaawansowanej ciąży, gdy któregoś piątku w styczniu 1974 roku przyjechała do swojej rodzinnej wioski Ad-Dirh. Wzięła ze sobą Dżabira, mojego najstarszego brata, nikogo więcej. To dlatego, że musiała uciekać z domu. Ojciec znowu jej groził i ją pobił.

Matka chwyciła Dżabira i tak szybko, jak tylko mogła ze swoim wielkim brzuchem, pobiegła na przystanek autobusowy przy dużej ulicy za naszym domem. Autobusem pojechała na południe, do Tiznitu, stolicy prowincji, w samym sercu regionu Berberów.

Na rynku matka i Dżabir rozglądali się za kierowcą z Ad-Dirhu, o nazwisku Bu Huss, który miał starego białego volkswagena busa. Wszyscy mówili na Bu Hussa „Autobus".

– Widzieliście „Autobusa"? – zapytała moja matka handlarzy na suku.

– Siedzi w kawiarni – odpowiedzieli handlarze.

„Autobus" zawsze siedział w kawiarni, aż uzbierało się tylu pasażerów, żeby jazda się opłacała.

– Chodź – powiedział „Autobus" do mojej matki. – Nie czujesz się dobrze, jak widzę, jesteś w ciąży, jak widzę, zawiozę cię do domu. Niech Allah ma cię w opiece.

Z Tiznitu droga prowadzi prosto przez pustynię w kierunku Antyatlasu. Jest tylko jeden zakręt, wtedy „Autobus" musi wrzucić pierwszy bieg i volkswagen bus przekopuje się przez piach wyschłego koryta rzeki. Tak jest do dzisiaj i do dzisiaj „Autobus" siedzi w kawiarni w Tiznicie i czeka, aż ktoś będzie chciał jechać do Ad-Dirhu.

Ad-Dirh leży za wyschniętym korytem rzeki z prawej strony, u podnóża gór. Do Ad-Dirhu nie prowadzi żadna droga, tylko pylisty szlak.

Domy są zbudowane z suchych gałęzi i gliny; od ulicy nie mają okien. Wszystkie pokoje wychodzą na podwórze. Kiedy pada deszcz, glina rozmaka i trzeba domy naprawiać.

Moja babka Rahma miała największy dom w Ad-Dirhu, ponieważ była szarifą, świętą, uzdrowicielką we wsi. Tytuł i umiejętność pomagania innym ludziom odziedziczyła po swoim ojcu, szarifie. Dom babki był czerwony jak piasek pustyni; obydwa dziedzińce wewnętrzne babka bieliła wapnem. Obok stał meczet, który wyglądał jak szary, zakurzony garaż.

„Autobus" podjechał pod ciężkie, drewniane drzwi, które babka wieczorem zamykała na wielki klucz. Babka już czekała. Na pustyni wiadomości rozchodzą się z większą szybkością niż ta, jaką może rozwinąć volkswagen.

– *Salam alajkum*, witaj w domu swoich rodziców, córko – powiedziała babka i pochyliła głowę, żeby matka mogła pocałować ją w czoło.

– *Salam alajkum*, Dżabirze, mój wnuku.

Babka zaprowadziła córkę do chłodnych, cienistych pomieszczeń w pierwszym dziedzińcu. Nie zadawała żadnych pytań, i tak wiedziała wszystko.

Matka oparła się na poduszkach, a babka ugotowała gorzko-słodką herbatę swojego plemienia, według dawnych przepisów sporządzoną z czarnej herbaty, mięty i cukru. Uniosła dzbanek osmolony dymem z palących się gałązek i z wysoka cienkim strumieniem nalewała herbatę. Płyn w prostych szklankach mienił się zielonkawo. Powstała delikatna pianka, taka jak należy.

– Urodzisz dziecko tutaj, na pustyni – powiedziała babka – gdzie już tyle życia powstało i przeminęło. Tutaj jesteś bezpieczna od złego, które opętało twojego męża. Niech Allah ma cię w opiece.

Człowiek z pustyni

Ojciec zmienił się w ostatnich latach, odkąd wieczorami coraz częściej skręcał sobie papierosy z dodatkiem gorzkich górskich konopi z północnego Rifu. Zwidywały mu się demony, cierpiał na manię prześladowczą, stał się agresywny. Matka miała z nim ciężkie życie.

Była o jedenaście lat młodsza od niego. Ojciec był Saharyjczykiem, człowiekiem z pustyni. Jego rodzina pochodziła z południa, z miasta Kulimin, słynącego z targów wielbłądów. Dziadek sprzedał swoje wielbłądy i osiadł w Agadirze. Miał tych wielbłądów tak dużo, że stał się człowiekiem zamożnym i mógł sobie pozwolić na kupno wielu domów i rozległych ziem.

Dożył stu lat i umarł w nędzy. Gdy w 1960 roku jego żona zginęła podczas wielkiego trzęsienia ziemi, wyjechał z portowego Agadiru do Tiznitu; był właścicielem targów rybnych i mięsnych. Cały majątek przegrał w karty w mrocznych kawiarniach na skraju suków i przepuścił na chłopców o gorejących oczach, którzy za paręset dirhamów uszczęśliwiają starych mężczyzn.

Dla swojego syna Husajna dziadek szukał dobrej żony, a córki szarify są lepsze od wszystkich innych. Swaci dziadka pojechali więc do Ad-Dirhu i zaaranżowali ślub moich rodziców.

Mój ojciec był bardzo mądry i zaangażowany politycznie. Walczył o sprawiedliwość i demokrację, należał do tajnej partii opozycyjnej wobec króla. Żył z wyemancypowaną kobietą, która dzisiaj jest adwokatem w USA. Nie mogła mieć dzieci, adoptowali więc małą dziewczynkę, moją siostrę Munę-Raszidę; nikt nie wie, skąd wzięły się u niej takie jasne włosy i zielone oczy.

W końcu policja trafiła na trop mojego ojca; z powodu działalności politycznej ojciec musiał na dwa lata wyemigrować do Francji. Gdy wrócił, jego małżeństwo z adwokatką się rozpadło.

Potem zaczął się starać o rękę mojej matki. Matka była zafascynowana człowiekiem, który zobaczył już kawał świata, podczas gdy ona sama nigdy nie wyjechała dalej niż do pobliskiego Tiznitu, stolicy prowincji.

Po ślubie ojciec sprowadził moją matkę do swojego domu w Agadirze, w dzielnicy Nouveau Talborjt, i przedstawił jej małą jasnowłosą dziewczynkę o zielonych oczach, która od tej pory była jej córką.

Narodziny

Wieczorem trzeciego dnia w domu mojej babki matka poczuła, że ciągnie ją pod żebrami, co zapowiadało bliski poród.

– *Imie* – powiedziała do babki. – Myślę, że moje dziecko chce tej nocy przyjść na świat.

Noc była zimna, jasna, a rozgwieżdżone niebo nad Ad-Dirhem rozciągało się od ciemnych zarysów gór na wschodzie aż po morze na zachodzie; morza nie było widać, ale się wiedziało, że ono tam jest.

Babka przygotowała w kuchni świece i lampę naftową i napaliła w piecu cienkimi, kolczastymi gałązkami, które zebrała na pustyni. Na podłodze rozłożyła dla mojej matki posłanie z dywanów, które sama utkała z wełny wielbłądziej. Na kuchennym stole leżały czyste ręczniki i zioła potrzebne w razie komplikacji. W zakorkowanej buteleczce było kilka kropli niezwykle drogiego, leczniczego olejku arganowego, pozyskiwanego z owoców jednego z gatunku drzew żelaznych, rosnącego tylko w tej okolicy.

W domu babki mieszkało dużo osób: jej syn *chali* Ibrahim z żoną Fatimą i trojgiem dzieci oraz najmłodsza córka babki, jeszcze niezamężna.

Wszyscy mężczyźni i dzieci musieli wyjść z kuchni. Poród to sprawa kobiet. Gdy bóle się nasiliły, babka ułożyła moją matkę na miękkich dywanach, podgrzała wodę i postawiła świeczki w nogach legowiska.

Poród przebiegł bez komplikacji. O godzinie pierwszej w nocy 24 stycznia 1974 roku przyszłam na świat. Babka zapaliła kadzidło w czarce i odmówiła nade mną tradycyjne sury chroniące.

Zaczęła od Sury I, *Otwierającej* [*Al-Fatiha*]:

W imię Boga Miłosiernego, Litościwego!
Chwała Bogu, Panu światów,
Miłosiernemu, Litościwemu,
Królowi Dnia Sądu.
Oto Ciebie czcimy i Ciebie prosimy o pomoc.
Prowadź nas drogą prostą,
drogą tych, których obdarzyłeś dobrodziejstwami;
nie zaś tych, na których jesteś zagniewany,
i nie tych, którzy błądzą.

Al-Fatiha to najczęściej recytowana sura Koranu. Każdy wierzący muzułmanin odmawia ją kilka razy dziennie. Jeszcze dzisiaj po cichutku odmawiam *Al-Fatiha*, na przykład gdy zgubię się w ruchu samochodowym. Mocno wierzę, że Allah mi pomoże, gdy go o to poproszę tymi świętymi słowami. W czasach zwątpienia i zmartwienia sura ta daje mi spokój i poczucie bezpieczeństwa.

Potem moja babka wyrecytowała *Ajat al-Kursi*, Werset Tronu:

Bóg!
Nie ma Boga, jak tylko On
– Żyjący, Istniejący!
Nie chwyta Go ni drzemka, ni sen.
Do Niego należy
to, co jest w niebiosach,

i to, co jest na ziemi!
A któż będzie się wstawiał u Niego
inaczej jak za Jego zezwoleniem?
On wie, co było przed nimi,
i On wie, co będzie po nich.
Oni nie obejmują niczego
z Jego wiedzy,
oprócz tego, co On zechce.
Jego tron jest tak rozległy
jak niebiosa i ziemia;
Jego nie męczy utrzymywanie ich.
On jest Wyniosły, Ogromny!

Babka znała sury na pamięć, nauczyła się ich w szkole koranicznej. Nie umiała ani czytać, ani pisać, bo kiedy była mała, tylko chłopcy mogli uczyć się tej sztuki.

Gdy odmówiła ostatnią surę, słońce wzeszło zza gór na wschodzie i zabarwiło pustynię na kolor czerwonej krwi, którą, rodząc mnie, utraciła matka.

Leżałam u jej piersi, obwiązana mocno w białe chusty, co miało zapobiec skrzywieniu kręgosłupa. Babka opakowała mnie niczym mumię, bo taki jest zwyczaj w kraju Imazighenów, „wolnych ludzi", jak się nazywało berberyjskie plemię mojej babki. Matka spała. Babka czuwała nad córką i swoją najmłodszą wnuczką, gdy pszczoły w ulach za kuchnią rozpoczęły swój taniec i uleciały w brzask, by zbierać miód z kwiatów.

Później kobiety i mężczyźni ze wsi przyszli z podarunkami: herbatą, solą i cukrem, żywymi kurczakami i własnoręcznie dzierganymi czapeczkami, które miały mnie chronić przed zimnym wiatrem od zaśnieżonych gór.

Babka chciała mi nadać swoje imię, Rahma, czyli „pełna łaski". Ale matka zaczęła ją błagać: „Nie wymawiaj nigdy tego imienia. To mój mąż musi dać imię dziecku, inaczej mnie zabije, że odmówiłam mu tego prawa".

Babka skinęła głową i milczała. Znała dzikich mężczyzn z południa i czuła zło, które opętało mojego ojca. Dopóki ojciec po nas nie przyjechał, nie miałam więc imienia.

Powrót

Ojciec przyjechał swoim starym autem. Było duże, obłe i szybkie. Ojciec kochał wszystko, co miało związek z techniką, i pieczołowicie wyremontował swój samochód. Zderzaki lśniły w palących promieniach słońca, a klakson, gdy go naciskał, beczał głośniej niż całe stado owiec. Ojciec lubił straszyć tym klaksonem innych kierowców, gdy przejeżdżał szybko obok nich.

Ruszył asfaltową szosą na południe, przejechał przez bramę miejską w różowych murach Tiznitu, opuścił miasto bramą na wschód, minął bród na rzece, w której o tej porze roku płynęła woda, po czym skręcił w prawo na szlak do Ad-Dirhu.

Matka i babka już z daleka widziały chmurę kurzu, którą wzbijał samochód ojca. Jechał szybko, szybciej niż inne samochody jadące po pustyni, a chmura pyłu była tak wielka jak jeden ze złych duchów, które nocą przychodzą z gór na pustynię i pod osłoną ciemności polują na zagubione dusze.

Babka powiedziała:

– Idźcie na drugi dziedziniec, moje dzieci. Przywitam ojca mojej wnuczki jak się należy. Niech Allah ma nas w opiece.

Matka wzięła mnie na ręce i przytuliła do serca. *Chalati* Kulsum poszła do swojego pokoju, za którego ścianą brzęczały pszczoły, przynoszące miód mojej babce. A wuj Ibrahim odesłał swoją żonę i dzieci do małego pomieszczenia, gdzie stała skrzynia, w której babka przechowywała swoje skarby: pożółkłe zdjęcie zmarłego męża, kosztowne chusty, w które się spowijała w święta, kaftany zakładane do obrzędów, dzięki którym leczyła ludzi ze wsi, i srebrną biżuterię berberyjską.

Babka otworzyła ciężkie drewniane drzwi, chroniące dom przed żarem słońca i nieproszonymi gośćmi, gdy ojciec zatrzymał samochód na skalnej płycie na prawo od wejścia do domu.

Ojciec był zły. Widać to już było po tym, jak trzasnął drzwiami samochodu. Ale babka zachowała spokój. Stała w drzwiach swojego domu, pełna godności, jak przystoi urzędowi szarify, i swoim głębokim głosem powiedziała w dialekcie berberyjskim swojego plemienia:

– *Salam alajkum*, mój synu, cieszę się, że przyjechałeś zobaczyć swoją córkę. Ale zanim to uczynisz, napijesz się ze mną herbaty, którą ci przyrządzę, a ja porozmawiam z tobą o tym, co Allah mówi o współżyciu kobiet i mężczyzn.

Ojciec skłonił się przed babką i ucałował jej dłoń. Potem odpowiedział po arabsku:

– *Lala* Rahma, czcigodna Rahmo, wybacz, jeśli jestem nieuprzejmy, ale chciałbym natychmiast zobaczyć moją córkę.

Babka była bardzo silną, starą kobietą, może jedyną, którą mój ojciec szanował jako równą sobie. Powiedziała:

– To jest mój dom, a ty jesteś mile widzianym gościem, mój synu. Zanim jednak zobaczysz moją wnuczkę, napijesz się ze mną herbaty. Tak mi dopomóż Bóg.

Babka zaprowadziła ojca na pierwszy dziedziniec, gdzie czekała na palenisku przygotowana już herbata. Potem usiadła i dała mu znak, żeby również usiadł.

– Mój synu – powiedziała – wiem, że w naszych czasach niełatwo jest utrzymać rodzinę, i wiem, że masz zmartwienia. Ale to nie daje ci prawa bić swojej żony, a mojej ukochanej córki. Ponosisz za nią odpowiedzialność, tak jak Allah ponosi odpowiedzialność za ciebie, Koran bowiem mówi: „I z Jego znaków jest to, że On stworzył dla was żony z was samych, abyście mogli odpocząć przy nich; i ustanowił między wami miłość i miłosierdzie".

Ojciec niecierpliwie wiercił się na poduszkach. Nienawidził dyskusji z babką.

– Skąd wiesz, co mówi Koran? – zapytał. – Przecież nawet nie umiesz czytać.

Babka zachowała spokój. Podniosła do ust szklankę z gorzką herbatą i piła małymi łykami.

– Mój synu, jesteś mądry i jesteś silny. To prawda, że nie umiem czytać. Gdy byłam dziewczynką, tylko chłopcom wolno było chodzić do szkoły. Ale nie zapominaj, że jestem szarifą. To, co czytasz w książkach, żeby wiedzieć, ja wiem w moim sercu. Wiedza w sercu jest równie ważna jak wiedza w głowie.

Ojciec zaniemówił.

– Ale w Koranie jest też napisane, *lala* Rahma: „I napominajcie te, których nieposłuszeństwa się boicie, pozostawiajcie je w łożach i bijcie je!". *Lala* Rahma, twoja córka nie jest takim człowiekiem, jak myślisz. Twoja córka jest teraz moją żoną. Biję ją, kiedy chcę. Bo jestem jej mężem.

Babka spojrzała na ojca. Jej oczy były pełne smutku. Widziała w nim zło. I widziała w nim dobro. I przeczuwała, że zło zwycięży.

– Czytaj Koran tak często, jak tylko możesz – powiedziała. – On oczyści twoją duszę. Niech Allah ma w opiece ciebie i moją ukochaną córkę. – I ukradkiem skrzyżowała palce lewej ręki, by się ustrzec przed złym spojrzeniem.

Ojciec zerwał się i zawołał:

– Kobieto, gdzie jesteś? Pokaż mi moją córkę! – Po czym wbiegł na drugi dziedziniec i znalazł mnie, zawiniętą w chusty, u piersi mojej matki. Wyrwał mnie z jej ramion i przycisnął do siebie. Oczy mu zwilgotniały, twarz zrobiła się całkiem łagodna.

– Mój kwiatuszku – wyszeptał – mój kwiatuszku z pustyni. Ouarda, kwiat, tak będziesz miała na imię.

Jeszcze tego samego dnia zapakował moją matkę, mojego brata Dżabira i mnie do samochodu i wrócił z nami do Agadiru.

Miasto nad Atlantykiem

W mieście nad Atlantykiem ojciec nie mógł się doczekać, kiedy zamelduje władzom o moich narodzinach. „Saillo, Ouarda – tak mam napisane w dokumentach – urodzona w Agadirze, Maroko, 24 stycznia 1974 roku".

Ojciec nienawidził wsi, nienawidził mojej babki, nienawidził Ad-Dirhu. Dlatego nie chciał, żeby ta miejscowość figurowała w moich papierach jako miejsce mojego urodzenia.

Nasz dom stał przy ślepej uliczce w dzielnicy Nouveau Talborjt, w centrum miasta. Przed domem rosło drzewo oliwkowe. Kiedy owoce spadały, dziewczynki szybko wybiegały na ulicę i zbierały je do fartuszków, zanim przyjadą mężczyźni z miasta wielkimi ciężarówkami. W domu kobiety nacinały ostrym nożem cierpką skórkę oliwek i zalewały je osoloną wodą, żeby straciły goryczkę.

Leżałam, zawinięta w chusty, na grubych poduchach z owczej wełny w łóżku moich rodziców. Gdy byłam głodna, matka mnie karmiła, gdy pobrudziłam pieluszki, prała je.

Nasz dom wydawał mi się bardzo wielki, kiedy byłam dzieckiem. Dzisiaj wiem, że to nieprawda. Był to mały domek jak niemal wszystkie domy w Nouveau Talborjt. Ojciec kupił go tanio od państwa, gdy wielkie trzęsienie ziemi w 1960 roku zniszczyło miasto.

Za pomalowanymi na niebiesko drzwiami wejściowymi ciągnął się długi korytarz, którego podłoga była wyłożona czarno-białą mozaiką. Uważałam, że ta mozaika jest bardzo piękna, chociaż miała prosty wzór. Latem laliśmy wodę na chłodne kamienie i ślizgaliśmy się na brzuchu albo na pupie.

Po prawej stronie korytarza były drzwi do pokoju stołowego. Ale nie był to już pokój stołowy, od kiedy ojciec urządził tam swój warsztat, gdy jego sklepik przy wielkim meczecie splajtował. Ojciec naprawiał radia, telewizory, maszyny do pisania i telefony. W jego dawnym sklepie była teraz restauracja, w której sprzedawano pieczone kurczaki. Czasami, gdy zostawało nam trochę pieniędzy i byliśmy bardzo głodni, szliśmy tam i kupowaliśmy sobie trzy pieczone kurczaki. Jednego zjadał w całości mój brat Dżabir. Jeśli nie dostał kurczaka, płakał i w ogóle nie chciał nic jeść.

Ojciec złościł się na niego:

– Dżabir, mój synu, jesteś mięsożerny jak twój dziadek. Uważaj, żebyś nie zaczął gdakać jak kura.

Zawsze czekaliśmy, żeby Dżabir w końcu zagdakał jak kura. Ale nigdy nie zagdakał.

Ojciec był tak dobrym fachowcem, że nawet ludzie z okolic Agadiru przywozili swój sprzęt elektryczny do nas, na rue el Ghazoua numer 23. Nasz dawny pokój stołowy był pełen radioodbiorników, telewizorów i zepsutych telefonów.

Najpiękniejsze radio należało do nas. Było wielkie jak szafa, brązowe, z głośnikami obciągniętymi beżowym materiałem. Stało na piętrze i ojciec rano je włączał. Tylko on miał prawo dotykać radia. Przez cały dzień rozbrzmiewała w naszym domu piękna muzyka arabska. Czasami matka tańczyła do melodii Umm Kulsum.

Umm Kulsum pochodziła z Egiptu. Była pierwszą kobietą, która śpiewała z taką samą pewnością siebie jak mężczyźni, a mimo to radio nadawało jej piosenki. Dla matki

Umm Kulsum była bohaterką. Dla mnie jest nią jeszcze dzisiaj. Matka znała wszystkie teksty na pamięć i wtórowała jej swoim niskim głosem. Jej ulubioną piosenką była *Amal hajati* (Nadzieja mojego życia):

Nadzieją mojego życia jest wierna miłość,
która się nigdy nie kończy.
Do ciebie, piękna piosenko, należało moje serce,
i to też się nigdy nie skończy.
Weź sobie całe moje życie,
ale dzisiaj, dzisiaj,
pozwól mi żyć.
Pozwól mi być u twego boku,
być w twoich ramionach,
być przy twoim sercu
pozwól!
Oby mnie rzeczywistość
nie wyrwała ze słodkich snów.
Sen!
Życie!
Moje oczy!
Jesteś mi droższy
Niż moje oczy.
Ty, mój ukochany dnia wczorajszego
i dzisiejszego,
jutrzejszego i na całą wieczność...
Twojej miłości wystarczyło dla całego świata.
Twoja bliskość wzruszała każde serce.
Gdy jesteś u mego boku,
nawet na sekundę nie mogę zamknąć oczu.
Boję się, że twój czar zniknie...

Czasami matka płakała, śpiewając tę piosenkę. Ojciec nie płakał nigdy. Nucił tylko. Wszyscy nuciliśmy te piosenki.

Moje rodzeństwo śpiewało przez cały dzień, a ja, kiedy już byłam dość duża, też śpiewałam te piosenki o miłości, żalu i nadziei. Śpiewam je jeszcze dzisiaj.

Za warsztatem ojca znajdowała się toaleta i wodociąg. Toaleta to była tylko dziura w ziemi, jak we wszystkich domach zbudowanych po wielkim trzęsieniu.

Korytarz prowadził obok toalety na wewnętrzne podwórko. Jeśli się odchyliło głowę mocno w tył, można było zobaczyć niebo, słońce, chmury, a nocą – gwiazdy. Gdy byłam starsza, przesiadywałam całymi godzinami w ciemności na szarym cemencie, z twarzą zwróconą ku księżycowi, i obserwowałam gwiazdy. Czasami widziałam, jak spadały.

Matka powiedziała:

– To dusza człowieka, który umarł, mój kwiatuszku. Ona spada na jego grób.

Wyobraziłam sobie, jak to jasne światło oświetla smutny cmentarz, położony za wielkim meczetem na zboczu poniżej kasby, i dostałam gęsiej skórki.

Matka wzięła mnie w ramiona, ukołysała i powiedziała:

– *Ouarda-ti*, pora spać, bo jeszcze złamiesz sobie szyję.

A potem wzięła mnie za rękę i poszłyśmy do pokoju dla dzieci.

Z wewnętrznego podwórka wchodziło się po prawej stronie do kuchni. Była wyłożona białymi kafelkami, mieliśmy też duży zlew z bieżącą zimną wodą. Matka gotowała na gazowej kuchence z czterema palnikami. Butle z gazem stały pod zlewem. Gdy były puste, szło się do sklepu na rogu i kupowało nowe. A wtedy praktykant przywoził wielką niebieską butlę taczką pod sam dom.

Niski, okrągły stół stał na podwórku pod schodami prowadzącymi na górę. Wokół stołu matka kładła trzcinowe maty i poduszki. Siadaliśmy na ziemi i jedliśmy palcami.

Za schodami był zwykły prysznic z wielkim białym bojlerem na gaz. Wcześnie rano matka grzała wodę w bojlerze, bo ojciec codziennie brał prysznic, nim rozpoczął pracę. Był bardzo czystym mężczyzną. Po prysznicu zakładał gruby bawełniany pulower, nawet jeśli na dworze paliło słońce. Myślałam, że ojciec marznie od środka, ale nie miałam odwagi go o to zapytać.

My, dzieci, brałyśmy prysznic tylko wtedy, kiedy byłyśmy brudne, raz albo dwa razy w tygodniu. Matka nas obwąchiwała i mówiła:

– Dzieci, myślę, że znowu na was pora. Jazda pod prysznic!

Potem nas szorowała swoimi miękkimi dłońmi, aż schodziła z nas ciemna, górna warstwa skóry.

– Widzisz, *Ouarda-ti* – mawiała wówczas – jaka byłaś brudna.

Ouarda-ti znaczy: mój kwiatuszku.

Obok prysznica znajdował się pokój dla dzieci. Wydawał mi się mały i ciemny. Zawsze się bałam w tym pokoju, zwłaszcza w nocy. Dżellaby na haku obok drzwi wydawały mi się nocą ciemnym, obcym mężczyzną. Nikomu nigdy nie powiedziałam o tym, że nocą, w ciemnościach, stoi przy drzwiach obcy mężczyzna i na nas patrzy. To była moja tajemnica.

Na podłodze było zrobione legowisko z cienkich materaców. Nocą układaliśmy się pod wielkimi kocami. Nie było w tym pokoju żadnych zabawek. Kiedy chcieliśmy się bawić, wychodziliśmy na podwórko albo na ulicę. Najlepiej było na podwórku, bo stamtąd mogliśmy słyszeć, jak nasza matka pobrzękuje w kuchni blaszanymi garnkami i nuci smutne arabskie piosenki z radia.

Na piętrze były trzy pokoje. W jednym, największym pokoju w naszym domu, spali rodzice. Uwielbiałam ich wielkie łóżko. Kiedyś siedzieliśmy na nim wszyscy, gdy wszedł ojciec z białym kartonem, tak pięknym, że nie mieliśmy odwagi go otworzyć. Matka rozwinęła wstążkę i położyła paczkę na łóżku. Podeszliśmy blisko, chcieliśmy zobaczyć, co jest w środku.

– Tato – powiedziała Dżamila – to takie piękne. Mogę zdjąć wieczko?

Muna nic nie powiedziała, ale ona nigdy nic nie mówiła.

Ojciec popatrzył surowo.

– To was w ogóle nie powinno obchodzić, to jest tylko dla mnie i dla waszej matki.

Ale oczy mu się śmiały.

W końcu matka otworzyła karton i zobaczyłam najpiękniejszą rzecz w życiu: elegancką bieliznę, całą białą, z cieniutkiego materiału – majtki, podkoszulek, biustonosz, nocną koszulę. Były takie białe i lśniące, że pomyślałam, że mogą być przeznaczone tylko dla panny młodej.

– Mamo – zapytałam – wychodzisz za mąż?

Dżamila dała mi kuksańca w bok:

– Głuptasku, mama przecież jest już zamężna. Z tatą. To jest dla mnie, jak będę duża.

– Ja też chcę być duża i wyjść za mąż – zawołałam – za Dżabira, mojego brata. Jutro na pewno będę już taka duża, że będę mogła wyjść za mąż.

Wszyscy się roześmiali. Potem matka ubrała się w te śliczne rzeczy, które podarował jej ojciec, i byłam pewna, że nie było na świecie tak pięknej kobiety jak moja matka, Safijja.

Była wysoka jak żadna inna kobieta na naszej ulicy. Miała skórę białą jak mleko, włosy czarne jak heban, a oczy tak wielkie jak oczy jakiejś królowej. Gdy na mnie patrzyła, jej oczy mogły zajrzeć w głąb mojego małego serca, a kiedy wspinałam się na palce, mogłam w jej oczach zobaczyć jej serce. Miała bardzo miękki głos i umiała tak ładnie śpiewać, że nawet źli ludzie całkiem łagodnieli.

Najgorszymi ludźmi na naszej ulicy były *darbo-szi-fal*, grube baby z tłustymi tyłkami i wielkimi chustami na głowie, chodzące po naszej dzielnicy i wrzeszczące:

– Komu powróżyć, karty położyć, czytać z ręki – chcecie wiedzieć, co przyszłość wam przyniesie? Chcecie odnieść sukces?

Bardzo się bałam tych kobiet. Gdy słyszałam ich głosy, szybko biegłam do domu, z hukiem zamykałam na zamek wielkie niebieskie drzwi frontowe i prosiłam matkę:

– Mamo, zaśpiewaj mi piosenkę, żebym nie słyszała złych *darbo-szi-fal*.

I matka śpiewała mi piosenkę, głaskała mnie po włosach i strach mijał. Wąchałam jej lekkie letnie sukienki, przez które można było wyczuć zapach ciała. Tych sukienek nigdy nie wolno jej było nosić poza domem, to byłby skandal. Gdy wychodziła, musiała wkładać ciężkie dżellaby, okrywające całe ciało. Matka miała tylko czarne dżellaby, uważała, że są eleganckie, ale pod spodem czasem nosiła białą bieliznę od ojca. Miała pełne usta, które malowała, ale tego można się było tylko domyślać, bo na ulicy zawsze nosiła jedwabną zasłonę.

Ojciec kochał matkę za jej urodę, był jednak bardzo o nią zazdrosny. Kiedyś siedział naprzeciwko naszego domu, u krawca, i palił haszysz, gdy znalazłam na ulicy kolorową tabletkę. Matka widziała przez okno, jak wkładałam tabletkę do buzi.

– *Ouarda-ti* – zawołała – wyjmij to z buzi. To niebezpieczne.

Nie posłuchałam, tylko dalej obracałam tabletką w buzi. Wysunęłam ją na języku przez zaciśnięte usta, tak że matka mogła ją widzieć.

Była coraz bardziej zdesperowana.

– To jest trucizna – krzyczała – wypluj to!

Teraz mówiła po berberyjsku, w języku swojego ludu, jak zawsze, kiedy była zła. Zlizałam już całą farbkę z tabletki, gdy matka wypadła z domu, bez chustki na głowie, bez zasłony, złapała mnie, dała mi klapsa i zaciągnęła do domu. Rozpłakałam się, bo czułam jej złość i jej strach o mnie, i od razu wyplułam tabletkę na ziemię.

Potem przyszedł do domu ojciec. Nie powiedział nic, ani słowa. Był odurzony narkotykami. Dopiero wieczorem, kiedy poszliśmy spać, zbił matkę. Leżeliśmy na materacach i słyszeliśmy uderzenia, jej stłumione krzyki, jej jęki.

– Żebyś nigdy więcej nie wychodziła tak na ulicę, kobieto! – krzyczał ojciec.

Płakaliśmy, aż usnęliśmy, ciasno do siebie przytuleni, z twarzami mokrymi od łez.

Nazajutrz matka miała wielkiego siniaka pod okiem.

– To nic takiego, dzieci – powiedziała. – Po prostu nie myślcie o tym.

Ja jednak nie mogłam nie myśleć. Jej piękna twarz, tak zniekształcona, okaleczona. Przeze mnie. Widzę ten obraz jeszcze dzisiaj tak wyraźnie, tak realistycznie, jakby matka stanęła przede mną.

W sypialni stał telewizor ojca. Był duży, tylko czarno-biały. Ale że ojciec był postępowym technikiem telewizyjnym, miał cudowną folię, którą się przypinało do telewizora. I obraz już nie był czarno-biały, tylko turkusowoniebieski. Uważałam turkusowoniebieskie obrazy za tak fascynujące, że czasami brałam po kryjomu folię, podchodziłam do okna i zamieniałam w słońcu beżowo-szarą ulicę w turkusowoniebieską. *Lala* Sahra z sąsiedztwa miała nagle nie tylko duży brzuch, lecz turkusowy duży brzuch. Patrzyłam i nie mogłam przestać się śmiać, aż matka zabrała mi folię, poszła do kuchni i starannie wytarła odciski moich palców, żeby ojciec niczego nie zauważył. Na telewizorze zawsze leżała duża szydełkowa kapa, żeby cenna folia się nie zakurzyła. Tylko wtedy, gdy ojciec postanawiał włączyć odbiornik, matka zdejmowała kapę z telewizora, ojciec naciskał guzik i turkusowoniebieskie obrazy zaczynały się poruszać.

Pozostałe dwa pokoje na piętrze to komórka, w której matka trzymała swoje ubrania, i nowy pokój stołowy. Okno stołowego wychodziło na podwórze szkoły podstawowej na sąsiedniej posesji. Gdy Muna, Rabi'a i Dżamila jeszcze tam chodziły, Dżabir i ja zrzucaliśmy im przez okno drugie śniadanie. W szkole najczęściej nie było wody, więc w gorące popołudnia wielu uczniów stało pod oknem naszego pokoju stołowego i wołało:

– Ouarda, Dżabir, jesteście tam?

– Tak, czego chcecie?

– Potrzebujemy wody, zrzućcie nam trochę.

Szliśmy do kuchni, napełnialiśmy wodą plastikowe butelki i zrzucaliśmy je na podwórko szkolne. Wszędzie w domu było porozlewane i matka trochę się złościła, ale nie za bardzo. Tylko raz, gdy i w naszym wodociągu zabrakło wody, a my ostatnie zapasy w butelkach zrzuciliśmy do szkoły naprzeciwko, naprawdę była zła.

– Nie możecie mi tego robić! – krzyczała. – Na czym będziemy jutro gotować?

Pobiegliśmy szybko na ulicę i bawiliśmy się piaskiem i kamykami, aż matka się uspokoiła.

Z piętra prowadziła na płaski dach prymitywna drabina, zbita z krzywych gałęzi. Na noc drabinę się zdejmowało, żeby złodzieje nie mogli wejść górą do domu. Na dachu była tylko antena telewizyjna ojca i matki sznurek do bielizny.

Dzieciom nie pozwalano wchodzić na dach. To było zbyt niebezpieczne ze względu na brak poręczy.

Z tym dachem nie wiążą się dla mnie dobre wspomnienia. Tutaj mój ojciec spalił moją matkę. Ale już przedtem, jakiś czas przed jej śmiercią, zdarzyło się na tym dachu coś strasznego.

Ojciec był w tym czasie już bardzo dziwny. Interesy szły źle, a on siedział całymi dniami u krawca naprzeciwko i palił haszysz. Zachorowała wtedy moja młodsza siostra Wafa i zaraziła Asję, która była jeszcze niemowlęciem. Ojciec wziął dzieci i wciągnął je na dach.

– Słońce – mamrotał – słońce je uleczy.

Po czym położył dzieci na kamieniach, usiadł obok i wpatrywał się w rozżarzone słońce, aż łzy mu płynęły z oczu.

Dzieci najpierw płakały, ale ich krzyki w palącym upale stawały się coraz słabsze. W końcu ucichły.

Matka weszła na drabinę i zawołała do ojca:

– Proszę cię, Husajnie, oddaj mi dzieci. One umrą. Trzeba je zabrać do szpitala.

Ale ojciec nie reagował. Matka płakała, a potem położyła się na podłodze pod drabiną. Nie miała już siły ani odwagi, by walczyć o życie swoich córek.

Później ostrożnie zajrzałam na górę. Ojciec siedział odwrócony do mnie plecami, nadal wpatrywał się w słońce. Moje siostry leżały obok niego i nie poruszały się. Ślina, która wyciekła im z ust, zostawiła na twarzach zaschnięte białe ślady.

Położyłam się obok matki i płakałam razem z nią. Dopiero po dwóch dniach udało się mojej starszej siostrze Rabi'i namówić ojca, żeby zszedł z dachu.

Popatrzył na nią, jakby się nic nie stało.

– Lepiej będzie, jak zaniosę małe do szpitala, co?

W Szpitalu im. Hasana II, naprzeciwko wielkiego cmentarza, w ostatniej chwili je uratowano.

Dom bez dachu

Kiedy dzisiaj myślę o moim ojcu, widzę przed sobą starego, złamanego człowieka w niebieskim dresie w czerwone wzory, który mu dziesięć lat przed jego śmiercią przyniosłam do więziennego szpitala w Safi nad Atlantykiem. Leczyli go tam na cukrzycę, oczy miał puste, głos słaby.

Więzienie w Safi było straszne. Mężczyźni spali w salach na podłodze. Woda do picia stała w wiadrach, a latryny były równie obrzydliwe jak zupa z soczewicy, którą kilku mężczyzn siorbało z blaszanych menażek na podwórzu. Chudymi palcami wyławiali ziarna soczewicy, jakby zaraz mieli umrzeć z głodu.

Dres kupiłam ojcu na suku, nim wyjechałam z Agadiru do Niemiec. Oprócz dresu podarowałam mu dużą butelkę wody kolońskiej i magnetofon z kasetą Umm Kulsum, piosenkarki mojego dzieciństwa. Poza tym skarpety, klapki łazienkowe, kalesony. I tanie papierosy „Casa" na wymianę oraz pastę do zębów, do własnego użytku.

Nie było mi łatwo podarować własnemu ojcu bieliznę. W Maroku tylko żony kupują kalesony swoim mężom.

– Rabi'o – zapytałam siostrę na suku – czy mogę kupić ojcu bieliznę?

– Oczywiście – powiedziała Rabi'a. – Jeśli my tego nie zrobimy, to kto?

– Ale czy ojcu nie będzie nieprzyjemnie? – zapytałam.

– Będzie mu jeszcze mniej przyjemnie, jeśli w ogóle nie będzie miał kalesonów – powiedziała Rabi'a, która jest osobą bardzo praktyczną.

Rzeczy dla ojca musiałyśmy oddać przy furtce. Nigdy nie było wiadomo, czy dozorcy nie kradną. Dlatego dałyśmy ojcu spis wszystkich sprawunków, jakie zrobiłyśmy, żeby mógł sprawdzić, czy wszystkie rzeczy mu przekazano. Ojciec przebiegł wzrokiem kartkę, udając, że nie widzi słowa „kalesony" na liście.

Powiedział:

– Moje córki, dziękuję wam. Ale gdybyście jeszcze kiedyś mnie odwiedziły, nie przynoście mi nic oprócz papierosów. Papierosy mogę w więzieniu wymienić na wszystko, czego mi potrzeba. I kilka świeżych smażonych sardynek. Wniosą zapach morza do mojej celi. Niczego więcej od was nie oczekuję, moje córki.

Zanim opuściłyśmy więzienie w Safi, ojciec powiedział do mnie słabym głosem:

– Ouarda, moja córeczko, chciałbym, żebyś przyjęła coś ode mnie. Nie mogę już o niczym decydować, jestem więźniem, ale mogę ci dać pewną radę, która płynie z mojego serca: czytaj, moje dziecko, czytaj wszystkie książki, jakie ci wpadną w ręce, czytaj tyle, ile tylko możesz. Gdybym nie czytał, już dawno bym umarł.

Kiedy byłam mała, ojciec miał bibliotekę. Na półkach stały książki w kolorowych okładkach i z francuskimi tytułami. Gdy ojciec miał czas, siedział w swoim pokoju na podłodze i w świetle elektrycznej żarówki czytał książki. Matka nigdy nie brała książki do ręki, była dziewczyną ze wsi i nie umiała czytać.

Wiedziałam, że nie chcę być taka jak moja matka, gdy będę duża. Chciałam wszystko wiedzieć, chciałam poznać świat i umieć czytać. I chciałam mieć bibliotekę z grubymi książkami w kolorowych okładkach.

Chciałam być taka jak ojciec.

Ojciec, zanim się zmienił, był pewnym siebie, silnym mężczyzną. Jego sklep elektryczny przy głównej ulicy naprzeciwko stacji benzynowej był największy i najpiękniejszy w całym Nouveau Talborjt. Ojciec miał motorower i nosił modne ubrania i najszykowniejsze wąsy w całej naszej dzielnicy. Ciągle inaczej je przystrzygał. Raz miał wąsy o końcach zawadiacko podwiniętych do góry, to znowu krótko przystrzyżone. Wieczorami chadzał z przyjaciółmi do kawiarni, pił czerwone francuskie wino i rozkoszował się korzennym dymem swojej fajki z morskiej pianki. Jeszcze dzisiaj, gdy czuję dym z fajki, myślę o ojcu.

W domu ojciec decydował o wszystkim. To on postanawiał, w co dzieci mają się ubrać, on robił zakupy, on mówił matce, co ma z nami robić.

– Safijjo – mówił – dzieci powinny iść nad morze. Pójdź z nimi na plażę.

Wtedy matka brała nas za ręce i szliśmy główną ulicą w dół, obok dzisiejszej cukierni „Jacut" i szpitala. Mijaliśmy jedyny wieżowiec w mieście, który miał tylko dziesięć pięter, a potem już czuło się chłód oceanu pośród rozedrganego upału lata.

Uwielbiałam ten wieżowiec. Gdy byłam trochę starsza, zakradłam się do środka i pojechałam windą na sam dach. Patrzyłam stamtąd na ulicę, na całkiem małych ludzi i całkiem małe samochody. Wydawałam się sobie bardzo duża i potężna, aż nagle poczułam szorstką dłoń na ramieniu. To był dozorca.

– Co ty tu robisz? – chciał się dowiedzieć.

Nie odpowiedziałam, tylko patrzyłam na niego wielkimi oczami.

Nie puścił mojego ramienia, popychał mnie w dół po schodach, groził, że zaprowadzi mnie na policję.

Płakałam i krzyczałam, aż w końcu na parterze mnie wypuścił. Po tym wszystkim przez kilka tygodni nie miałam odwagi jeździć windą na dach. W końcu jednak fascynacja wysokością wzięła górę i znowu spróbowałam. Tylko że teraz byłam ostrożniejsza i nie dałam się złapać.

Plaża Agadiru jest długa i bardzo szeroka. Gdy byłam mała, zawsze się bałam, że jest o wiele za szeroka dla moich krótkich nóg i że nigdy nie dojdę do morza.

Kochałam morze. Godzinami siedziałam na piasku i patrzyłam ponad grzywami fal aż po horyzont. A potem zamykałam oczy i sięgałam wzrokiem jeszcze dalej, do dalekich krajów za oceanem.

– Mamo – zapytałam – czy po drugiej stronie morza też żyją ludzie?

– Myślę, że tak, *Ouarda-ti* – odpowiedziała – ale ja jestem prostą dziewczyną ze wsi. O wielu sprawach wiem tylko dlatego, że twój ojciec mi opowiadał.

Matka siedziała w swojej dżellabie w cieniu drzew za wydmami. Rozłożyła koc z wielbłądziej wełny i postawiła na nim miseczkę z oliwą. Do tego były płaskie placki, które upiekła w domu. Łamaliśmy je w rękach i maczaliśmy kawałki w żółto połyskującej oliwie. Piliśmy wodę albo, jeśli dostatecznie długo się napraszaliśmy, colę z dużych, ciężkich szklanych butelek, które można było kupić w budkach przy plaży.

Matka nigdy nie wchodziła do wody. Nie umiała pływać. I nie lubiła, kiedy dzieci wskakiwały w fale.

– Wracajcie, dziewczynki! – wołała. – Woda jest niebezpieczna. Mieszka w niej zły duch.

Nie wierzyłyśmy jej i dalej szalałyśmy w wodzie. Gdy wracałyśmy na plażę, budowałyśmy z piasku kasby i domy, miasta i ulice, i bawiłyśmy się w *haba* – berka.

Matka bawiła się razem z nami. Była bardziej koleżanką niż matką. W podkasanej dżellabie i bez butów szybko biegała po piasku i wołała *haba*, kiedy nas dopadała: berek! A potem my ją goniłyśmy, aż w końcu bez tchu przysiadałyśmy w cieniu drzew.

Na początku, gdy matka przyjechała z Ad-Dirhu do Agadiru, czuła się w mieście obco. Ludzie, ruch, hałas i brud – wszystko to odbierało jej pewność siebie. Nie znosiła sąsiadów, zwłaszcza rodziny mieszkającej w domu na lewo od nas.

Mieszkał tam monsieur Sahmi z żoną i dziećmi. Monsieur Sahmi pracował w hotelu i był najwyraźniej kimś bardzo ważnym. Tak przynajmniej twierdziła jego żona, madame Sahmi. Madame Sahmi malowała się i nosiła minispódniczki oraz torebki pasujące do butów. Co miesiąc tleniła sobie ciemne włosy, a poza tym prowadziła samochód. Po nocach odbywały się u sąsiadów przyjęcia z alkoholem, na których ludzie się śmiali.

Matka nam tłumaczyła:

– Coś takiego robią tylko ludzie niewierzący. Jest ich bardzo dużo w obcych krajach, o których mi opowiadał ojciec. Ale tak nie wypada, bo to grzech. Allahowi to by się nie podobało.

Matka uważała, że madame Sahmi jest niemożliwa. W domu naśladowała jej ruchy. Z afektacją odginała mały palec, wymachiwała wyimaginowaną torebką i mówiła egzaltowanym głosem: „Monsieur, może pozwoli pan jeszcze kieliszek wina? A może szampana?".

Zabawnie to brzmiało w jej berberyjskim języku. Zaśmiewaliśmy się do łez.

Moja siostra Dżamila często się kłóciła z dziećmi rodziny Sahmi. Potem przychodziła z płaczem do domu, a matka strasznie się złościła.

– Muna-Raszida – wołała – chodź tutaj! Jesteś najstarsza, zejdź na dół i broń młodszej siostry. To twoje zadanie.

Ale Muna-Raszida była tak nieśmiała, że nie chciała się bawić z innymi dziećmi, tylko z własnym rodzeństwem.

Posłusznie wychodziła na ulicę. Starała się jednak być niewidzialna. Przyciskała się do ściany domu, a gdy przez nieuwagę natykała się na jedno z dzieci Sahmi, najgorsze, co jej przychodziło do głowy, to: „Byłaś niemiła dla mojej siostry. Żeby się to więcej nie powtórzyło". I wracała pędem do domu.

Pewnego razu kłótnia między dziećmi przybrała takie rozmiary, że madame Sahmi pojawiła się pod naszym domem. Władczo zapukała do niebieskich drzwi i zawołała:

– Madame Saillo, niech pani otworzy, mam z panią do pomówienia. Pani dzieci to bezczelni smarkacze, zupełnie bez wychowania.

Matka udawała, że nie ma jej w domu.

– Pst – szepnęła – ani mru-mru.

Matka nie chciała rozmawiać z madame Sahmi, pewnie dlatego, że nie umiała mówić po arabsku, tylko po berberyjsku. Rozumiała wszystko, ale dziwne arabskie słowa nie mogły jej przejść przez gardło.

– Wiem, że pani tam jest! – wołała madame Sahmi pod drzwiami. – Bo gdzie taka prymitywna berberyjska dziewucha ze wsi mogłaby być? Jeśli pani nie otworzy, poczekam, aż monsieur Saillo przyjdzie do domu.

– Słyszycie – szeptała matka – ta ordynarna baba gotowa jest nawet rozmawiać z cudzym mężem. Chyba w ogóle nie ma wstydu. Ale ja jej pokażę, na co stać berberyjskie kobiety.

Nie odezwaliśmy się ani słowem, tylko siedzieliśmy z szeroko otwartymi oczami, gdy nasza matka nalała wody do plastikowego wiadra i wniosła na piętro. Po cichutku poszliśmy za nią. A matka wzięła wiadro i wylała przez okno na świeżo utlenioną głowę madame Sahmi.

Madame Sahmi nigdy więcej nie podeszła do drzwi naszego domu, my jednak musieliśmy się wyprowadzić, jedną ulicę dalej, do domu z lepszymi sąsiadami.

Przeprowadzka wcale nie przeszła gładko. Nasz nowy dom był już wprawdzie naszą własnością, lecz miał jeszcze lokatora. A lokator nie chciał się wyprowadzić. Ojciec z nim pertraktował, nic to jednak nie dało.

– Safijjo – powiedział przy kolacji – mamy kłopot. Jutro musimy się stąd wyprowadzić, ponieważ sprzedałem dom. Ale do naszego nowego domu nie możemy się wprowadzić, bo jeszcze mieszkają tam ludzie, którzy nie chcą się wynieść.

– Co my teraz zrobimy, Husajnie? – zapytała matka, przestraszona. – Czy będziemy musieli mieszkać na ulicy?

– Nie – powiedział ojciec – mam lepszy pomysł. To będzie niespodzianka. Jutro rano przygotuj wszystko do przeprowadzki. Przenosimy się po południu.

Około południa przyjechali ludzie z wozem drabiniastym i wynieśli nasze kanapy, łóżka, szafki i skrzynie z ubraniami. Potem przeciągnęli wóz jedną przecznicę dalej, do naszego nowego domu. Drzwi były zamknięte.

– I co teraz? – zapytali mężczyźni od przeprowadzek.

– Wyładować! – zawołał ojciec. – Urządzimy sobie pokój na ulicy, dokładnie na wprost wejścia do domu.

Mężczyźni wyładowali z wozu nasze kanapy. Były to takie kanapy, na jakich w każdym marokańskim pokoju stołowym znajdzie się miejsce co najmniej dla dwudziestu osób. Pokryte były kosztownym czerwonym aksamitem. Teraz stały w kurzu rue el Ghazoua.

Matka się martwiła, że piękny materiał się pobrudzi, przykryła więc kanapy prześcieradłami, by je ochronić przed kurzem i słońcem.

Ale ojciec z władczym gestem rozkazał:

– Zdejmij prześcieradła! Mieszkamy tutaj. To jest nasz pokój. Nie chcę siedzieć na prześcieradłach.

Ludzie od przeprowadzek rozłożyli nasz dywan, przynieśli z wozu stoliki, a matka postawiła karafkę z wodą.

Ojciec pukał do drzwi sąsiadów i przedstawiał się:

– *Salam alajkum*, nazywam się Husajn Saillo, a to jest moja rodzina. Jesteśmy waszymi nowymi sąsiadami, ale musimy jeszcze poczekać, aż wyprowadzą się ludzie, którzy zajmują nasz dom.

Wokół naszego stołowego zgromadził się tłum. Wszyscy, którzy mieszkali przy tej ulicy, przechodzili koło nas, żeby sobie obejrzeć przedstawienie. Niektórzy przyszli nawet z innych ulic w dzielnicy. Kobiety przynosiły herbatę i wypieki. Matce i Munie-Raszidzie było nieprzyjemnie. Ojciec jednak zdawał się bawić tą sytuacją.

Ludzie od przeprowadzki wystawili tymczasem całe nasze gospodarstwo na ulicę. Wzięli należną zapłatę i pożegnali się.

– Mamo – zapytała Rabi'a – czy teraz naprawdę będziemy mieszkać na ulicy?

Muna-Raszida popłakiwała. Ale potem otworzyły się drzwi domu i lokator stanął przed nami z walizką w ręce.

– To wasz dom – powiedział – wygraliście. Niech Allah ma was w opiece. Jutro zabiorę meble.

Następnego dnia wprowadziliśmy się do nowego domu. Miał tylko jedną kondygnację: parter. Ojciec chciał dobudować jeszcze jedną, żeby było dość miejsca dla nas wszystkich. Za pieniądze zarobione w warsztacie kupił cement, stal zbrojeniową, farbę i najął rzemieślników.

Rzemieślnicy budowali i budowali, a potem przyszli do ojca i powiedzieli:

– *Sidi* Saillo, potrzebujemy więcej pieniędzy. Potrzebujemy więcej cementu i więcej robotników.

Ojciec dał im pieniądze. Za tydzień przyszli znowu:

– *Sidi* Saillo, niech nam Allah wybaczy, ale pieniędzy wciąż jest za mało.

Ojciec znów dał im pieniądze. Ale gdy po raz trzeci przyszli po więcej, wyrzucił ich.

– Safijjo – powiedział do matki – ci *al-chadama*, rzemieślnicy, nas oszukali. Sam zbuduję nasz dom.

Ojciec jeszcze nigdy nie budował domu. Teraz jednak mieszał cement i wznosił mury, i chociaż wszystko było krzywe i pochyłe, chciał położyć dach nad nowym piętrem. Na to jednak zabrakło mu pieniędzy.

– Safijjo – powiedział do matki – pojadę na pustynię do Fasku. Tam moja rodzina ma ziemię. Sprzedam ją, a za te pieniądze zbuduję dach nad naszym domem.

Matka się przeraziła.

– Do Fasku? – zapytała. – Nie jedź do Fasku. Wiesz, że tam dla rodziny Saillo jest niebezpiecznie. Pomyśl, co stało się z twoim ojcem, gdy tam pojechał. Proszę cię, zostań.

Ale ojciec nie dał się przekonać. W lutym 1975 roku spakował torbę podróżną, wsiadł do samochodu i wyjechał z Agadiru na południe, w stronę pustyni.

Gdy wrócił, nie był już tym samym człowiekiem.

Tajemnica Fasku

Miejscowość Fask leży na Saharze na południe od Antyatlasu. Z Kuliminu prowadzi do Fasku asfaltowa szosa, a od pewnego czasu jest tu prąd, stacja benzynowa i sklep kolonialny z letnią coca-colą. Ale w rzeczywistości Fask pozostał tym, czym zawsze był: zakurzoną pustynną wioską na końcu świata.

Latem 2002 roku znalazłam się tam po raz pierwszy. Miałam dziwne uczucie. Fask nie był dobrym miejscem dla naszej rodziny. Złe legendy snuły się wokół tej odludnej okolicy, z której pochodzili moi przodkowie ze strony ojca.

Przed wielu laty dziadek próbował odzyskać swoje ogromne posiadłości od dalekich krewnych, którzy w jego imieniu nimi zarządzali, a potem nie chcieli ich oddać. Ledwo uszedł wtedy z życiem.

Według legendy krążącej w naszej rodzinie, krewni usiłowali go zabić. Dziadek nocował w jednym z pomieszczeń swojej byłej posiadłości. Obok skromnego legowiska na glinianej podłodze domu położył na stołku tabletki na żołądek. Gdy nocą zaczynały się bóle, sięgał po ciemku po lekarstwo i połykał tabletki, popijając je wodą z dzbanka.

Tamtej nocy, gdy dotknął tabletek, poczuł coś dziwnego. Jakiś proszek czy kurz. Zapalił latarkę, którą zawsze brał ze sobą, gdy opuszczał swój dom w Tiznicie. Tabletki były pokryte warstwą czegoś czarnego. Dziadek zawołał psa gospodarza i dał mu tabletki. Dwie godziny później pies wił się w śmiertelnych drgawkach.

Dziadek opuścił Fask i nigdy więcej nie wrócił do swoich włości.

W 2002 roku moja siostra Asja, mój mąż Michael, dzieci i ja jechaliśmy długą, prostą szosą przez pustynię. W połowie podróży zobaczyliśmy starego peugeota stojącego na skraju drogi. W samochodzie siedziały cztery całkowicie zakwefione kobiety. Obok stał mężczyzna z kanistrem. Zatrzymaliśmy się.

– Możemy panu pomóc? – zapytałam.

– Allahowi niech będą dzięki – powiedział – czy możecie mnie podwieźć do najbliższej stacji benzynowej? Skończyło mi się paliwo.

Mężczyzna z kanistrem wsiadł do naszego samochodu i zawieźliśmy go aż do Fasku, na stację benzynową.

Zapytałam właściciela stacji:

– Niech Allah ma pana w opiece, *sidi*, czy mógłby mi pan powiedzieć, gdzie mieszka rodzina Saillo?

Właściciel odpowiedział:

– Rodzina Saillo już dawno tu nie mieszka. Nikt z nich tu nie został. Wszyscy wyjechali do Tiznitu i do Agadiru.

– I nie ma żadnych innych krewnych tej rodziny?

– Owszem, jeden jeszcze tu jest – *sidi* Muhammad, mieszka na końcu wsi w wielkiej posiadłości.

Właściciel stacji benzynowej przywołał gestem ręki jednego z chłopców, którzy siedzieli przed garażem w kurzu:

– Wsiądź do samochodu tych ludzi i pokaż im drogę do *sidi* Muhammada.

– Niech Allah będzie łaskaw dla pańskich rodziców – wypowiedziałam tradycyjną na pustyni formułkę dziękczynną. Potem pojechaliśmy z chłopcem pylistą drogą aż na koniec wsi.

Długi, czerwonobrązowy mur oddzielał posiadłość od żółtego piasku pustyni. W murze były trzy drewniane bramy. Za murem widziałam korony palm. *Sidi* Muhammad był chyba człowiekiem zamożnym.

Zapukałam do drzwi po lewej stronie. Stukanie rozniosło się głuchym echem po pustyni. Trwało jednak długo, zanim drzwi lekko się uchyliły.

– Czego chcecie? – zapytał dziewczęcy głos.

– Chcielibyśmy rozmawiać z *sidi* Muhammadem.

– Musicie zapukać do następnych drzwi – powiedziała dziewczynka.

Tam otworzył mały chłopiec.

– Poczekajcie tutaj – powiedział – zawołam *sidi*.

Sidi Muhammad kazał nam długo czekać w upale, nim stanął w drzwiach: niski, ciemny mężczyzna w zakurzonej dżellabie, z chustką tylko narzuconą na głowę, jak to jest w zwyczaju, gdy trzeba przyjąć niespodziewanych gości.

Żołądek mi się ścisnął: Czy to był ten człowiek, który usiłował zabić mojego dziadka? Czy to on był odpowiedzialny za przemianę, jaka zaszła w moim ojcu? Czy to on ponosił winę za śmierć mojej matki? Za los mojej rodziny?

Bezgłośnie odmówiłam surę Koranu, która mnie strzegła przed zawiścią, od kiedy byłam małą dziewczynką. Jest to sura 113, *Jutrzenka* [*Al-Falak*]:

Szukam schronienia u Pana jutrzenki
przed złem tego, co On stworzył,
przed złem ciemności, kiedy się szerzy,
przed złem tych, którzy dmuchają na węzły,
i przed złem człowieka zawistnego,
w chwili kiedy żywi zawiść.

Sidi Muhammad poprowadził nas przez dwa dziedzińce wewnętrzne do wysokiego pomieszczenia. Posiadłość składała się widocznie z paru budynków. *Sidi* Muhammad miał chyba kilka żon. Z pierwszą żoną mieszkał w środkowym domu. Pozostałe mieszkały w domach z prawej i lewej. Spotkaliśmy je później.

Podłoga w pomieszczeniu, w którym usiedliśmy, była z utwardzonej gliny i pokryta dywanami; kilka dywanów wisiało też na ścianie. *Sidi* Muhammad przyrządził herbatę, roztłukł kamieniem cukier. Posłał chłopca do kuchni. Chłopak wrócił ze świeżym chlebem, oliwą i jajkami na twardo. Jajka to oznaka największej gościnności. Nie znoszę jajek na twardo.

– Co was tu sprowadza? – zapytał *sidi* Muhammad.

– Jestem Ouarda, córka Husajna Saillo. Mój ojciec był tu dwadzieścia lat temu.

– Tak – powiedział – przypominam sobie. Twój ojciec był dumnym, niezłomnym człowiekiem. Nie pozyskał sobie przyjaciół, gdy tu przyjechał. Tutaj siedział, w tym pokoju, w miejscu, w którym ty teraz siedzisz.

Tego się nie spodziewałam. Moja postawa zmieniła się, ciało stało się uważne, mięśnie się napięły, nerwy rozedrgały. Nagle poczułam twardą glinę pod cienkim dywanem, gorycz herbaty piekła w język, zapach jajek wgryzał się w nozdrza. To było to miejsce, w którym mój ojciec tak się zmienił, to stąd wrócił z manią prześladowczą, a trzy lata po jego wizycie w Fasku umarła moja matka. To tutaj się wszystko zaczęło.

– O czym mówiliście, *ammi* Muhammad? – zapytałam. *Ammi* to grzecznościowy sposób zwracania się do stryja. Z trudem zdecydowałam się na tę osobistą formę. Nie znałam tego człowieka. Ale to było konieczne, by mu pokazać, że jestem dobrze wychowana.

– Po co ci to wiedzieć? – odpowiedział pytaniem na pytanie.

– Bo jestem jego córką – powiedziałam.

Sidi Muhammad popijał herbatę. Przełamał chleb i umaczał go w oliwie. Wolno żuł kęs.

Potem w półmroku pomieszczenia bez okien powiedział:

– Twój ojciec nie był miłym człowiekiem, moje dziecko, groził nam adwokatami. Chciał odebrać nam ziemię, którą kupiliśmy od ojca twojego ojca.

– Nie kupiliście jej – powiedziałam – zarządzaliście nią w imieniu mojego dziadka, gdy przeniósł się do miasta.

– To prawda, moje dziecko – powiedział *sidi* Muhammad – ale zarządzanie takimi wielkimi posiadłościami to trudna sprawa i kosztuje pieniądze. Nikt z twojej rodziny się o to nie troszczył, aż przyjechał twój ojciec i chciał wszystko dostać z powrotem. Pokłóciliśmy się, potem odjechał i nigdy więcej tu nie wrócił. Tymczasem obcy ludzie zajęli wasze ziemie. Zatrzymałem tylko tyle, ile mi się należy.

Potem pojechał z nami na pustynię. Wskazywał rękami daleko aż po palmy na zamglonym horyzoncie.

– To wszystko to twoja ziemia, Ouardo, musisz odebrać ją ludziom, którzy ci ją ukradli. Do ciebie należy pustynia, do ciebie należy woda, która wypływa z gór.

– Nie chcę ziemi, *ammi* – powiedziałam – chcę się dowiedzieć, co stało się z moim ojcem.

– Tego nie mogę ci powiedzieć, moje dziecko – odparł *sidi* Muhammad – mogę ci tylko powiedzieć, że sprowadziliśmy naczelnika wsi, gdy twój ojciec był tutaj i groził adwokatami. My na pustyni nie znamy żadnych adwokatów. To też tłumaczył stary człowiek twojemu ojcu. Powiedział, że powinniśmy to załatwić między sobą. Ale twój ojciec chciał iść do sądu. Kłócił się ze starym człowiekiem.

– A potem? – zapytałam, chociaż już wiedziałam, co *sidi* Muhammad teraz powie.

– A wtedy – powiedział *sidi* Muhammad – wtedy stary człowiek przeklął twojego ojca.

– Co powiedział?

– Powiedział: Niech Allah cię przeklnie za to, że nie przestrzegasz zasad ludzi pustyni, że chcesz włączyć obcych ludzi z obcych sądów. Że mówisz o adwokatach, że grozisz staremu człowiekowi. Niech Allah nie strzeże twojej drogi do Agadiru na północy.

Sidi Muhammad przerwał.

Nie patrzył na mnie.

– Twój ojciec wsiadł do samochodu i odjechał. Nigdy więcej go nie widziałem.

Mówiąc to, *sidi* Muhammad stał na skraju drogi. Za nim, jak okiem sięgnąć, rozciągała się pustynia. Słońce paliło. Ale dla mnie niebo pociemniało. W uszach huczało mi zdanie: „Niech Allah cię przeklnie". Wciąż od nowa: „Niech Allah cię przeklnie. Niech Allah cię przeklnie. Niech Allah cię przeklnie".

Odwróciłam się od *sidi* Muhammada i słońce osuszyło moje łzy, zanim zdążyły popłynąć.

Przemiana

Po powrocie do Agadiru ojciec zaparkował samochód przed naszym domem, który wciąż jeszcze był placem budowy, i nie powiedział ani słowa. Miał na sobie gandurę, niebieski strój mężczyzn z pustyni, a na głowie czarną chustę, spod której widać było tylko oczy.

Przestraszyłam się go, jeszcze nigdy ojca takim nie widziałam.

– Mamo – zapytała Rabi'a – co się stało z tatą?

– Nie wiem – wyszeptała matka – mam nadzieję, że to nie przekleństwo pustyni ściska mu serce. Wiecie przecież, że Fask nie jest dobrym miejscem dla rodziny Saillo. Pomódlmy się do Allaha, żeby trzymał nad ojcem chroniącą dłoń.

Przytuliła nas do siebie, a jej słodki zapach był tak uspokajający jak jej cichy głos, którym recytowała z pamięci surę 114, *Ludzie* [*An-Nas*]:

W imię Boga Miłosiernego, Litościwego!
Szukam schronienia u Pana ludzi,
Króla ludzi,
Boga ludzi,
przed złem kusiciela,
wycofującego się skrycie,
który podszeptuje pokusę w serca ludzi
– spośród dżinnów i ludzi.

Dżinny to duchy, które Allah stworzył z ognia i którym nigdy nie należy ufać. Jeszcze dzisiaj mówię *bi-ismi Allah*, „w imię Boga", gdy wylewam do zlewu gorącą wodę – bo mogą tam mieszkać dżinny, które by się rozgniewały, gdybym je oparzyła. Ale gdy matka swoim miękkim głosem wypowiadała sury z Koranu, znikał również strach przed dżinnami.

Ojciec poszedł spać. Ostatnim niezakłóconym snem na wiele, wiele lat. Gdy rano następnego dnia się obudził, był innym człowiekiem. Już nie rozmawiał z nami, tylko sam ze sobą. Nocami, zamiast leżeć obok matki w łóżku rodziców, siedział w ciemności na dachu, patrzył w gwiazdy i palił słodkie narkotyki z gór Rifu, których oszałamiający zapach dochodził aż do naszych pokojów.

Nas, dzieci, bardzo to niepokoiło.

– Jak myślicie, czy ojca opętały dżinny? – szeptały moje siostry.

– Nie, to na pewno diabeł – powiedział mój brat – może ugryzł go jakiś na pustyni.

– Diabły nie gryzą – powiedziały siostry – jeśli już, to demony.

Nazajutrz ojciec sam rozwiązał zagadkę swojej przemiany:

– Muszę wam powiedzieć coś ważnego. Safijjo, moja żono, i wy, moje dzieci, słuchajcie uważnie: gdy byłem w Fasku, stało się ze mną coś szczególnego. Sam Prorok mnie oświecił. Teraz jestem jego cieniem, cieniem Proroka. Moje życie się zmieni. I wasze życie także.

Po czym znowu zapadł w milczenie. Nie przyjmował już żadnych napraw, a gdy klienci przychodzili po odbiór sprzętu, nie żądał od nich pieniędzy.

Biednieliśmy coraz bardziej, ojcu jednak było to obojętne. Chodziliśmy spać o pustym żołądku, a gdy w końcu usypialiśmy, często wyrywał nas ze snu.

– Dzieci – wołał – pora na modlitwę!

Dziewczynki i matka musiały nakryć głowę chustką, a ojciec z Dżabirem zwracali się ku Mekce. My stałyśmy z tyłu, jak przystoi muzułmańskim kobietom. Ojciec i Dżabir rozpoczynali modły głośnym *Allahu akbar*, „Allah jest największy". Na wpół śpiąc, mamrotałyśmy, bo kobietom podczas modlitwy nie wolno podnosić głosu. Na koniec zwracaliśmy głowę na prawo i symbolicznie całowaliśmy dobrych aniołów, a potem na lewo, by pocałować złych aniołów. Takie reguły ustanowił ojciec.

– Dlaczego całujemy także złych aniołów? – zapytałam ojca.

– Dlatego, że są – odpowiedział – i zasługują na nasz szacunek.

Z końcem roku ojciec stracił sklep. Nie zmartwiło go to. Nas tak. Często przez wiele dni musieliśmy głodować. Ojca przestała obchodzić doczesna strawa.

Czasami nie pozwalał matce dawać nam nic do jedzenia, wówczas karmiła nas po kryjomu, gdy wychodził z domu.

Siadaliśmy w kuchni na podłodze. Matka gotowała na wodzie pszenicę z odrobiną soli i oliwą i stawiała w drewnianej misce. Było to tanie jedzenie, które dostawała na kredyt w sklepiku na rogu, mimo że ojciec już wtedy wydawał wszystkie pieniądze na papierosy z haszyszem.

Rabi'a brała ze sobą nasz notesik, gdy szła po pszenicę i oliwę.

– *Si* Husajn – mówiła do właściciela sklepiku – przysyła mnie moja matka. Jesteśmy głodni. Proszę dać nam coś do jedzenia.

Wtedy pan Husajn odmierzał pół miarki pszenicy i miarkę oliwy i starannie zapisywał wszystko ołówkiem w notesiku. „Niech Allah ma was w opiece", mówił, a Rabi'a biegła pędem do domu, żeby ojciec jej nie zobaczył.

Pod koniec miesiąca matce najczęściej udawało się zdobyć kilka dirhamów, aby zapłacić panu Husajnowi. Czasem też wuj Ibrahim, brat matki, dawał pieniądze właścicielowi sklepu. Musiał to robić po kryjomu, bo ojciec nie mógł się o tym dowiedzieć.

Otrzymawszy zapłatę, *si* Husajn skreślał w notesiku listę zakupów i zakładał na następny miesiąc nową rubrykę długów.

Pewnego razu, gdy jedliśmy o zmroku palcami, matka usłyszała, jak ojciec przekręca klucz w zamku.

– Musimy przestać – szepnęła, a głos drżał jej tak samo jak ręce. Szybko wytarła nam palce i schowała miskę pod zlewem. Myślę, że się bała urazić dumę ojca i wywołać jego gniew, że nie potrafi już dbać o rodzinę.

W tym okresie ojciec był już bardzo chory. Jego stan zmieniał się codziennie. Nigdy nie mogliśmy na ojcu polegać. W ogóle nie pracował, nic nie zarabiał, wprawiał się w rausz narkotykami z północnych gór, aż zapominał o nędzy, w którą popadł i on, i my.

Przez pewien czas wstawał codziennie o czwartej rano, brał taczkę i pchał ją przez miasto, od jednego piekarza do drugiego, od hotelu do hotelu.

– Jestem Husajn, mechanik od telewizorów, a siedmioro moich dzieci będzie musiało głodować, jeśli nie dacie nam nic do jedzenia – mówił. – Niech Allah da wam długie życie, jeśli nie dopuścicie, by moje dzieci umarły po życiu o wiele za krótkim.

Jeszcze przed wschodem słońca wracał z rogalikami z poprzedniego dnia, których turyści już nie chcieli, z mlekiem, które jeszcze nie całkiem skwaśniało, z masłem, śmietaną, ciastem, czekoladą, chlebem i... ze srebrnymi sztućcami.

Były to noże, jakich jeszcze nigdy nie widziałam. Dopiero później, kiedy zaczęłam pracować w restauracjach, dowiedziałam się, co to takiego: noże do ryb. Rozsmarowaliśmy nimi podarowane masło na wyżebranym chlebie i nie mieliśmy odwagi zapytać, skąd są te noże i do czego właściwie służą.

Później zabronił nam mówić po berberyjsku, w języku naszej matki, a gdy się nam wymknęło choćby jedno niewłaściwe słowo, od razu dostawaliśmy lanie.

– Na waszego ojca ktoś rzucił czar czarnej magii – szepnęła matka – mówcie po arabsku, bo was pozabija. Muszę porozmawiać z moją matką, szarifą. Może ona zna jakiś sposób na zdjęcie czaru.

Ale matka nie miała już możliwości odwiedzić babki. Ojciec zamknął ją w domu i zabronił go jej opuszczać. Okratował nawet okna wychodzące na ulicę, żeby nie mogła uciec. Nasz dom stał się rodzinnym więzieniem.

Raz, gdy już w ogóle nie mieliśmy pieniędzy, ojciec poszedł pracować u innego handlarza sprzętem radiowym w naszym mieście. Za zarobione pieniądze kupił barana na Święto Ofiarowania – *Id al-Adha*. Jest to najważniejsze święto islamu, trwające co najmniej cztery dni. Każdy ojciec rodziny, który może sobie na to pozwolić, musi zaszlachtować barana według przepisów rytualnych. Jedną trzecią mięsa rodzina piecze sama. Dwie trzecie należy oddać ubogim rodzinom, których nie stać na zwierzę ofiarne.

Gdy ojciec z beczącym baranem na sznurku skręcił w naszą ulicę, my, dzieci, śmiałyśmy się. Takie tłuste zwierzę, to będzie prawdziwa uczta! Może ojciec znowu stał się normalny?

Ojciec przywiązał tłustego barana na naszym podwórku pod schodami. Tej nocy nie musieliśmy się modlić. Ale mimo to nie mogliśmy spać. Dżabir dwukrotnie zakradał się na podwórko i meldował szeptem:

– Baran jeszcze trochę urósł, chociaż nawet zrobił kupę.

Dziewczynki naturalnie musiały to sprawdzić. Po cichutku wyjrzałyśmy na podwórko: rzeczywiście, baran wyglądał na ogromnego, a cień, jaki w świetle księżyca rzucał na ścianę domu, był wprost przerażający.

Następnego dnia rano baran, niestety, znowu trochę zmalał i ojciec musiał go nakarmić. Nasypał pszenicy do miski, mimo że matka go ostrzegała:

– Husajnie, owce nie trawią pszenicy. Zwierzę dostanie wzdęcia.

– Milcz, kobieto – powiedział ojciec – co ty wiesz o owcach? Ja jestem człowiekiem z pustyni, wiem, czego te zwierzęta potrzebują. Zaufaj mi.

Matka mu nie zaufała, ale milczała.

Baran zjadł całą miskę. Następnego dnia leżał na boku, miał strasznie duży brzuch, a z pyska ciekło mu coś żółtozielonego. Matka nic nie powiedziała. Ojciec pobiegł do *si* Husajna, właściciela sklepu, i kupił dużą butelkę Schweppes Tonic Water. Takiej pięknej żółtej butelki jeszcze nigdy u nas w domu nie było.

– Na co to jest? – zapytałam ojca.

– To dla naszego barana – odpowiedział. – Nazywa się Schweppes. To bardzo silne lekarstwo na wzdęcia. Zobaczysz, baran wyzdrowieje, a wtedy go zaszlachtujemy i zjemy.

Baran leżał cicho na boku, gdy ojciec wlewał mu do pyska całą butelkę lekarstwa o nazwie Schweppes. Patrzyliśmy, co będzie.

Ojciec stał obok barana. Dżabir stał obok ojca. Matka stała obok Dżabira, a dziewczynki cisnęły się do matki. Baran zaczął podrygiwać.

– Tato – zapytałam – czy lekarstwo już działa?

– Przecież widzisz, moje dziecko – powiedział – my, ludzie pustyni, wiemy, co robimy.

Pięć minut później baran zwymiotował Tonic Water i dostał silnego rozwolnienia. Piętnaście minut później był martwy. Matka sprzątnęła zapaskudzone podwórko. Ojciec wyniósł ścierwo na ugór za szpitalem i wrócił z małym jagnięciem. Było niewiele większe od głowy naszego martwego barana, a gdy je zarżnęliśmy, nie było dość mięsa nawet dla naszej rodziny. Zatrzymaliśmy całe jagnię i nie oddaliśmy nic ubogim.

Od tego dnia ojciec już nigdy nie poszedł do pracy.

Cień Proroka

Odkąd ojciec poczuł się oświecony i uwierzył, że jest cieniem Proroka, nic już w naszym życiu nie było pewne. Raz miał dobry humor i wtedy jedliśmy smaczne francuskie rogaliki, które zdobył na swoich żebraczych wyprawach, raz znajdował się w takim stanie, że każde słowo, nawet wypowiedziane szeptem, stanowiło ryzyko.

Nasz dom nigdy nie został ukończony, wciąż stał w stanie surowym. Zabrakło pieniędzy na pokrycie dachu, na farby, na okna. Ojciec był zajęty innymi sprawami, jako cień Proroka uważał się też za pełnomocnika Allaha do spraw słońca. Teraz już nie tylko nocami siedział na dachu, lecz i w ciągu dnia. Jak fakir ze skrzyżowanymi nogami, z rękami na podołku, z twarzą zwróconą ku niebu. Otwartymi oczami wpatrywał się w rozjarzoną tarczę słoneczną nad Agadirem. Skóra mu wyschła na wiór, ale z oczu płynął strumień łez. Ojciec siedział tam całymi dniami i wpatrywał się w rozmigotane słońce.

– Co robisz, tato? – zapytaliśmy. Nie odpowiedział. Był zajęty. Gdy nastał zmierzch, mamrotał:

– Allah jest wielki, stworzył dzień i noc. Spoczywa na mnie wielka odpowiedzialność. Jestem dniem. Bo tylko w świetle słońca człowiek może zobaczyć cień Proroka.

Następnego dnia ojciec wystarał się o czarną, połyskliwą farbę. Nie nosił już niebieskiej szaty mieszkańców pustyni, ubierał się wyłącznie na czarno: cienkie czarne spodnie, czarny kaftan, czarne buty, czarna chusta na głowie. Miał czarną brodę, czarne oczy, i jeśli pamiętam, chyba czułam, że serce w piersi też ma czarne i ponure.

Sidi Husajn zapisał w swoim notesie dług za farbę i gruby pędzel. Ojciec zaniósł zakupy do pokoju z oknem wychodzącym na szkołę, przez które rano światło słoneczne najwcześniej wpadało. Ledwo pierwszy promień dotknął białej ściany pokoju, ojciec malował błyszczący czarny krąg, który pochłaniał światło słoneczne. Podczas gdy słońce wędrowało po firmamencie, ojciec chodził po pokoju i zostawiał na ścianie czarne, ściekające ślady.

– Tato, co to znaczy? – zapytała Dżamila, moja odważna siostra, jedyna z nas, która się nie bała zadawać ojcu takich pytań.

– Nie widzisz, głupie dziecko? – zbeształ ją ojciec. – Zmuszam słońce, żeby wędrowało po niebie. Jeśli przestanę połykać pędzlem jego światło, słońce się zatrzyma. Wtedy spali naszą stronę ziemi, a po drugiej stronie zacznie się epoka lodowa. Chcesz tego?

– Nie – odpowiedziała – pewnie, że nie chcę, bo wtedy mama i Muna, i Rabi'a, i Dżabir, i Ouarda, i Wafa, i Asja się spalą.

– Widzisz – powiedział ojciec – dlatego moja praca jest dla nas, ludzi, taka ważna. Idź więc do tamtych i powiedz im, że chciałbym jeść, kiedy zrobi się ciemno. Do tego czasu będę bardzo zajęty.

Dżamila przyszła do nas. Miała bardzo ważną minę.

– Pytałaś się go? – dopytywał się Dżabir.

Dżamila dostojnie skinęła głową.

– I co powiedział?

Dżamila milczała. Potem powiedziała poważnym tonem:

– Tato ratuje cały świat.

– Jak?

– Maluje czarną farbą po ścianie – powiedziała Dżamila.

– Tak można uratować świat? – zdziwił się Dżabir.

– Oczywiście, głupi chłopaku – powiedziała Dżamila. – To nawet jedyna możliwość, żeby uratować świat. Jeśli ojciec nie będzie malował czarną farbą po ścianie, słońce się zatrzyma, my się spalimy, a po drugiej stronie świata wszystko skują lody.

– Lody? – powiedział Dżabir. – Lody są prawie tak dobre jak pieczone kurczaki.

Dżabir nadal najbardziej ze wszystkiego lubił kurczaki.

– Ojciec i ja nie o takich lodach mówimy – powiedziała Dżamila belferskim tonem. – Mówimy o złych lodach. Które są całkiem niebieskie i zielone, i zimne jak deszcz w grudniu, tylko trzy razy zimniejsze.

Byliśmy pod wrażeniem.

Serce i myśli ojca stawały się coraz czarniejsze. Wszystkie inne kolory zostały nagle zabronione. Przede wszystkim żółty.

Najpierw ojciec zaczął wycinać żółte kolory z gazet. Potem zabrał się do szaf, zerwał z wieszaków wszystkie żółte ubrania, wyrzucił je na podwórze i spalił.

Bawiliśmy się na ulicy, gdy zobaczyliśmy wzbijający się dym.

– Patrzcie – powiedziała Dżamila. Miała na sobie swoją najpiękniejszą żółtą sukienkę. Było to marzenie, nie sukienka, wszystkie dzieci na ulicy jej zazdrościły. Gdy świeciło słońce, wyglądała jak kwiat. To była droga sukienka, sukienka z czasów, kiedy ojciec jeszcze pracował i zarabiał pieniądze.

– Pali się! – zawołała Rabi'a.

– To u nas na podwórku – powiedział Dżabir.

Ja nic nie powiedziałam, byłam jeszcze za mała.

– Chodźcie, zobaczmy, co się dzieje – powiedziała Rabi'a.

Zakradliśmy się do domu, przez niebieskie drzwi, przez chłodny, wykafelkowany korytarz, na podwórko. Ściany nosiły ślady czarnej farby ojca. Na środku podwórka płonęło ognisko. W jego płomieniach znikały z sykiem żółte bluzki, na żółtych książkach robiły się bąble, żółte kawałki papieru, które żar wyrzucał w górę, szybowały w powietrzu i spadały przy ścianie domu z powrotem na ziemię.

Matka siedziała w kuchni i recytowała wersety z Koranu.

– Zwariował – mamrotała – wszystkich nas pozabija, niech Allah ma nas w opiece.

Dżamila przepchnęła się do przodu, żeby lepiej widzieć. I zwróciła na siebie uwagę ojca. Wbił w nią swe czarne oczy. Próbowała się wycofać w cień korytarza. Ale było za późno.

– Moja biedna córko – zawołał ojciec – twoja sukienka jest diabelska, uwolnię cię od niej. Niech Allah będzie dla ciebie miłosierny.

Dżamila była zaskoczona, nie wiedziała, w jakim niebezpieczeństwie znalazła się jej sukienka. Ojciec wykorzystał zaskoczenie Dżamili, chwycił ją, zdarł z niej sukienkę i wrzucił do ognia.

Od tej pory Dżamila już nie wierzyła, że ojciec uratuje świat.

– Spalił moją ulubioną sukienkę – szeptała oburzona w nocy, kiedy tuliliśmy się do siebie na matach, przykryci cienkimi kocami. Łóżka ojciec sprzedał już dawno.

– Ale w ten sposób ojciec ratuje świat – powiedział Dżabir.

– Trele-morele – odparła Dżamila – nie wierz we wszystko, co ci opowiadają.

– Przecież sama mówiłaś – burknął.

– No właśnie – powiedziała Dżamila. Na tym rozmowa się skończyła. Jeszcze trochę płakaliśmy, że piękna sukienka Dżamili się spaliła, a ojciec i tak nie uratuje świata. Potem zasnęłam u boku Rabi'i. Mocno się przytuliłam do dużej siostry i oddychałam w rytm jej serca. To mnie uspokoiło.

Rabi'a była moją ulubioną siostrą. Była taka mądra, że już w wieku pięciu lat poszła do szkoły. Podziwiałam ją, bo wszystko wiedziała i miała takie ważne książki. Jej ulubioną książką był podręcznik szkolny w ślicznej żółtej okładce. Po historii z sukienką Dżamili Rabi'a była ostrożna. Zawsze nosiła książkę przy sobie, a jeśli musiała ją zostawić, ukrywała ją w domu.

– Nie wolno ci nic zdradzić – powiedziała Rabi'a, gdy raz ją przyłapałam, jak chowała książkę pod poduszkami w pokoju dzieci.

– Dlaczego? – zapytałam.

– Bo jest żółta – powiedziała Rabi'a.

– Aha – odparłam.

Pewnego dnia Rabi'a poszła do *sidi* Husajna kupić chleb, a gdy wróciła, chciała skontrolować kryjówkę swojej książki.

Sięgnęła ręką pod poduszki – i twarz jej skamieniała ze zgrozy.

– Książka – jęknęła. – Nie ma jej.

Twarz Rabi'i nabrała bardzo zdecydowanego i rozgniewanego wyrazu. Nie lubiłam, kiedy moja siostra tak wyglądała. Miała dziesięć lat, ja – cztery. Rabi'a była moją opiekunką. Chciałam, żeby była wesoła i mnie rozśmieszała.

Ale teraz Rabi'a była całkiem inna. Była zła. Wypadła z pokoju, żeby poszukać ojca.

Siedział na dachu. Na podwórku dogasało ognisko z żółtymi rzeczami, które jeszcze gdzieś znalazł w domu.

– Tato – powiedziała Rabi'a – tato, gdzie jest moja książka?

Jej głos był ostry jak nóż, którym matka kroiła mięso i którego nigdy nie wolno nam było dotykać, bo taki był niebezpieczny.

– Nie wiem, moja córko.

– Tato, spaliłeś moją książkę – powiedziała Rabi'a, a jej głos brzmiał teraz prawie histerycznie. Schowałam się w cieniu schodów, skąd obserwowałam Rabi'ę i ojca.

Nic nie powiedział.

– Spaliłeś moją ulubioną książkę. – Teraz Rabi'a już krzyczała. Rzuciła się na ojca z pięściami. – Spaliłeś moją książkę. Moją żółtą książkę. Moją książkę do szkoły. Zwariowałeś, tato, ludzie na ulicy też tak mówią.

Rabi'a płakała. Było mi bardzo smutno, gdy na nią patrzyłam. Ojciec był bardzo spokojny. Potem zamachnął się i wymierzył Rabi'i policzek. Plasnęło tak głośno, że przestraszona wciągnęłam powietrze przez zęby.

To był szok. Po raz pierwszy ojciec uderzył jedno z dzieci. Wiedzieliśmy, że nocami bił matkę, kiedy myślał, że śpimy. To były ciche, potajemne uderzenia. Ale teraz uderzył Rabi'ę. Swoje dziecko. Moją siostrę. Tego jeszcze nie było.

Rabi'a przestała płakać. Myślę, że przestała nawet oddychać. Zrobiła się całkiem blada i ucichła.

Ojciec powiedział:

– Nie spaliłem twojej książki. Leży na lodówce. Znalazłem ją w pokoju dziecinnym. Powiedz matce, żeby ci dała żółtą książkę. A teraz, teraz zostaw mnie w spokoju, córko.

Do dzisiaj nie wiem, dlaczego książka Rabi'i była w naszym domu jedynym żółtym przedmiotem, który przetrwał niszczycielską akcję ojca. Chciałam go o to zapytać. Ale kiedy mogłam się na to zdobyć, było już za późno. Ojciec już nie żył.

Rozwód

Ojciec dziwaczał coraz bardziej. Kiedyś poszedł na ryby i zgubił oba buty. Wracał boso biegiem. Ale gdy dobiegł do domu, nie zatrzymał się, tylko popędził dalej, jakby go ktoś gonił.

Bawiliśmy się przed frontowymi drzwiami i widzieliśmy go biegnącego. Pamiętam, jak się ucieszyliśmy: ojciec wrócił! Tym większe było nasze rozczarowanie, kiedy nas nie poznał ani się nie zatrzymał, tylko pognał dalej.

Rabi'a pobiegła za ojcem i chwyciła go za koszulę:

– Tato, dokąd idziesz?

Ojciec stanął i rozejrzał się, zmieszany.

– Tato, nie masz butów – powiedziała Rabi'a.

Ojciec spojrzał na swoje bose, pokaleczone stopy.

– Wiesz, córko – powiedział i pogłaskał Rabi'ę czule po włosach – zgubiłem buty na rybach. Ale to nie szkodzi. Chodzić boso jest i tak o wiele zdrowiej niż w butach.

– Ale tato – powiedziała Rabi'a – przebiegłeś obok nas.

– Wiem – odparł ojciec – pomyślałem sobie, że powinienem uprawiać od czasu do czasu trochę sportu. Podobno bieganie jest zdrowe. Dlatego tak szybko koło was przebiegłem.

Rabi'a zaciągnęła ojca z powrotem do domu. Później zobaczyłam go siedzącego na podwórku. Ramiona miał opuszczone, po policzkach spływały mu łzy, szlochał tak rozpaczliwie, że nie miałam odwagi podejść, by się przytulić.

Ojciec siedział na podwórku całkiem sam. Sam ze swoją rozpaczą. Sam ze swoim obłędem. Nie było nikogo, kto mógł mu pomóc. I nie było nikogo, kto chciałby pomóc nam.

Ojciec zaczął mówić sam do siebie na ulicy. „Jestem cieniem Proroka, poruszam słońce, nie zatrzymujcie mnie!".

Boso człapał po rozgrzanym asfalcie, nie czując bólu. Gdy sąsiedzi do niego podchodzili, pluł na nich. Dzieci się z niego wyśmiewały.

– Pan Saillo zwariował – śpiewały i pokazywały mu język. Ojciec gonił za nimi i rzucał kamieniami.

Któregoś dnia przyszła policja. Zapukali do naszych drzwi.

– *Sidi* Saillo – powiedzieli – sąsiedzi skarżą się na pana.

Ojciec jednak uspokoił policjantów.

– Ze mną jest wszystko w porządku – powiedział.

Policjanci nie mieli ochoty dalej badać sprawy.

Potem ojciec zaczął chodzić z bronią. Miał wielki, ostry nóż – *jenoui*, z którym się nie rozstawał. Ścinał nim trawę, z której robił skręty. Nocami siedział w swoim pokoju i rzucał nożem o ścianę. Gdy nóż się wbił, matka musiała chodzić i mu go przynosić.

Spaliśmy ciasno do siebie przytuleni na matach i słyszeliśmy głuchy, agresywny hałas, gdy ostrze noża wwiercało się w ścianę. Czasami słyszeliśmy głos ojca; był tak zły i zimny jak stal *jenoui*.

– Safijjo – syczał ojciec – ja bardzo dobrze wiem, co tu jest grane. Myślisz, że nie widzę mężczyzny, z którym mnie zdradzasz? Wspina się na nasz dach i myśli, że go po ciemku nie zauważę, bo jest taki czarny. Ale ja go dopadnę i zabiję.

– Husajnie – błagała matka – zastanów się. Ja cię nie zdradzam. Przecież nie wolno mi nawet wychodzić z domu. Nie ma żadnego czarnego mężczyzny. Jesteś chory. Musisz iść do lekarza.

Ojciec wziął *jenoui* i przytknął matce do szyi.

– Kobieto – powiedział – nie jestem chory. Jestem cieniem Proroka. Mam zadanie do spełnienia. Kto zechce mi w tym przeszkodzić, ten umrze.

I przeciągnął matce ostrzem po szyi. Rana nie była głęboka, ale krwawiła tak, że na białej sukience zrobiły się plamy. Nazajutrz matka obwiązała szyję chustką, ale i tak zauważyliśmy ranę.

– Mamo – płakaliśmy – co ci się stało?

– To nic takiego, kochane dzieci – powiedziała matka – nic takiego, tylko że ojciec wszystkich nas pozabija.

Sąsiedzi i policja wiedzieli, co się u nas dzieje. Nikt jednak nic nie zrobił. Ludzie w Maroku myślą, że mężowie mogą decydować o swoich żonach i dzieciach. A żony czasami muszą umierać. Czyż Allah nie postanowił, że mężczyźni stoją nad kobietami? Czy Prorok nie był mężczyzną? Gdyby Bóg chciał, żeby kobiety miały jakieś znaczenie, objawiłby się kobiecie. Ludzie na naszej ulicy też tak myśleli.

Pewnego dnia – miałam wtedy cztery lata – ojciec przyniósł urzędowy list.

– Safijjo – powiedział – to jest rozwód. Nie jesteśmy już mężem i żoną. Ja z dziećmi zostanę tutaj, a ciebie odeślę do wsi twoich rodziców.

W Maroku mężczyźni mogą się rozwodzić trzy razy. Tak jest do dzisiaj. Idą do kadiego, czyli sędziego, a on wystawia im dokument rozwodowy. Potem odsyłają swoją żonę do jej rodziców. A jak zechcą, sprowadzają ją z powrotem. Po trzecim rozwodzie, który kadi musi zatwierdzić, nie ma już odwrotu. Dzieci zostają przy ojcu. Tylko niemowlęta przy piersi mogą pozostać z matką.

Matka wzięła na ręce najmłodszą córkę, Asję. Asja miała dopiero kilka miesięcy i leżała zawinięta w białe chusty. Potem matka wsiadła do autobusu jadącego na południe.

Miała na sobie czarną dżellabę i zasłonę. Białe zawiniątko przewieszone przez ramię zawierało cały jej dobytek.

Stopnie autobusu były bardzo wysokie. Matka stała na najwyższym, ja, w ulicznym kurzu, na najniższym. Prawą ręką ściskałam lewą rączkę Wafy.

– Mamo – dokąd jedziesz? – zawołałam.

– Jadę na wieś – szepnęła matka.

– Proszę, weź nas z sobą!

– Nie mogę. Idźcie do domu, moje dzieci. Proszę was, idźcie do domu.

– Nie możesz wyjechać!

– Muszę – powiedziała. – Nie płaczcie. Przywiozę wam coś słodkiego, gdy wrócę. A teraz idźcie. *Ouarda-ti*, weź swoją siostrę Wafę za rękę. I nie puszczaj jej. Zaprowadź ją do domu.

– Nie puszczę Wafy, mamo – powiedziałam. – Jeśli chcesz, zawsze ją będę mocno trzymać i chronić. Przyrzekam ci to w imię Proroka.

Pomachała nam przez okno autobusu. Stałam z Wafą na ulicy za naszym domem, gdy autobus odjeżdżał. Nie widziałam, jak skręcał za rogiem ulicy, bo oczy miałam pełne łez.

Płakałam, dopóki się nie ściemniło i zabrakło mi łez. Idąc do domu, trzymałam Wafę za rękę. Dom bez matki był pusty. Wiedziałam, że teraz ja ponoszę odpowiedzialność za moją siostrzyczkę. Na zawsze.

Od tego dnia nie puściłam Wafy. Trzymałam jej rączkę w mojej małej ręce. Nikt nie mógł nas rozdzielić. Nasze palce splotły się ze sobą. Bolało mnie całe ramię. Ale nie puściłam dwuletniej Wafy. Przyrzekłam matce.

Moje łzy spływały do rzeki łez Wafy. Zasypiałyśmy przytulone do siebie chudymi ciałkami.

Serce mnie bolało, gdy patrzyłam na jej brudną twarzyczkę, na której łzy wyżłobiły ślady.

Ojciec przestał się o nas troszczyć. Rzadko bywał w domu. Czasami nocował na ulicy. Czasami szedł pieszo osiemdziesiąt kilometrów do Tiznitu, gdzie mieszkał jego ojciec. Potem wracał, odurzony narkotykami, z czerwonymi oczami, wyczerpany, brudny i śmierdzący.

Byliśmy sami. Sześcioro dzieci w wieku od dwóch do dwunastu lat.

– Dlaczego mama do nas nie wraca? – pytałam. – Już nas nie kocha?

– Oczywiście, że kocha – powiedziała Rabi'a, najmądrzejsza z nas. – Ale musiała odejść, bo ojciec chciał rozwodu.

– Co to jest rozwód? – zapytałam.

– Rozwód jest wtedy, kiedy mąż nie chce już swojej żony.

– To tata nie chce już mamy?

– Nie. On zwariował, wiesz przecież.

Nic nie powiedziałam. Płakałam. Moja matka znikła i jest nieosiągalna. Mój ojciec zwariował i jest nieosiągalny. Czułam się zagubiona w świecie nieszczęścia.

Dom był placem budowy. Na podwórku śmierdziało spalenizną, bo nikt nie sprzątnął stosu ułożonego przez ojca. Odcięli nam wodę i prąd. Drzwi domu się nie domykały. Byliśmy brudni, nasze ubrania śmierdziały, włosy były białe od gnid, gryzły nas wszy. W nocy spaliśmy na tekturowych kartonach, zdobytych gdzieś przez Rabi'ę. Ojciec sprzedał wszystkie meble. Materace, dywany, koce też.

Wieszczka

Dobrze pamiętam, jak wtedy wyglądałam: mała, umorusana dziewczynka z rozbitymi kolanami, w brudnej, podartej sukience. Nie miałam butów, skóra na podeszwach stóp mi zgrubiała i popękała. Z nosa mi ciekło, oczy wydawały się ogromne w wychudłej twarzy. Skórę miałam pociemniałą od słońca, bo godzinami chodziłam po ulicach, szukając czegoś do zjedzenia dla mojego rodzeństwa i dla siebie. Żywiliśmy się odpadkami, wyrzucanymi przez innych ludzi.

Czasami sąsiedzi, gdy widzieli, że ojciec wyszedł z domu, wchodzili na nasz dach i zrzucali nam chleb na schody. Po kryjomu łamaliśmy go na kawałki i połykaliśmy.

Najpiękniej było wtedy, kiedy mogliśmy iść do naszej sąsiadki Fatimy Marrakuszijji, czyli Fatimy z Marrakeszu. Była matką Hajat, mojej najlepszej przyjaciółki. Bardzo lubiłam Marrakuszijję, chociaż robiła dziwne rzeczy.

Na parterze swojego domu urządziła sobie pokój do pracy. *Lala* Fatima była wróżką. Na stoliku leżały karty, obok stała miska z wodą, do której wlewała roztopiony ołów. Z kart i zastygłego ołowiu umiała odczytywać przyszłość.

Gdy któraś z kobiet z sąsiedztwa miała kłopot, brała parę dirhamów, buteleczkę oliwy i szła do Marrakuszijji. Marrakuszijja, która czekała w swoim pokoju, szybko zakładała sobie nogę za głowę, żeby pokazać, jak bardzo jest wygimnastykowana.

Śmieszyło mnie to i mówiłam:

– *Lala* Fatima, proszę, zdejmij nogę.

I *lala* Fatima zdejmowała. Potem rozcapierzała dłoń na stole i w błyskawicznym tempie trafiała nożem między kolejne palce. Wydawało mi się to bardzo niebezpieczne, ze strachu wcale się nie odzywałam, tylko miałam nadzieję, że zaraz z tym skończy.

Gdy kobiety z sąsiedztwa dały jej trochę pieniędzy, aby rzeczywiście mogła rozporządzać siłami nadprzyrodzonymi, wkładała im do ręki kawałek ołowiu i kazała wykonywać dziwne wygibasy, obwodząc nim całe ciało: wokół głowy, nad ramionami, dookoła tułowia, potem wokół bioder i ud, aż do stóp. Recytowały przy tym wersety z Koranu:

Panie nasz!
Nie bierz nam za złe,
jeśli zapomnieliśmy
lub jeśli zgrzeszyliśmy!
Panie nasz!
Nie nakładaj na nas ciężaru,
jak nałożyłeś na tych,
którzy byli przed nami!
Panie nasz!
Nie nakładaj na nas tego,
czego my nie jesteśmy w stanie unieść!
Odpuść nam, przebacz nam
i zmiłuj się nad nami!

Gdy skończyły, Marrakuszijja wkładała ołów do miski, w której były same ogarki świec; zapalała je i tak długo obracała nimi w misce, aż ołów i wosk się stopiły i wymieszały.

Wówczas klientki zarzucały sobie koc na głowę, a Marrakuszijja stawiała im na niej miskę z zimną wodą. Bardzo mnie to śmieszyło: grube kobiety w kocu na głowie, a na niej miska z wodą. Raz, gdy podglądałam przez szparę w drzwiach, zaczęłam tak głośno chichotać, że Marrakuszijja się rozzłościła i przegoniła mnie, złorzecząc.

Gdy klientki balansowały miską wody na zakrytej głowie, Marrakuszijja głośno wołała: *bi-ismi Allah*, „w imię Boga" – i wlewała ołów do miski z wodą.

W misce syczało i bulgotało, a kobiety pod kocem mówiły żarliwie: *al-hamdu li-Allahi*, „chwała Allahowi". Dopiero potem wolno im było wyjrzeć spod koca.

Tymczasem Marrakuszijja trzymała już w ręce pierwszy kawałek ołowiu. Wzrok jej robił się dziki, głos też, prawie zawsze widziała tylko katastrofy, kłopoty, chaos.

– W imię Proroka – wołała – nie wygląda to dobrze. Nieszczęście! Choroba! Kalectwo!

Albo:

– Widzisz to, kochana: dwóch mężczyzn walczy o twoje serce. To się źle skończy. Widzę krew. Dużo krwi.

Albo ponuro:

– Na naszej ulicy zdarzy się jeszcze wielkie nieszczęście. Widzę nóż, płomienie, dym.

Tak kiedyś powiedziała matce. Ale matka nie wierzyła we wróżby. Jako szarifa, potomkini Proroka w linii prostej, musiała być ponad takie czary-mary.

Zapowiedziawszy katastrofy, Marrakuszijja przedstawiała rozwiązanie: zioła na kłopoty miłosne, ałun przeciw złym duchom, sury Koranu dobre na wszystko. Kobiety, które przychodziły do Marrakusziji, wychodziły od niej podniesione na duchu. Na naszej ulicy Marrakuszijja zastępowała pracownika pomocy społecznej, psychoterapeutę, a nawet lekarza.

Pokój Marrakusziji na parterze robił na mnie trochę niesamowite wrażenie. Odważałam się zaglądać tylko przez szparę w drzwiach. Nam, dzieciom, Marrakuszijja nie przepowiadała przyszłości. Nam dawała jeść. Kawałek starego chleba polany oliwą. W złych dniach była to dla nas uczta.

W tamtym okresie zaczęło się ze mną dziać coś, co było dla mnie bardzo nieprzyjemne. Mięśnie żuchwy odmówiły posłuszeństwa. Gdy gryzłam chleb, zęby mi tak zgrzytały, że wszyscy patrzyli z przestrachem.

– Proszę – szeptałam – nie hałasujcie.

Nic nie pomagało. Zęby ocierały się o siebie ze zgrzytem, gdy gryzłam chleb Fatimy. Wszyscy się na mnie gapili, ale nikt nic nie mówił. Później to zgrzytanie przy jedzeniu samo mi przeszło.

W domu Rabi'a przejęła rolę matki, mimo że miała dopiero dziesięć lat. Powiedziała:

– Nie bójcie się, umiem to wszystko, co umiała matka. Tyle jej pomagałam w pracach domowych, że jestem prawie tak dobra jak ona.

Nie wierzyłam, ale mimo wszystko czułam się uspokojona.

Rabi'a bardzo poważnie traktowała swoją rolę. Wstawała już o szóstej rano, ubierała się, piekła dla nas chleb, jeśli mieliśmy mąkę, i szła do szkoły. Podczas przerwy o dziesiątej biegła pędem do domu, budziła Munę i Dżamilę, dawała im trochę chleba i wyprawiała je do szkoły.

Chleb Rabi'i był jednak całkiem inny niż chleb, do którego przyzwyczaiła nas matka. Z wierzchu był twardy jak kamień, a w środku ciastowaty. Mimo to jedliśmy go z apetytem. Powód był prosty: niczego innego do jedzenia nie było.

Dziewczynki nie dawały nic po sobie poznać. Moje zęby zgrzytały tak głośno, gdy gryzłam twardy chleb Rabi'i, że na pewno było je słychać aż na skrzyżowaniu ulicy. Mówiłam jednak:

– Mmmm, Rabi'o, jaki smaczny jest twój chleb.

Wszystkie inne też chwaliły Rabi'ę, tylko Dżabir grymasił:

– Zawsze tylko chleb i chleb. Ja chcę kurczaka, tak jak dawniej. A poza tym ten chleb jest w środku całkiem glutowaty.

Wtedy Rabi'a płakała, a my głaskaliśmy ją i całowaliśmy. To, że byliśmy sobie tak bliscy, dawało nam siłę, by przetrwać dzień, a także noc.

O tym, pod jaką presją żyliśmy, świadczy inna nieprzyjemna cecha, której nabraliśmy wszyscy: moczyliśmy się w nocy. Kiedy przytulaliśmy się do siebie, leżąc na tekturowych kartonach, od samych siusków robiło się nam całkiem ciepło – a potem zimno i wilgotno. Rano po prostu wystawialiśmy tektury na podwórko, a słońce wysuszało mocz naszej rozpaczy, którym nasiąkły.

Przeklęty nóż

Wiosną 1979 roku ojciec postanowił sprowadzić matkę i Asję z powrotem. Samochód sprzedał już dawno, w drogę do Ad-Dirhu udał się więc pieszo. Znowu nosił niebieską szatę ludzi pustyni; mógł pod nią ukryć swój wielki nóż, bez którego się od pewnego czasu nie ruszał ani na krok.

Nawet w domu zawsze miał przy sobie *jenoui*. Rzucał nim o ścianę, już całkiem poharataną, ostrzył na kamieniu, ostrożnie przeciągał kciukiem po ostrzu, żeby sprawdzić, w jakim jest stanie.

Nie lubiłam tego noża, bo ojciec skaleczył nim matkę. Nie mogłam zapomnieć jej białej sukni poplamionej krwią, gdy ojciec swoim *jenoui* zranił matkę w szyję, a potem wypędził z domu.

Po trzech dniach ojciec dotarł do Tiznitu, miasta na południu. Stamtąd wędrował wiejską drogą aż do wyschniętego koryta rzeki. Potem skręcił w prawo na pustynię, minął studnie na szlaku i w żarze południa doszedł do Ad-Dirhu.

Zastukał do drzwi domu mojej babki, u której zamieszkała matka z Asją.

– Otwórzcie – wołał ojciec. – Jestem Husajn Saillo. Chcę zobaczyć moją córkę Asję.

Matka i babka naradziły się szeptem z bratem matki Ibrahimem, który po śmierci dziadka był głową domu.

– Nie chcę mu dać Asji – powiedziała matka. – On jest obłąkany.

– Ale to ojciec twojego dziecka – powiedział *chali* Ibrahim – ma prawo zobaczyć swoją córkę.

Ojciec walił pięściami w drzwi. Babka usiłowała go zobaczyć przez okno nad drzwiami. Ale stał za blisko ściany.

– Córko – powiedziała w końcu babka – sądzę, że Ibrahim ma rację. Musisz mu dać Asję. Nic jej nie zrobi. Twój mąż kocha swoje dzieci. Inaczej już dawno zrobiłby coś złego pozostałym, które są z nim w Agadirze.

Wreszcie wuj Ibrahim wziął Asję za rączkę i poszedł z nią z pierwszego dziedzińca przez chłodny korytarz do drzwi domu.

– Husajnie – powiedział *chali* Ibrahim – nie wolno ci wejść do naszego domu, Safijja się ciebie boi, sprowadziłeś cierpienie na naszą rodzinę. Ale zawierzamy ci Asję. Na trzy godziny. Musisz ją punktualnie przyprowadzić z powrotem, w przeciwnym razie nigdy więcej nie ujrzysz swojej najmłodszej córki.

Asja nie miała nawet dwóch lat. Była małą dziewczynką o ciemnych oczach, jasnych włosach i jasnej skórze. Prawie nie znała człowieka w niebieskiej szacie, który był jej ojcem.

Lękliwie wzięła go za rękę. Ojciec czule pogłaskał ją po głowie. Potem wszedł z nią na górę za wsią, aż na sam grzbiet górski, skąd było widać następną dolinę. Tam usiadł z Asją na wielkim kamieniu.

– Jak się ma twoja mama? – pytał raz po raz. Asja jeszcze dziś to pamięta. I na kamieniu, na którym siedzieli, ostrzył *jenoui*.

Asja zapytała:

– Tato, co to jest za nóż?

Odpowiedzi już nie pamięta. Tylko tyle, że ojciec przez cały czas, kiedy siedział z nią na kamieniu, trzymał w ręce *jenoui*.

Po trzech godzinach odprowadził Asję do domu mojej babki.

Nazajutrz zaczaił się na wuja Ibrahima pod szkołą w Tiznicie, w której wuj uczył.

– Chcę zabrać moją żonę do domu – powiedział ojciec.

– Myślę, że to niemożliwe. Ona nie chce do ciebie wrócić – powiedział *chali* Ibrahim.

– Ale to moja żona, a ty jesteś jej bratem. Każ jej! – zażądał ojciec.

– Nie mogę jej kazać – odpowiedział *chali* Ibrahim – bo sam jestem temu przeciwny. Nie jesteś dobrym mężem dla mojej siostry. Jesteś niebezpieczny. Może zwariowałeś. Próbowałeś ją zabić. Widziałem bliznę na jej szyi. Proszę, wyjedź stąd. Niech Allah ma cię w opiece.

Ojciec potrzebował kilku sekund, żeby to do niego dotarło. Oddychał płytko, oczy mu się zwęziły, zmienił się na twarzy. Teraz była to twarz wykrzywiona wściekłością, desperacją, szaleństwem.

Wuj Ibrahim cofnął się. Nagle w ręce ojca pojawił się *jenoui*. Długa, ostra klinga błysnęła w słońcu.

Ojciec syknął przez zęby:

– Oddasz mi moją żonę. Albo zginiesz.

Wuj Ibrahim najpierw zamarł ze strachu. Gdy ojciec ruszył ku niemu, wuj Ibrahim zaczął biec. Biegł ile sił w nogach. Przez szkolne podwórze na ulicę, potem wzdłuż ulicy, przez skrzyżowanie i na następną ulicę, wciąż dalej i dalej. A ojciec za nim ze swoim *jenoui*.

Klął i groził mu:

– Zabiję cię, zabiję was wszystkich. Zabiję całą twoją rodzinę.

Ludzie na ulicy usuwali się, wuj Ibrahim biegł w swojej nauczycielskiej dżellabie przez pół miasta, a za nim ojciec w rozwianej niebieskiej pustynnej szacie. Tak wymachiwał swoim wielkim nożem, że się chwilami potykał.

Jeszcze dzisiaj starzy mężczyźni na rynku opowiadają o tym pościgu. Nazwisko Saillo nie cieszy się w Tiznicie dobrą sławą.

W końcu ojciec zrezygnował. Wuj Ibrahim był szybszy i ukrył się w wąskich uliczkach za sukiem.

Ojciec najwyraźniej się uspokoił, bo opuścił Tiznit, nie zachodząc już do Ad-Dirhu. Bez matki i bez Asji wrócił do Agadiru.

Długo z nami nie został. Zabrał Dżabira, który miał wtedy sześć lat, i opuścił dom. Nie powiedział nam, dokąd idzie. Po prostu znikł razem z synem. Zostałyśmy w Agadirze same.

Sąsiedzi pomogli nam przeżyć. Dawali nam chleb i wodę, czasem dzbanuszek oliwy albo mleka dla młodszych. Ojca nie było, więc odważali się podchodzić do naszych drzwi. Ale, o ile pamiętam, wszyscy bali się wejść do naszego domu. A my w nim coraz bardziej marniałyśmy.

Sześć tygodni później ojciec i Dżabir wrócili. Ledwo ich poznałyśmy. Ojciec miał na sobie szpitalną piżamę i był całkiem wychudzony. Dżabir był tak chudy, że końce żeber niemal mu wystawały przez skórę.

Z ojcem nie dało się rozmawiać. To Dżabir nam opowiedział, co się stało.

Pieszo i zabierając się na ciężarówki, wyruszyli obaj do Algierii. Ojciec postanowił przyłączyć się do Polisario, Frontu Wyzwolenia Sahary Zachodniej. Dżabir wiedział wszystko o Froncie Polisario, ojciec bez przerwy mu o tym opowiadał podczas długiej podróży.

Front Polisario założyli w 1975 roku Saharyjczycy, dumni ludzie pustyni, tacy jak nasz ojciec. Najpierw walczyli przeciwko hiszpańskiej władzy kolonialnej, potem z Marokiem i Mauretanią o wolność swojego ludu. Około dziesięciu tysięcy ludzi dołączyło do ich oddziałów. Ojciec też chciał do nich należeć.

Ojciec i Dżabir dotarli do granicy Algierii, gdzie Polisario miał swoją kwaterę główną. Ale policjantom na granicy wpadła w oko ta dziwna para. Wzięli ojca na przesłuchanie i od razu umieścili w szpitalu dla umysłowo chorych. Dżabir trafił do rodziny zastępczej.

W klinice lekarze doprowadzili do tego, że ojciec się uspokoił. Ale chyba nie pilnowali, czy faktycznie bierze lekarstwa. W każdym razie po kilku tygodniach udało mu się uciec z zakładu zamkniętego. W środku nocy wtargnął do mieszkania rodziny, u której był Dżabir, zabrał go i wrócił z nim do Agadiru.

Tak się skończyła przygoda ojca z Polisario. Pomogła mu jednak zrozumieć, że jest ciężko chory. Dla nas jednak nic się nie zmieniło; było nawet gorzej. Kiedy wrócił, zastał nas brudne i zrozpaczone, skulone w kącie sypialni na parterze.

Następnego dnia stanął przed nami z zapadniętymi policzkami, chorobliwie błyszczącymi oczami i oznajmił:

– Dzieci, sprzedam lodówkę.

Było nam wszystko jedno. Lodówka od dawna już nie działała, bo nie mieliśmy prądu. A nawet gdybyśmy mieli prąd, to nie mieliśmy czego do niej włożyć.

– A jak sprzedam lodówkę – powiedział ojciec – weźmiemy pieniądze i wszyscy razem pojedziemy do Ad-Dirhu. Przywieziemy matkę z powrotem do Agadiru. Obiecuję wam to, tak mi dopomóż Bóg.

Tej nocy płakaliśmy, tuląc się do siebie na kartonach. Po raz pierwszy od długiego czasu łzy nam płynęły nie z rozpaczy, strachu i smutku, tylko z ulgi. Płakaliśmy, bo ojciec obiecał, że sprowadzi matkę z powrotem. Płakaliśmy, bo znowu mieliśmy nadzieję. Nadzieję na normalne życie.

Następnego dnia ojciec wsiadł z nami do autobusu. Siedział z Dżabirem na jednej ławce. Ja wzięłam Wafę na kolana i przycisnęłam się do Rabi'i. Muna i Dżamila siedziały po drugiej stronie przejścia. W Tiznicie przesiedliśmy się do busa pana „Autobusa", który zawiózł nas do Ad-Dirhu.

Skalista droga z doliny pod górę do domu mojej babki ciągnęła się bez końca. Ojciec szedł przodem, my za nim według wzrostu. Przed domem babki nasz pochód się zatrzymał.

– Usiądźcie – powiedział ojciec – nic nie mówcie. Ja wszystko załatwię.

Usiedliśmy w pyle pod drzwiami babki. Ojciec wydawał mi się wielki i silny, gdy podszedł do drzwi, podniósł pięść i trzy razy zastukał głośno i wyraźnie. Serce mi waliło prawie tak głośno, jak jego uderzenia. Za tymi drzwiami była moja matka. Ojciec ją przyprowadzi. Rzucimy się jej w objęcia, a ona nas będzie całowała i cicho z nami porozmawia, a potem spakuje swoje rzeczy, weźmie Asję na ręce i wsiądzie razem z nami do autobusu. Do Agadiru. Do domu. Całkiem normalna rodzina. Szczęśliwa rodzina.

Ale drzwi się nie otwierały. Siedzieliśmy w pyle i czekaliśmy. Czekaliśmy pięć minut, a mnie się wydawało, że godzinę. Czekaliśmy dziesięć minut, a mnie się wydawało, że pół dnia. Czekaliśmy piętnaście minut, a mnie się wydawało, że nieskończenie długo. Nie chciałam płakać, lecz łzy nie chciały słuchać moich życzeń. Znaczyły ślady w kurzu na moich policzkach. Zaczęłam łkać. A gdy na chwilę udało mi się zdławić łkanie, łzy mimo to płynęły dalej. Całe moje rodzeństwo płakało. Wafa, Dżabir, Dżamila, Rabi'a i Muna siedzieli obok mnie, sześć nieszczęść. Tylko ojciec stał przed nami wyprostowany. Twarz miał zwróconą do drzwi domu babki, nie mogliśmy jej widzieć.

Dlatego tak nas zaskoczyło, gdy ojciec zaczął wyć. To był długi, straszny skowyt żałości. Trudno było zrozumieć, co krzyczał. Myślę jednak, że wołał imię mojej matki: „Safijjo! Safijjoooo!". Był to najbardziej niesamowity głos, jaki kiedykolwiek słyszałam. Straszniejszy od odgłosu *jenoui*, gdy ojciec rzucał nim w domu o ścianę. Straszniejszym od głuchego odgłosu razów, gdy nocą po kryjomu bił matkę.

Wycie ojca wypełniło całą dolinę, pustynię, dotarło pewnie do grzbietu górskiego wysoko nad Ad-Dirhem. Miałam uczucie, że to wycie wypełnia cały świat. Był to głos bólu, żałości, rozpaczy. Napełnił moje serce chłodem, łzy przestały mi płynąć, włoski na rękach się zjeżyły.

Zbiegła się cała wieś. Ludzie stali za nami w milczeniu i patrzyli, co się dzieje.

Ojciec zaczął walić głową w drzwi. Rytmiczny odgłos, bezlitośnie powracający raz po raz. Ojciec bełkotał:

– Safijjo, moja ukochana żono. Wróć do mnie i do naszych niewinnych dzieci. Potrzebuję cię, jesteś moim bogiem, wybacz mi.

Nagle drzwi się otworzyły, stanął w nich wuj Ibrahim. Nie czekaliśmy, co będzie. Między nogami ojca i wuja wbiegliśmy przez ciemny, chłodny korytarz na podwórze. A tam siedziała ona, nasza matka, tonąc we łzach, z Asją u boku. Rzuciliśmy się do niej, obejmowaliśmy ją, głaskaliśmy, wąchaliśmy jej słodki zapach, czuliśmy jej miękką skórę, płakaliśmy w jej ramionach.

Pamiętam, że moja siostrzyczka Asja wydała mi się bardzo piękna, taka gruba, taka czysta. Prawdopodobnie dlatego, że my, pozostałe dzieci, byłyśmy wychudzone i brudne.

Rabi'a, rozsądna Rabi'a, pierwsza się opanowała. Przyglądała się matce. Potem powiedziała:

– Mamo, znowu jesteś w ciąży? Przecież nie możesz. Mamo, proszę, powiedz mi, że to nieprawda.

Matka nic nie powiedziała. Była w ciąży – w ciąży z dzieckiem, które już wkrótce miało umrzeć razem z nią, umrzeć, zanim się urodziło.

Na dworze ojciec rozmawiał z *chali* Ibrahimem. Wuj zażądał, żeby ojciec poszedł z nim do kadiego, jeśli chce odzyskać żonę. Ojciec się zgodził.

Dorośli w towarzystwie naczelnika wsi wyruszyli do Tiznitu, do sądu. My, dzieci, zostałyśmy z *chalati* Kulsum. Wuj był pewien, że żaden kadi na świecie nie zmusi kobiety, żeby wróciła do takiego zdesperowanego, obłąkanego człowieka. Był absolutnie pewien, że kadi ogłosi trzeci, ostateczny rozwód.

Ale wuj Ibrahim nie docenił ojca. Ojciec zachował się w obliczu kadiego jak człowiek rozsądny i odpowiedzialny. Po sprzedaży lodówki miał nawet jeszcze pieniądze, by odpowiednio wynagrodzić sędziego. Kadi uznał, że ojciec jest dobrym mężem, że okres szaleństwa ma za sobą. A teraz jest gotów zabrać z powrotem swoją żonę i stanąć na czele rodziny, tak jak się należy.

– Szarifo – powiedział kadi do mojej matki – niniejszym ogłaszam, że masz wrócić z tym człowiekiem do swoich dzieci. To jest dobry i mądry mężczyzna. Popełnił błąd i wyciągnął z niego wnioski. Gdyby znowu miał się pojawić jakiś powód do skargi, przyjdź do mnie, będę cię chronił i, jeśli będzie trzeba, orzeknę ostateczny rozwód.

Także naczelnik wsi stanął po stronie ojca. Matka spakowała w Ad-Dirhu swoje rzeczy, pożegnała się z rodziną, wzięła Asję za rączkę i wsiadła razem z nami do autobusu jadącego do Agadiru.

Nigdy więcej miała nie wrócić do rodzinnej wioski.

Ostatnie lato

Matka wróciła do domu, który już nie był domem. Był ruiną, brudną, zaniedbaną, bez mebli. Z pomocą sąsiadki, Fatimy Marrakuszijji, udało się jej przywrócić go jako tako do stanu mieszkalnego. Przez dwa dni obie kobiety szorowały podłogi, ściany, kafelki. Myły okna, wyrzucały śmieci, prały na tarze wszystkie ubrania w blaszanym cebrzyku na podwórku. Na dachu rozciągnęły sznurki do suszenia bielizny. Cały dom pachniał mydłem, chlorem, czystością.

Rodzice zdobyli skądś łóżko i trochę mebli. Z resztką pieniędzy ze sprzedaży lodówki ojciec poszedł na zakupy. Wrócił z górą owoców, warzyw, a nawet z kawałkiem tłustej baraniny. Było tego tyle, że musiał wziąć taksówkę, żeby wszystko przywieźć.

Wieczorem matka zaczęła gotować, a po naszym domu rozszedł się zapach, jakiego od dawna już nie wąchaliśmy. Dzieci siedziały w kuchni. Chcieliśmy być blisko matki – i całego jedzenia, za którym tak tęskniliśmy.

– Kurczaki też będą? – zapytał z nadzieją w głosie Dżabir.

– Ciesz się, że w ogóle coś dostaniesz – odpowiedziała Rabi'a.

Wieczorem on też był zadowolony, jedząc barani tadżin zrobiony przez matkę. Tadżin to tradycyjna jednogarnkowa potrawa marokańska, przyrządzana i podawana w glinianym naczyniu. Je się ją ze świeżo upieczonym płaskim chlebem z ciasta drożdżowego. Jedliśmy palcami – dopóty, dopóki prawie nie popękaliśmy z przejedzenia.

Nasze życie zaczęło się normalizować. Rabi'a, Dżabir, Dżamila i Muna chodzili do szkoły. Wafa i ja poszłyśmy do szkoły koranicznej.

Szkoła koraniczna mieściła się przy ulicy równoległej do naszej, obok publicznego pieca, w którym piekli chleb ludzie nieposiadający własnej kuchenki. Kierownikiem szkoły był mężczyzna z imponującym nosem i wielkimi uszami. Już nie pamiętam, jak się naprawdę nazywał – my nazywaliśmy go *talib bi'msgan*, co po berberyjsku znaczy „wielkouchy nauczyciel".

Talib urządził klasę szkolną na parterze swojego domu. Nauczał dzieci w wieku przedszkolnym, pokazując im kilka liter, a w szczególności jednak musieliśmy się uczyć sur z Koranu.

Nie znosiłam taliba i jego lekcji, bo był bardzo surowy. Siedział na wielkiej poduszce pod szczytową ścianą pokoju. Nosił mały, kolorowy kapelusz i jasnobrązową dżellabę. W ręce trzymał metrowej długości bambusową trzcinę, którą bił dzieci, jeśli jego zdaniem niedostatecznie uważały.

Dzieci siedziały na trzcinowych matach na wprost taliba. Było nas dużo, sądzę, że co najmniej czterdzieścioro. Tłoczyliśmy się jedno obok drugiego na tych matach.

Było nam bardzo niewygodnie. Pod koniec lekcji mieliśmy na nogach odciśnięty wzór mat.

Kiedyś Wafa szepnęła:

– Ouardo, nie mogę już wysiedzieć.

Chciałam chyłkiem podłożyć jej rękę pod stopę, żeby trzcina się jej nie wpijała w delikatną skórę.

Trzask! Talib zauważył i uderzył mnie bambusem po głowie. Od razu wróciłam do mamrotania sury 107, *Wspomożenie* [*Al-Ma'un*]:

W imię Boga Miłosiernego, Litościwego!
Czy widziałeś tego,
który za kłamstwo uważa religię?
To jest ten,
który z pogardą odpycha sierotę,
który nie zachęca do nakarmienia biednego.
Biada modlącym się,
którzy są niedbali w swojej modlitwie,
którzy tylko chcą być widziani,
a odmawiają wspomożenia.

Wypowiadałam te wersety głośno, bo nie lubiłam taliba. Czy w ostatni piątek, tuż przed modlitwą południową w piątek, nie dostał od sąsiadki wielkiej miski kuskusu – potrawy z kaszy pszennej z grubymi kawałkami mięsa? Czy nie myśleliśmy wszyscy, że czeka nas wspaniała uczta? I czy nas, ubogich, straszliwie nie upokorzył?

– Proszę dać to dzieciom, *sidi talib*! – powiedziała sąsiadka. – Koran mówi, że właśnie one zasługują na naszą jałmużnę, bo przyjmują ją z czystym sercem.

Talib podziękował i postawił przed sobą wielką drewnianą misę, pełną parującego kuskusu. Ślinka nam pociekła do ust, gdy zapach jedzenia rozszedł się w pomieszczeniu.

– Ojej – powiedziała Wafa – będzie dziś *sadaka*.

Sadaka to piątkowa jałmużna, jaką ludzie zamożni dają swoim ubogim współbraciom. Piątek był tym dniem, w którym nawet w najgorszych czasach zawsze najadaliśmy się do syta. Szliśmy naszą ulicą i patrzyliśmy, czy ktoś nie wystawił jedzenia przed drzwi domu.

– Podejdźcie tutaj – zawołał talib – jedno po drugim!

Stanęliśmy przed nim, wyciągając dłonie. Talib brał łyżkę kuskusu, starannie usuwał całe mięso, które chciał zjeść sam, i pac! – kładł suchą kaszę w dłonie uczniów. Dzieci, które stały przede mną, szybko wracały z kuskusem na swoje miejsce na trzcinowej macie. Dziwiłam się, dlaczego niektóre płaczą.

A potem przyszła kolej na mnie. Wyciągnęłam rączkę. Talib o długich uszach wziął łyżkę. Z parującego, pachnącego kuskusu uformował kulę i pacnął mi ją do ręki.

Gorąco natychmiast przeniknęło moją skórę. Kula kuskusu tak parzyła, że łzy mi napłynęły do oczu. Zastanawiałam się, czy nie przerzucać jej z jednej ręki do drugiej, żeby mniej bolało. Ale zobaczyłam szyderczy wzrok taliba i postanowiłam, że nie sprawię mu satysfakcji. Zacisnęłam zęby i z gorącym jedzeniem w ręce wróciłam na moje miejsce na trzcinowej macie. Potem wepchnęłam kulę do ust. Parzyła mi usta, język, śluzówkę. Przełknęłam i czułam, jak ból wędruje przez szyję głęboko do środka i gaśnie w trzewiach.

Spojrzałam na taliba. Prawie go nie widziałam, bo oczy zaszły mi łzami. Ale miałam nadzieję, że zauważył, jak bardzo go w tamtej chwili nienawidziłam.

W domu nic nie powiedziałam matce o podłości taliba. Matka była inna niż dawniej. Nie śmiała się, wyglądała na zapłakaną, nie śpiewała piosenek. Najpierw myślałam, że to dlatego, że nie mieliśmy już radia.

Ale w głębi serca wiedziałam, że powód jest inny: matka była nieszczęśliwa. Nie kochała już ojca. Małżeństwo stało się dla niej ciężarem. W jej oczach widziałam śmierć, choć wcale jeszcze nie miała prawa po nią przyjść.

Koniec

Latem 2003 roku udało się nam z Asją dostać do rąk akta sądowe z procesu naszego ojca. Nosiły sygnaturę 725/1399 – 725 to numer sprawy, a 1399 to data roczna według kalendarza muzułmańskiego, odpowiadająca rokowi 1979 w kalendarzu chrześcijańskim.

Początkowo urzędnicy w sądzie nie chcieli nam wydać tych akt.

– To była straszna sprawa – powiedział jeden – to nie dla kobiet.

– Akta są w piwnicy – powiedział drugi – za dużo roboty, żeby je wygrzebać. Wracajcie do domu!

Kusiło mnie, żeby dać spokój, bałam się konfrontacji z tragedią mojego życia, opisaną w bezosobowym języku urzędów. Czy naprawdę chcę poznać wszystkie szczegóły? Czy chcę zobaczyć czarno na białym raport lekarza sądowego? Czy chcę przeżyć to wszystko jeszcze raz?

Ale Asja nie ustępowała.

– Mam prawo dokładnie wiedzieć, co się wtedy stało – powiedziała. – Jestem córką mordercy i zamordowanej. A jeśli znalezienie tych akt wymaga tyle pracy, moja siostra Ouarda zapłaci panom za stracony czas.

W końcu jeden z urzędników zszedł do piwnicy. Następnego dnia akta leżały przed nami. Dwadzieścia stron, starannie zapełnionych tysiącami drobnych arabskich liter. Krótki protokół lekarza sądowego po francusku. Niezdarne rysunki przedstawiające miejsce zbrodni i zwłoki mojej matki. Żadnych zdjęć.

– Zdjęć nie możecie dostać – powiedział jeden z urzędników – są zbyt straszne. Zrobiło mi się niedobrze, jak je zobaczyłem. A widziałem już wiele.

W protokole policji jest napisane, że miejsce zbrodni i zwłoki mojej matki znajdowały się w takim stanie, że policjanci, nim rozpoczęli pracę, modlili się do Allaha, żeby dał im siłę.

Wieku naszej matki lekarz sądowy nie mógł określić. Ogień zupełnie spalił jej twarz, czaszka była pęknięta, mózg na wierzchu.

Na przesłuchaniu ojciec powiedział, że zabił matkę, bo nigdy go nie kochała. Bo nie chciała z nim spać. Bo gdyby siłą nie narzucił jej swojej woli, z tego małżeństwa nie byłoby dzieci.

Myśl, że nie jestem dzieckiem poczętym z miłości, tylko z gwałtu, jeszcze dzisiaj budzi we mnie wściekłość i smutek. Co takiego matka zrobiła, że tak ją traktował? Dlaczego mężczyznom wolno zadawać kobietom gwałt, upokarzać ich ciało i duszę? Co jest nie tak w społeczeństwie, które na to pozwala?

Akta sądowe przedstawiają protokół strasznego związku, w którym zabrakło uczucia. Opisują małżeństwo niedoświadczonej siedemnastoletniej dziewczyny ze wsi z doświadczonym bon vivantem z miasta. Pokazują, jak dochodziło do zderzeń dwóch odmiennych światów i postaw życiowych, jak matka usiłowała zachować godność i jak ojciec usiłował złamać jej wolę.

Opisują nieludzki system małżeństw planowanych przez rodziców – małżeństw, w których życzenia kobiet nie odgrywają żadnej roli. Opisują rzeczywistość społeczną, w której najpierw umarła dusza mojej matki, a potem jej ciało.

Okrutny protokół na nowo rozdarł rany w moim sercu. Przeczytałam go, oszołomiona, ale płakać już nie mogłam. Przeczytałam go po raz drugi i ból w duszy odebrał mi dech. Wzięłam Asję w ramiona, a Asja objęła mnie. Uspokoiło mnie to. Ale ból nie chciał minąć. Nie uwolnię się od niego nigdy.

Asja powiedziała:

– Myślałam, że nie może być dla mnie nic gorszego niż śmierć matki. Ale prawdę mówiąc, akta te są jeszcze gorsze niż wszystko, co przeżyłam do tej pory.

Po tygodniu milczenia powiedziała:

– Mama umarła z dumą. Nie straciła honoru, nawet w chwili śmierci.

Gdy dzisiaj myślę o tym, że nikt nie chciał jej pomóc, że nikt nie chciał przeszkodzić w zapowiedzianej śmierci, że wszyscy wiedzieli, jakie miała złamane serce – ogarnia mnie wściekłość i rozpacz. Nie jest to wściekłość na mojego ojca. On też już nie żyje. Jest to wściekłość na ustrój społeczny, w którym kobiety są ludźmi drugiej kategorii, zdanymi na samowolę mężczyzn. Bez szans.

Aż po śmierć.

CZĘŚĆ 3

AGADIR, MAROKO

1979–1993

Dzień później

Po morderstwie ojciec zniknął. Podczas przesłuchania na policji kryminalnej powiedział później, że oczyścił nóż z krwi. Następnie poszedł na suk i chodził bez celu między straganami. Potem w morzu zmywał z siebie krew swojej żony, naszej matki, i winę ze swego serca. Stał godzinami w chłodnej, słonej wodzie i szorował ciało piaskiem.

My, dzieci, nigdzie nie poszłyśmy. Zahra Amal, nasza sąsiadka, zabrała nas do swojego domu.

– Nie wychodźcie na ulicę – powiedziała – zostańcie tutaj. Tutaj jesteście bezpieczne.

Wciąż jeszcze bała się ojca. Trzymałam Wafę za rączkę, tak jak obiecałam matce, i wcale nie zauważyłam, że tak mocno ściskam jej paluszki moimi, że kostki jej pobielały, a czubki palców zrobiły się sine.

– Ouarda – błagała Wafa – puść mnie! To boli.

Rozluźniłam uścisk.

– Nie mogę cię puścić – powiedziałam – mama chciała, żebym cię zawsze chroniła.

Lala Zahra była grubą, spokojną kobietą. To do niej pobiegła Fatima Marrakuszijja, gdy zobaczyła płomienie na dachu naszego domu. Rodzina Amalów miała jedyny telefon na naszej ulicy. *Lala* Zahra natychmiast zadzwoniła do swojego męża do pracy. *Si* Muhammad zawiadomił policję.

Dla mnie była to straszna sytuacja. Czy matka mnie nie prosiła, żebym zaalarmowała sąsiadów? Czy nie byłam winna jej śmierci? A teraz siedziałam u sąsiadów, którym nic nie powiedziałam. Czy zwrócą się przeciwko mnie? Będą pokazywać na mnie palcami? Potępiać?

Ścisnęłam rączkę Wafy i postanowiłam, że ostatnie słowa mojej matki pozostaną tajemnicą, którą na zawsze zamknę w swoim sercu.

Ponad dwadzieścia lat nie złamałam postanowienia. Serce mnie bolało od brzemienia winy, ale usta nie chciały zdradzić tajemnicy.

Z biegiem czasu coraz bardziej byłam zła na matkę i na ból w sercu. Dlaczego matka nałożyła na mnie taką odpowiedzialność? Jak mogła być taką egoistką i obciążyć czymś takim dziecko? Były w moim życiu dni, tygodnie i miesiące, kiedy nienawidziłam matki. To przez nią stałam się winna. To ona zniszczyła mi duszę. Miała moje dzieciństwo na sumieniu.

W końcu zapomniałam o złości i winie, aż w 1998 roku przypadkiem trafiłam na sesję terapeutyczną poświęconą rodzinie. Chciałam wyświadczyć przysługę przyjaciółce, która studiowała psychologię. Ale to ona m n i e wyświadczyła przysługę. Bardzo bolesną.

Terapeutka z pomocą studentów odtworzyła sytuację mojej rodziny: ojciec w więzieniu, matka martwa na podłodze pomieszczenia seminaryjnego, moje siostry przykucnięte obok mnie.

Zdjęła mnie zgroza. Poczułam się wykorzystana: obcy ludzie, w obcym kraju, w obcym języku obnażający prawdę o mojej rodzinie! Z płaczem wybiegłam z sali. Moja straszna przeszłość wróciła do teraźniejszości. Przytłoczyła mnie. Groziła uduszeniem. Była dla mnie za ciężka.

Z moim synem Samuelem wróciłam do domu.

Dwa tygodnie później postanowiłam powiedzieć grupie terapeutycznej, jaką krzywdę mi wyrządziła.

– Wykorzystaliście mnie. Mój los był dla was tylko lekcją poglądową, niczym więcej. A potem pozwoliliście mi odejść, nie próbując pomóc. To świadczy o pogardzie dla człowieka.

Studenci próbowali mnie uspokoić. Ale już nie chciałam z nimi rozmawiać. Wbrew mojej woli przywołali moją przeszłość i skazali mnie na udrękę wspomnień. Moja wina wciąż jeszcze była tajemnicą, ale teraz znowu byłam jej świadoma. Każdego dnia, każdej godziny, każdej minuty.

Gdy dwa lata później po raz pierwszy rozmawiałam z moimi siostrami o naszym losie, wyjawiłam im mój sekret.

Siostry milczały. Potem Dżamila powiedziała:

– Ouardo, to nie twoja wina, że mama umarła. Twoja tajemnica to także nasza tajemnica, niech Allah mi dopomoże.

Nie zrozumiałam.

– Mama w dniu swojej śmierci zbudziła te, które chodziły do szkoły, wcześniej niż zwykle – powiedziała Rabi'a. – Szepnęła: „Córki moje, proszę, idźcie na policję. Powiedzcie im, że wasz ojciec mnie zabije".

– I co? – zapytałam. – Byłyście na policji?

– Oczywiście – powiedziała Dżamila – jeszcze przed szkołą poszłyśmy na trzeci komisariat i powiedziałyśmy policjantom, co nam mama kazała.

– A oni nie zrobili nic – powiedziałam.

– Nie – rzekła Dżamila – od razu nas odesłali. Nikt nie potraktował poważnie trzech małych dziewczynek.

– Idźcie do szkoły – powiedzieli – nic się nie stanie. Ojciec zbije waszą matkę, tak jak zwykle. Wiadomo.

Od tamtej rozmowy lżej mi jest na sercu. Nie tylko ja ponoszę winę za śmierć mojej matki. Nie tylko ja nie stanęłam na wysokości zadania. Nikt nie stanął: rodzina, sąsiedzi, władze. Wszyscy wiedzieli, że ojciec zabije matkę. Ale nikt nie zrobił nic, żeby temu zapobiec.

W domu *lali* Zahry tłoczyliśmy się w jedynym pomieszczeniu, którego okno wychodziło na ulicę. *Lala* Zahra wprawdzie je zamknęła, ale staliśmy z nosem przypłaszczonym do szyby, żeby zobaczyć, co się dzieje na zewnątrz.

Policjanci przychodzili i odchodzili. Karawan z matką odjechał. Wszyscy sąsiedzi stali w grupkach obok siebie i zdenerwowani dyskutowali o tym, co się stało.

Tylko nas tam nie było. Uważałam, że to niesprawiedliwe, iż musimy zostać w domu *lali* Zahry. Wymknęłam się z pokoju i pobiegłam przez korytarz do drzwi. Wspięłam się na palce i dotknęłam rygla, gdy zobaczyła mnie *lala* Zahra:

– A ty dokąd?

– Na dwór, na ulicę, do ludzi.

– Nic z tego – powiedziała *lala* Zahra i stanowczo zaprowadziła mnie z powrotem do pokoju, w którym były moje siostry.

Przez kilka godzin nic się nie działo. Potem usłyszeliśmy wołania na ulicy:

– Idzie. Wrócił morderca.

Wszyscy chcieliśmy go zobaczyć i pchaliśmy się do okna. Ojciec szedł ulicą, z dużym workiem na plecach. Sąsiedzi rozstępowali się, szepcząc:

– Chce tam włożyć swoją żonę i wynieść. Niech Allah się nad nią zlituje.

Ojciec szedł w stronę domu, jak gdyby nic się nie stało. Stojąc za oknem w domu *lali* Zahry, nie powiedzieliśmy ani słowa, myślę nawet, że przestaliśmy oddychać, napięcie było tak wielkie. W milczeniu patrzyliśmy, jak ojciec zbliża się do drzwi naszego domu. Na ulicy podniósł się wielki harmider. Wszyscy sąsiedzi coś krzyczeli. Niektóre kobiety płakały. Mężczyźni patrzyli z ważnymi minami.

Gdy ojciec chciał wejść do domu, przyszli policjanci. Bez oporu pozwolił się aresztować. Policjanci wepchnęli go do małego samochodu policyjnego, chyba renault R4, i odjechali.

Pierwszą noc po śmierci matki i aresztowaniu ojca spędziliśmy u rodziny Amalów. Przygotowali nam posłania na podłodze pokoju stołowego. Położyliśmy się, ciasno do siebie przytuleni. Niewiele pamiętam z tamtej nocy. Przypuszczam, że ze zmęczenia szybko usnęliśmy. Jeszcze nie zdawaliśmy sobie sprawy z naszego losu: byliśmy sierotami, dziećmi bez rodziców, bez opieki. Same. Same na zawsze.

Nazajutrz obudziłam się wcześnie. Wróciły pierwsze wspomnienia tego dnia, który zmienił moje życie. Przypomniałam sobie, jak wracaliśmy ze szpitala, w którym na próżno szukaliśmy matki. Pod naszym domem stała karetka, wokół której tłoczyli się sąsiedzi. Dokoła stali policjanci, a strażacy wbiegali i wybiegali przez drzwi naszego domu. Przecisnęłam się między nogami ludzi, trzymając Wafę za rękę. Chciałam do domu, do domu, w którym mieszkaliśmy. Doszłam do sieni. Ściany były zbryzgane krwią. Z zapartym tchem szłam przez sień w stronę podwórka. Chciałam wchłonąć wszystko to, co mogły spostrzec moje zmysły. I jednocześnie bałam się. Prawie już dochodziłam do schodów, gdy zobaczyłam Munę i Rabi'ę schodzące z góry. Policjanci zaprowadzili je na dach, żeby zidentyfikowały matkę. Ich twarze były inne niż zwykle, prawie przezroczyste, mokre od łez. Prawie ich nie poznałam. Siostry przeszły obok mnie jak duchy. Nie widziały mnie. A ja nie miałam odwagi się odezwać.

Już chciałam postawić stopę na pierwszym stopniu schodów i wejść na dach, gdzie czekała na mnie groza. Wiedziałam o tym w głębi duszy, w żołądku, we wnętrznościach. Wszystko się we mnie skurczyło i bolało, gdy poruszyłam stopą, by wejść na drugi stopień. A wtedy chwyciły mnie mocne ręce, ręce policjanta, i brutalnie wypchnęły z domu na ulicę. Nasz dom nie był już naszym domem.

Trochę płakałam, aż *lala* Zahra zawołała nas na śniadanie. Były świeże bagietki od piekarza. I masło. Masło!

U nas w domu już od dawna nie jedliśmy masła. Uwielbiałam masło. Jadłam bagietkę z masłem i łzy przestały mi płynąć.

Tak pysznego śniadania jeszcze nigdy nie jadłam.

Inny brat

Następne dni spędziliśmy u rodziny Amalów. Na drzwiach frontowych naszego domu policja przybiła na krzyż plastikowe taśmy. Teraz mieszkaliśmy w sąsiedztwie. Bez rodziców, bez dachu nad głową, bez swojego miejsca.

Starsze dzieci chodziły do szkoły. *Lala* Zahra uważała, że tak będzie dla nich lepiej. Młodsze zostawały na ulicy, która teraz była naszym losem.

Dopóki nie przyjechał po nas stryj Hasan. Mówiliśmy do niego *ammi*. *Ammi* znaczy brat ojca, *chali* natomiast – brat matki. *Ammi* Hasan był wprawdzie bratem mojego ojca, ale zupełnie innym niż on. Ojciec, zanim się zmienił, był człowiekiem mądrym, wykształconym, politycznie zaangażowanym, bon vivantem, intelektualistą, pięknoduchem, Hasan natomiast był prostym człowiekiem, ledwie umiał czytać i pisać. Lubił alkohol i kobiety, z tego powodu nieraz popadał w tarapaty, z których dziadek i ojciec musieli go wyciągać. Kiedyś prawie w tym samym czasie zrobił dziecko żonie i kochance. Jedna i druga urodziła syna, a on obydwóm dał na imię Raszid. Oczywiście wszystko się wydało i doprowadziło do napięć między nim a jego żoną Zajną.

Ojciec i *ammi* Hasan byli jedynymi dziećmi mojego dziadka. Nie mieli pięknego dzieciństwa. Dziadek odszedł od babki, gdy obaj byli jeszcze bardzo mali. Wprowadził się do domu obok i zapomniał o swoich synach. Czasami stali głodni na dachu domu matki i patrzyli na podwórze ojca, który był bardzo zamożny i często zapraszał gości na wystawne uczty. Było tam wszystko, czego ojcu i Hasanowi brakowało: kuskus, tadżin, owoce, warzywa, mleko i słodkie desery z cukierni.

Czasami ojcu i stryjowi udawało się wejść nocą przez płot na podwórko ojca i zjeść resztki. Szybko pakowali do ust wszystko, co znajdowali. Potem uciekali, żeby ich dziadek nie dopadł i nie zbił.

Pewnego razu stryja Hasana przyłapano na tym, jak razem z innymi dziećmi bazgrał po ścianie domu. Policja aresztowała dzieci i zamknęła w celi. Następnego dnia wszystkie dzieci zostały zabrane przez swoich ojców. Tylko nie stryj Hasan. Babka całymi dniami zaklinała dziadka, żeby w końcu wyciągnął syna z aresztu. Ale dziadek miał najwyraźniej coś lepszego do roboty.

Nawet komisarz poczuł się nieswojo. Wieczorami zabierał Hasana ze sobą do domu i tylko na dzień zamykał go z powrotem w celi. Gdy policja zdała sobie sprawę, że dziadek nigdy nie przyjdzie po swojego syna, wypuściła chłopca po sześciu miesiącach. Hasan miał wtedy około dziesięciu lat. Płakał, gdy opowiadał tę historię mojej siostrze Asji.

Uważaliśmy, że stryj Hasan jest całkiem miły. Ale nie należał do silnych mężczyzn. Podczas gdy nasz ojciec zawsze był w domu szefem, stryj Hasan siedział pod pantoflem swojej żony. Poznali się na ulicy. Wydaje mi się, że pracowała w fabryce sardynek, w której robotnice mają także swój pokój. Fabryki sardynek i ich robotnice nie cieszą się w Maroku dobrą opinią. Wiele z tych kobiet idzie po pracy na ulicę. Nie mogą się pozbyć z ubrań zapachu ryb, a nawet ich skóra śmierdzi rybami, należą więc do szczególnie tanich prostytutek.

Gdy stryj Hasan po nas przyjechał, ciotka Zajna miała już siedmioro dzieci. Jej pierworodny, Mustafa, nie był synem *ammi* Hasana – miał jaśniejsze włosy. Ali, Fatima, Habiba, Aziz, Muhammad i Raszid byli dziećmi *ammi* Hasana. Ich włosy były ciemne.

Hasan pracował jako mechanik samochodowy w Massie, około trzydziestu kilometrów na południe od Agadiru. Massa leży niedaleko od Atlantyku, nad Wadi Massa, jedną z największych rzek w południowym Maroku, w której jednak latem najczęściej nie ma wody.

Stryj Hasan przez długi czas woził owoce i warzywa dla króla; wtedy jeszcze powodziło mu się dobrze. Ale gdy nasz ojciec zamordował matkę, stryj stracił pracę. Mieszkał teraz razem ze swoją dużą rodziną w jednym jedynym, długim pokoju. Mieli wprawdzie podwórze, ale ani bieżącej wody, ani toalety. Zamiast niej ziała na środku podwórka okropna dziura, do której można się było wypróżniać.

Mniej więcej po tygodniu od śmierci matki *ammi* Hasan przyjechał swoim rozklekotanym R4 pod dom *lali* Zahry w Agadirze.

– Chcę zabrać moje bratanice i bratanka – powiedział.

Lala Zahra spojrzała na niego sceptycznie. Nie miała dobrego zdania o bracie mojego ojca. Wszyscy sąsiedzi wiedzieli, że mój ojciec nie znosił swojego brata. Zawsze, gdy Hasan był u nas, dochodziło do awantury. Kilka razy nawet się pobili pod drzwiami domu. Najczęściej o to, że ojciec zarzucał swojemu bratu, że chodzi do burdeli i nie jest dobrym mężem.

Lala Zahra znów zadzwoniła do męża, a ten zawiadomił policję.

– Czy ten człowiek ma prawo zabrać dzieci? – zapytała *lala* Zahra.

Władze wezwały stryja Hasana, a on przekonał urzędników, że będzie dla nas lepiej, jeśli pojedziemy z nim, zamiast trafić do sierocińca i stać się ciężarem dla państwa. Ludzie, którzy byli przy tym obecni, mówili później, że stryj obiecał, iż będzie nas traktował jak kość z kości swojej i krew z jego krwi.

Potem załadował nas do samochodu i pojechaliśmy do Massy. Była to dla nas straszna zmiana – wyjazd z miasta, daleko od przyjaciół, daleko od ludzi, których znaliśmy. Teraz żyliśmy w nędznych warunkach na prowincji – w jednym jedynym pomieszczeniu, bez prądu, bez wody, bez toalety.

Już to samo było straszne. Ale jeszcze gorsi byli nasi kuzyni i kuzynki. Nie tylko nosili te okropne, staroświeckie imiona, jak Muhammad, Mustafa i Fatima, lecz mówili prawie niezrozumiałym dialektem berberyjskim, przetykanym przekleństwami, jakich nam w domu nigdy nie było wolno używać: *zamil* – onanista, *walad al-kahba* – skurwysyn, *alan din-ummak* – „przeklinam wiarę twojej matki".

Te dzieci sprawiały na nas wrażenie dzikich zwierząt. Rzucały w siebie różnymi przedmiotami, pluły sobie w twarz, przeklinały, nie myły się prawie nigdy i załatwiały się gdzie popadnie. Całe podwórko było pełne fekaliów.

– Widziałaś to? – szepnęłam do Rabi'i, gdy przyjechaliśmy do Massy.

– Co? – również szeptem zapytała Rabi'a.

– Kupy! – powiedziałam. – Na całym podwórzu.

– Pst – powiedziała Rabi'a – nie mów, bo zrobi mi się niedobrze.

– Czy teraz my też mamy się załatwiać na podwórzu? – zapytałam zaniepokojona.

– *La* – powiedziała Rabi'a – nie, będziemy się załatwiać do tej wielkiej dziury na środku. Nie jesteśmy psami.

– A jak będę musiała wyjść w nocy za potrzebą? – zapytałam zdenerwowana. – Wtedy na pewno wdepnę w jakąś kupę.

Rabi'ę ta rozmowa trochę zdenerwowała:

– W tej chwili to ja też nie wiem, co zrobimy. Ale nie martw się, na pewno coś wymyślę.

Chalati Zajna nie lubiła, kiedy po cichu ze sobą rozmawiałyśmy.

– O czym wy tam szepczecie? – gderała od razu.

– O niczym – powiedziała Rabi'a. I oberwała w twarz.

Nie miałyśmy wątpliwości, że ciotka Zajna nie była naszą przyjaciółką.

Ciotka pochodziła z gór. Gdy miała dwanaście lat i po raz pierwszy dostała okres, od razu wydano ją za mąż za człowieka w wieku jej ojca. Jej ojciec był bardzo surowy. Kiedyś Zajna podarowała sąsiadce cebulę. I została za to ukarana. Ojciec spętał jej stopy liną, którą przywiązał do osła. A potem popędzał osła, który włóczył Zajnę po podwórzu.

– Żebyś się nauczyła nie rozdawać niczego, na co ja haruję – powiedział.

Jej pierwszy mąż też był dla niej surowy. Miał w sumie trzy żony. Zajna była najmłodsza, właściwie była jeszcze dzieckiem. Lubiła razem z innymi dziećmi swojego męża skakać przez skakankę na ulicy. Ale gdy mąż ją na tym przyłapywał, od razu spuszczał jej lanie. Nocą gwałcił swoją młodą żonę. Nie była jego kochanką, tylko jego własnością. W końcu Zajna opuściła męża, ale już rozgoryczona i okaleczona na duszy.

Uciekła ze swojej wsi do Tarudantu, pięknego miasta u podnóża Atlasu, a potem do Agadiru. Uważałam, że to było odważne: młoda dziewczyna, opuszczająca rodzinną wieś i wyruszająca do nieznanego, niebezpiecznego miasta. Wyobrażałam sobie, jak pod osłoną ciemności pakuje swoje zawiniątko, podczas gdy jej zły mąż razem z innymi mężczyznami włóczy się po zakurzonych ulicach. Oczywiście nie odważyła się pojechać do Tarudantu autostopem, bo człowiek, który by się zatrzymał na skraju drogi, mógł się okazać przyjacielem jej męża. Nie, przedzierała się przez krzaki i wędrowała nocą w dół, na nizinę. Może były jakieś dzikie zwierzęta, które ją ścigały, może niebezpieczni mężczyźni. Ale ciotka Zajna postawiła na swoim: dotarła do miasta, a potem nad morze.

W Agadirze urodziła swoje pierwsze, pozamałżeńskie dziecko. Potem poznała stryja Hasana.

Została jego żoną.

Nie mam wiele uczucia dla tych ludzi. Nigdy ich nie kochałam – bo i jakże, skoro wyrządzili wiele złego mnie i mojemu rodzeństwu. Ale nie nienawidziłam ich, tylko próbowałam zrozumieć, dlaczego nie mogli być dobrzy.

Gardziłam nimi za to, co nam robili. Ale cieszyłam się, gdy nam dawali – choć bardzo rzadko – poczucie bezpieczeństwa.

Czasami ciotka Zajna zabierała mnie do łaźni parowej – hammamu. Musiałam tam taszczyć wodę dla nas obu, a gdy robiła się para, ciotka Zajna szorowała mnie ostrą rękawicą często aż do krwi. Nie traktowała mnie jak swojej córki, tylko jak *petite bonne*. Tak nazywa się dziewczyny ze wsi, które jak niewolnice pracują dla zamożnych rodzin w mieście.

Pamiętam, jak delikatnie moja matka zmywała miękkimi dłońmi kurz z mojego ciała. To było głaskanie, pieszczota. Ciotka Zajna dręczyła mnie, kaleczyła, pokazywała, że mnie nie kocha.

Jednocześnie rodziło się przez to jednak jakieś poczucie bliskości. Było to tak, jakbym znowu miała matkę. Złą matkę, matkę, która mnie nie kocha. Ale która żyje, nie jest martwa. Było to lepsze niż zupełnie nic.

Byłam jeszcze bardzo mała, kiedy sobie postanowiłam, że będę patrzeć na sprawy od strony pozytywnej. Nie chciałam zgorzknieć. Nie chciałam stać się taka jak ciotka, stryj i ich dzieci.

Stary dom

Latem 2003 roku odwiedziłam mojego brata Dżabira w jego nowym mieszkaniu. Nie było to takie oczywiste, bo Dżabir wprowadził się do naszego starego domu. Zamieszkał na parterze ze swoją śliczną żoną Chadidżą i jednorocznym synkiem Dżasimem.

Właściwie nigdy więcej nie chciałam przekroczyć progu domu, w którym jako dzieci przeżyliśmy tyle złego. Postanowiłam jednak prześledzić moje korzenie jeszcze głębiej, nawet gdyby miałoby to od nowa wywołać ból. Ukończyłam w Monachium kurs dla przedszkolanek i poczułam w sobie dość siły, by zanurzyć się głęboko w przeszłość.

Na dworze panował upał, gdy wynajętym samochodem podjechałyśmy pod dom, który znałam tak dobrze. Dzieci bawiły się w pyle, tak jak dawniej ja sama, kobiety siedziały przed domami i rozmawiały z sąsiadkami. Mężczyzn nie było widać.

Rodzina Dżabira zajmowała trzy małe, ciemne pokoiki. Toaleta pod schodami była tak ciasna i niska, że się zastanawiałam, jak dorosły człowiek może się tam załatwiać. Była też maleńka kuchnia i prysznic. Wszystko czyste i porządnie utrzymane. Mój brat ożenił się z dobrą gospodynią.

Chadidża ma dużo czasu na utrzymywanie mieszkania w porządku, gdy mojego brata nie ma w domu. Dżabir pracuje w restauracji dla turystów nad morzem. Wiele godzin dziennie. Niełatwo jest utrzymać za tę pracę rodzinę. W tym czasie moja szwagierka jest w domu.

– Chodzisz z Dżasimem na plażę? – zapytałam.

– Nie – powiedziała Chadidża – twój brat sobie tego nie życzy.

– Ale dzieci potrzebują słońca, światła, powietrza i morza – odparłam.

– Porozmawiaj ze swoim bratem – powiedziała Chadidża – on jest panem domu.

Siedziałam w ciemnym pokoju stołowym, a naprzeciwko mnie Dżabir. Niewysoki, przystojny mężczyzna. Zastanawiałam się, czy ojciec też tak wyglądał, gdy był młody. Czy nic się nie zmieniło od tamtego czasu? Czy moja szwagierka zdana jest na łaskę i niełaskę tego mężczyzny, tak jak moja matka była zdana na łaskę i niełaskę ojca? Czy rola kobiety w Maroku wciąż jeszcze jest taka sama?

Dżabir nie chciał o tym mówić. Z niechęcią słuchał, gdy mu opowiadałam, jak żyjemy w Europie i jak wychowujemy nasze dzieci.

– Dżasim w weekendy chodzi na plażę ze mną – powiedział – to wystarczy.

– Ale... – powiedziałam.

Dżabir wykonał prawą ręką władczy gest, który też przypominał mi ojca:

– Nie chcę tego słuchać.

Koniec rozmowy.

Pomieszczenia wydały mi się obce, choć spędziłam tu ponad połowę swojego życia. Dżabir zrobił przepierzenia, żeby mieć oddzielne mieszkanie. Resztę domu zajmowali stryj Hasan i ciotka Zajna. Wprowadzili się tu, gdy ojciec zabił moją matkę. Gdy policja zdjęła pieczęcie z domu, stryj Hasan i jego żona załadowali siedmioro swoich dzieci i mnie z sześciorgiem rodzeństwa do swojego zardzewiałego R4. Na dachu przywiązali swój dobytek. A potem opuściliśmy Massę.

Jazda do Agadiru samochodem przepełnionym ponad wszelką miarę była niewygodna. Troje dzieci wcisnęło się obok stryjostwa na przednie siedzenie, tak że stryj prawie nie mógł zmieniać biegów. Reszta siedziała z tyłu. Dach wygiął się pod ciężarem stołu, kilku krzeseł i kartonów z ubraniami oraz sprzętem kuchennym, tak że dzieci, które musiały siedzieć innym na kolanach, za każdym razem, gdy samochód wpadał w dziurę, uderzały głową w sufit. Jechaliśmy tak wolno, że nawet duże ciężarówki nas wyprzedzały, głośno trąbiąc.

Siedział na mnie jeden z kuzynów, nic więc nie widziałam i prawie nie mogłam oddychać. Mimo wszystko byłam zadowolona, że opuściliśmy ten okropny pokój w Massie i to jeszcze okropniejsze, śmierdzące podwórko pełne kup. Mogłabym pojechać dookoła świata, żeby tylko nie mieszkać w Massie. Ale stryj Hasan po zaledwie dwóch godzinach zatrzymał swój rozklekotany ze starości pojazd przed domem moich rodziców.

Dopiero gdy wysiadłam z samochodu, zobaczyłam, gdzie jestem. Strach ścisnął mnie za gardło, a jednocześnie ogarnęło słodkie uczucie, że znowu jestem w domu. Przez chwilę miałam nadzieję, że drzwi się otworzą i matka weźmie nas w ramiona. Może to wszystko było tylko sennym koszmarem? Może wróciliśmy do normalności? Do życia bez strachu. Bez grozy. Bez śmierci.

Ale drzwi się nie otworzyły. Matki nie było. Ojca nie było. Nadzieja znikła jak fatamorgana. Powróciła rzeczywistość. Stryj Hasan wyjął z kieszeni spodni klucz i otworzył drzwi. Do tej pory były to nasze drzwi – teraz są jego.

– Witajcie w domu – powiedział. – Niech Allah ma nas w opiece.

A potem przekroczył próg. Teraz on był panem domu, a ciotka panią.

Kuzyni i kuzynki weszli za rodzicami do środka. My zostaliśmy na ulicy, niezdecydowani. Serce mi biło tak głośno, że ledwie słyszałam głosy ludzi na ulicy, którzy się z nami witali. Przyszła *lala* Zahra i Fatima Marrakuszijja, i wszyscy inni sąsiedzi.

– Czy muszę tam wejść? – zapytałam Rabi'ę. Wafa trzymała się mocno mojej prawej ręki.

– Myślę, że tak – wyszeptała Rabi'a – nie mamy wyboru.

– Ale ja się boję – powiedziałam.

Rabi'a wzięła mnie za lewą rękę:

– Nie musisz się bać, jesteśmy razem. Nic nas nie rozdzieli.

Więc i my weszliśmy do domu, który był naszym losem.

– Czy tato też tu jest? – zapytałam stryja Hasana.

Stryj Hasan wahał się przez chwilę. A potem powiedział twardo:

– Nie, twój tato jest w więzieniu i szybko stamtąd nie wyjdzie. Będziemy go odwiedzać.

Ammi Hasan i *chalati* Zajna zajęli sypialnię moich rodziców. Pomyślałam, że to nieprzyzwoite, ale nikt mnie nie pytał o zdanie. Dzieci stryja rozpanoszyły się w pozostałych pokojach. Dla nas została tylko podłoga na parterze. Ciotka Zajna dała nam stare, śmierdzące baranie skóry i pomarańczowy koc, tak stary i dziurawy, że prawie nie grzał.

Staliśmy się outsiderami w naszym własnym domu, obcymi, których się toleruje. Dla mnie było jasne, że nie mamy żadnych szans.

Do snu ułożyłyśmy się, jak zwykle, ciasno obok siebie. Muna i Rabi'a, starsze, na zewnątrz, a mniejsze dzieci – w środku. Między mną a Wafą leżała dwuletnia Asja. Tylko Dżabir nie mógł zostać z nami. Jako chłopiec musiał spać w jednym pokoju z kuzynami.

Co noc Asja zaczynała płakać. Gdy się budziłyśmy, wypowiadała tylko jedno zdanie: „*Ana dżau'ana* – jestem głodna". Raz po raz powtarzała to zdanie płaczliwym, łamiącym się głosem starej kobiety. To było najstraszniejsze zdanie, jakie kiedykolwiek słyszałam w życiu: „*Ana dżau'ana* – jestem głodna".

Jeszcze dzisiaj budzę się czasem w środku nocy, bo mi się zdaje, że słyszę głos Asji: *ana dżau'ana*. Wtedy czuję, jakby obręcz z lodu ściskała mi serce, i tulę się do męża, aż lód stopnieje i serce wróci do spokojnego rytmu, który pozwoli mi spać.

Rabi'a zakradała się do ciemnej kuchni i mieszała stary chleb z wodą. Karmiłyśmy tym Asję, dopóki nie usnęła.

Niczego innego niż stary chleb nie było, bo stryj Hasan nie miał pracy. Po kilku tygodniach Asja, najmłodsza, tak wychudła, że miała wzdęty brzuch głodującego dziecka.

Zaniosłyśmy Asję do stacji sanitarnej w naszej dzielnicy. Pracownicy stacji zbadali moją siostrę i dali nam mąkę, oliwę i mleko w proszku. Przez wiele miesięcy żyliśmy z jałmużny tej stacji.

Więzień

Więzienie śledcze, w którym ojciec spędził rok, nim został skazany na trzydzieści lat, znajdowało się w Inazkanie, kilka kilometrów na południe od Agadiru, przy drodze do Ajt-Mallul.

Inazkan słynie z wielkiego suku, którego stragany ciągną się na powierzchni kilku tysięcy metrów kwadratowych na zachód od głównej ulicy. Z daleka przyjeżdżają tu ludzie przeładowanymi ciężarówkami, żeby sprzedać owoce i warzywa i kupić tanie ubrania. Jeszcze dzisiaj moje siostry i ja jeździmy do Inazkanu, jeśli chcemy niedrogo kupić dżellaby i podrabiane piłkarskie koszulki dla naszych synów. Na suku obowiązują trzy ceny: cena dla Berberów, cena dla Arabów i cena dla turystów. Arabowie płacą za to samo dwa razy tyle co Berberowie. Turyści płacą jeszcze o sto procent więcej niż Arabowie.

Nie znoszę, gdy handlarze próbują wyłudzić ode mnie ceny arabskie, bo biorą mnie za jedną z arabskich panienek z północy.

– Przepraszam – mówię wtedy w *taszilhajt*, języku mojego plemienia – jestem waszą siostrą. Chyba nie chcecie mnie obrazić, żądając ceny dla Arabów.

Wtedy mężczyźni i kobiety na suku się śmieją, bo moja wymowa po wielu latach na obczyźnie brzmi zabawnie w ich uszach, i mówią:

– Siostro, wyglądasz jak obca, ale mówisz jak jedna z nas. Przyznaj, że nie mieszkasz w prowincji Sus.

– Przyznaję – mówię wtedy – jestem z Casablanki.

Moje siostry nalegają, żebym się nigdy nie zdradziła, że mieszkam w Europie, bo wtedy handlarze robią się chciwi.

– Dobrze, dobrze – mówią handlarze – dla ciebie będzie najlepsza cena, bo jesteś naszą siostrą. Nasze rodziny umrą z głodu. Ale jesteś piękna i uczciwa. To się nam podoba.

Wtedy zaczyna pertraktacje moja siostra Asja, która potrafi się lepiej targować niż ktokolwiek inny w rodzinie. I na koniec wszystko jest jeszcze o połowę tańsze. Czasem Asja targuje się tak dobrze, że żal mi handlarzy.

– Nie zostawisz mi ani jednego dirhama dla rodziny? – wołają.

A ja odpowiadam w *taszilhajt*:

– Przepraszam, bracie. Ale nie mam pieniędzy, wszystko ma moja siostra. *Ai'auwin rabbi, agma* – Niech Bóg cię wesprze, bracie.

– Amen – odpowiadają handlarze. – *A'oultma* – niech spełnią się twoje życzenia, siostro.

Gdy stryj Hasan w październiku 1979 roku postanowił odwiedzić swojego brata w więzieniu śledczym i wziąć nas ze sobą, nie zatrzymaliśmy się przy suku.

Znowu wsiedliśmy wszyscy do starego R4, nawet trzech naszych kuzynów wcisnęło się do samochodu. Przeszkadzało mi to, bo zwykle mówili:

– Nie należymy do rodziny mordercy. Jesteśmy tylko dziećmi jego brata. Tamte to dzieci mordercy. Nasi rodzice opiekują się nimi, biedakami.

Potem wskazywali na nas, a my nie wiedzieliśmy, jak się zachować: zapaść się ze wstydu pod ziemię czy podnieść dumnie głowę. Postanowiłam, że nie pozwolę się kuzynom upokarzać. Głowę nosiłam wysoko, ale każda ich uwaga bolała mnie jak cios noża w serce. I często musiałam po kryjomu ocierać łzy, gdy nasi krewni mówili o tym, co nas spotkało.

Kuzynki i kuzyni byli jak ten szewski klej, wdychany z plastikowych torebek przez dzieci ulicy: lepki i trujący. Nie mogliśmy się od nich uwolnić.

Teraz siedzieli w zardzewiałym samochodzie stryja i paplali. Dla nich to była podniecająca wycieczka, dla mnie – tortura. Z jednej strony chciałam zobaczyć człowieka, który był moim ojcem. Z drugiej strony – ten człowiek zabił moją matkę. Nie powiedziałam ani słowa, moje oczy nie widziały niczego, co działo się poza renaultem. Byłam zajęta swoją duszą, zagrożoną rozdarciem przez wewnętrzny konflikt.

Mała rączka Wafy w mojej prawej ręce i duża ręka Rabi'i w mojej lewej dały mi siłę, by przetrwać to, co mnie czekało.

Ciężka brama więzienia otworzyła się i zaprowadzono nas do jakiegoś pomieszczenia. Potem wprowadzili ojca. Utykał. Zatrzymał się w drugim końcu pomieszczenia, dwóch strażników stało tuż obok niego. Nie poruszyliśmy się w naszym kącie pokoju. Dzieliło nas parę metrów.

Cały świat.

Chociaż było ciepło, ojciec miał na sobie gruby wełniany sweter. Jego ręce były obandażowane. Pomyślałam, że spostrzegł swój błąd i próbował gołymi rękami gasić płomienie na ciele naszej matki. A jednak ją kochał! Nie chciał mi jej odebrać! Chciał ratować jej życie! Do dzisiejszego dnia nie wiem, czy pod bandażami były rany od poparzenia. Nie wiem, czy się zranił, zabijając matkę, czy próbując gasić płomienie. Wolę myśleć, że w ostatniej chwili chciał jej jednak ocalić życie.

Ojciec nic nie mówił. Ja nic nie mówiłam. Nawet kuzynki i kuzyni wyjątkowo nic nie mówili. Tylko patrzyliśmy na siebie.

Kuzyni poruszyli się pierwsi. Podeszli do ojca, a on ich objął. Byłam oburzona. To jest mój ojciec, myślałam. To mnie powinien objąć, mnie i moje rodzeństwo. Nie chciałam się nim dzielić z moimi krewnymi. Dla mnie to była święta chwila. Chwila, w której się miało rozstrzygnąć: czy ojciec i ja jeszcze do siebie należymy? Czy jesteśmy już na zawsze rozdzieleni? Czy mam jeszcze ojca? Czy straciłam również jego?

W końcu zrobiłam krok w jego stronę. Prawie go nie widziałam, łzy przesłoniły mi wzrok. Otarłam je. Ojciec też płakał. Rozpostarł ramiona i przytulił mnie do piersi. Bandaże na jego rękach szorstko tarły mi skórę. Powiedział:

– Przepraszam, moja mała. Żałuję tego, co zrobiłem. Niech Wszechmogący ma was w opiece.

Powiedziałam: „Tato". Tylko: „Tato".

Kochałam go i nienawidziłam w tym momencie.

Potem puścił mnie, bo chciał się przywitać z innymi. Odeszłam.

Na zawsze.

Głód

We wrześniu 1980 roku sędziowie wydali na ojca wyrok: trzydzieści lat więzienia o zaostrzonym rygorze. O toczącym się procesie i jego wynikach niczego nie wiedzieliśmy. Sąsiedzi, a także krewni mojej matki zeznawali jako świadkowie przed sądem okręgowym w Agadirze. Nas, dzieci, trzymano od wszystkiego z daleka.

Nie mogę sobie przypomnieć dnia, w którym zapadł wyrok. Wiem tylko, że szybko sobie obliczyłam, ile będę miała lat, gdy ojciec wyjdzie z więzienia: trzydzieści sześć.

Wydawało mi się, że będę prastara. Znałam kobiety na naszej ulicy, które były takie stare. Miały męża, dzieci i wielki tyłek. Pomyślałam, że też będę miała męża, dzieci i wielki tyłek, gdy będę taka stara. Prawdopodobnie będę miała dużo dzieci i mało czasu dla starego ojca, gdy go wypuszczą z więzienia. A poza tym będę oczywiście pracowała w biurze, będę więc miała jeszcze mniej czasu. Widziałam siebie stojącą na naszej ulicy, z krótko obciętymi włosami, w żółtych spodniach. Nie mam pojęcia, dlaczego spodnie miały być żółte. Ale w tamtych czasach, gdy wyobrażałam sobie siebie jako dorosłą kobietę, miałam na sobie te żółte spodnie.

Któregoś dnia przyjdzie na naszą ulicę stary mężczyzna, a ja go nie poznam, dopóki nie zastuka do naszych drzwi. Oczywiście nadal będę mieszkała w naszym starym domu, ale naturalnie bez stryja i bez złej ciotki, bez głupich kuzynów i kuzynek. U mnie w domu będzie panowała miła, spokojna atmosfera.

Moje dzieci zapytają:

– Mamo, kim jest ten stary człowiek?

A ja odpowiem:

– To jest wasz dziadek.

Dzieci zapytają:

– Gdzie był dziadek przez ten cały czas?

A ja wymyślę jakąś historyjkę, w której może być wszystko, tylko nie słowo: więzienie.

Tak to sobie wyobrażałam. Nie mogłam wiedzieć, że już nigdy nie zobaczę ojca na wolności.

Po ogłoszeniu wyroku ojciec został przeniesiony z Agadiru do Kunajtiry na północ od królewskiego miasta, Rabatu. Sześć lat przebywał tam w więzieniu dla psychicznie chorych. Czasami pisał do nas listy. W zakończeniu pozdrawiał nas wszystkich i dopisywał: „I wszystkiego dobrego dla waszej kochanej matki!". Jakby zapomniał, że matka nie żyje. Że ją zabił.

Dla mnie był to dowód, że ojciec naprawdę zwariował. Ta myśl mnie uspokajała: ojciec nie zabił matki z całą premedytacją, z nienawiści albo niskich pobudek. Nie był przy zdrowych zmysłach i nie wiedział, co czyni. Ojciec nie był mordercą. Ojciec był chory, bardzo chory.

Gdy został przeniesiony do normalnego więzienia, odwiedziły go moje starsze siostry Rabi'a i Muna. Młodszym dzieciom nie pozwolono pojechać.

Gdy Rabi'a wróciła, zapytałam:

– Jaki był ojciec?

– Ojciec ma się dobrze – powiedziała. – Wygląda zdrowo i elegancko. Na początku w ogóle go nie poznałam, bo miał na sobie garnitur.

– Garnitur? – zapytałam. – W więzieniu?

– Tak, brązowy garnitur. W pierwszej chwili pomyślałam, że to dyrektor, bo strażnicy odnosili się do niego z takim szacunkiem. Monsieur to, monsieur tamto, w czym możemy pomóc?

Zdziwiłam się.

– A co powiedział ojciec?

– Powiedział, że ma dużo pracy. Że musi naprawiać wszystkie maszyny do pisania, telewizory i telefony w więzieniu i że nawet dostaje za to pieniądze. Powiedział, że dobrze mu się wiedzie, że zarządza biblioteką. Żebyśmy się o niego nie martwili.

– Czy ojciec nadal jest obłąkany?

– Nie, myślę, że wyzdrowiał. Zrobił na mnie wrażenie całkiem normalnego.

Chciałam zapytać, czy Rabi'a i Muna rozmawiały z ojcem o matce. Ale nie miałam odwagi zadać tego pytania. Była między nami, dziećmi, niepisana umowa, że słowo „matka" nie padnie z naszych ust. Próbowaliśmy je usunąć nawet z myśli i serca.

Tylko nasza nowa rodzina nie przestrzegała tej zasady. Zwłaszcza ciotka Zajna czepiała się matki.

– Powiedz, Dżamilo, czy twoja matka naprawdę była szarifą – świętą?

Dżamila nie odpowiedziała.

– Czy naprawdę myślisz, że szarify noszą takie spódnice? – szydziła ciotka.

Pokazała zdjęcie naszej matki w krótkiej spódnicy. Ojciec zrobił to zdjęcie w domu. Matka była młodziutką dziewczyną. Wyglądała na tej fotografii ślicznie i niewinnie. Było nam bardzo nieprzyjemnie z powodu tego zdjęcia, bo nikt poza najbliższą rodziną nie powinien widzieć szarify w takim stroju.

– Przyjrzyjcie się dokładnie temu zdjęciu, wy rozpuszczone dziewuchy! – wołała ciotka Zajna. – To jest zdjęcie zdziry. Wasza matka była zdzirą. Dlatego wasz ojciec ją zabił. Na nic lepszego nie zasłużyła.

Gdy ciotka Zajna mówiła takie rzeczy, zaraz zaczynałam płakać. W mojej wyobraźni matka była aniołem. Ciotka niszczyła to wyobrażenie. Ciotka Zajna była zła.

Rabi'a, najrozsądniejsza z nas wszystkich, powiedziała:

– Ciociu, zmarłym należy pozwolić spoczywać w pokoju. Proszę, nie mów tak o naszej matce.

Ale ciotka Zajna docinała dalej:

– Była dziwką, każdy o tym wie.

Moja siostra Dżamila nie była tak rozsądna jak Rabi'a. Była zuchwała i porywcza. Zaczęła tupać i krzyczeć:

– Przestań, jesteś podła! Moja matka była szarifą i moja babcia była szarifą, a ty nie masz prawa źle o nich mówić. Bo ty nie jesteś żadną świętą. Wręcz przeciwnie.

Na to tylko czekał nasz kuzyn Ali. Był najgorszy i najbardziej gwałtowny ze wszystkich naszych kuzynów. Zanim Dżamila dokończyła zdanie, Ali z całej siły kopnął ją w brzuch. Bił ją jeszcze wtedy, gdy leżała na ziemi.

Ciotka Zajna śmiała się szyderczo:

– Tyle ci z tego przyszło, niegrzeczna dziewczyno. Kto się sprzeciwia swojej ciotce, tego spotyka kara.

Gorsza od ciotki Zajny była jej przyjaciółka Suhur, mieszkająca w osiedlu baraków na skraju Agadiru. Suhur była jedną z *darbo-szi-fal*, które zawsze napędzały mi strachu, gdy chodziły po ulicach, zachwalając wysokimi głosami swoje nieświęte usługi:

– Jasnowidzenie, wróżenie, rytuały magiczne.

Uważałam Suhur za wiedźmę i jeszcze dzisiaj ciarki mnie przechodzą, gdy o niej pomyślę. Była zepsutą, złą duszą i mam wrażenie, że ciotka Zajna odprawiała z nią czarnoksięskie rytuały, żeby podporządkować sobie męża. Gdy Suhur przychodziła do domu, paliła na węglu drzewnym śmierdzące lekarstwa, od których nam, dzieciom, robiło się niedobrze. Zaczynała mnie boleć głowa i nawet musiałam wymiotować.

Czasami paliły nawet kawałki materiału. Potem się dowiedziałam, że ciotka Zajna zbierała w nie nasienie mojego stryja, po czym je paliła, żeby na zawsze przywiązać go do siebie.

Suhur nas szykanowała, jak tylko mogła. Mówiła źle o naszych rodzicach i wymagała, żebyśmy całowali ją w rękę i obsługiwali, jakby była królową.

Siała niezgodę w naszym domu, mówiąc na przykład:

– Zajno, moja kochana przyjaciółko, powinnaś być ostrożna z tą Dżamilą. Ona wkrótce będzie kobietą i uwiedzie ci męża, jeśli nic nie zrobisz.

Dżamila miała wtedy trzynaście lat. Pomagała stryjowi przy samochodach, które naprawiał na ulicy przed domem. Zaczęła nawet nosić niebieski kombinezon, tak jak stryj. Ciotka Zajna nie znosiła, kiedy Dżamila pracowała ze stryjem Hasanem.

– Tylko czekasz, żebyś mogła przed moim mężem rozłożyć nogi, ty mała zdziro – ujadała.

Dżamila płakała.

– Jak możesz tak mówić, ciociu. Twój mąż jest dla mnie jak ojciec. Jest moim tatą.

Dowiedziałam się dopiero po latach, że to nie była cała prawda, że Dżamila skrywała straszliwą tajemnicę.

Kiedyś zaobserwowałam dziwną sceną w naszej łazience. Po jednej z wizyt Suhur ciotka głosem słodkim jak miód zapytała Dżamilę:

– Wyszorować ci plecy?

To było nadzwyczajne, bo ciotka zwykle nie troszczyła się o nas. Przywykłyśmy myć się nawzajem. Stawiałyśmy wiadro z wodą na dachu i czekałyśmy, aż słońce ją nagrzeje. Potem znosiłyśmy wiadro do łazienki i myłyśmy się.

Ciotka Zajna wzięła szorstką rękawicę. Przez malutkie okienko w łazience widziałam, jak szorowała ciemne plecy Dżamili, ukradkiem zbierając przy tym drobinki skóry. Nie spuszczałam ciotki z oczu. Gdy kąpiel Dżamili była zakończona, ciotka z drobinkami jej skóry znikła na dachu i położyła je w kącie na ręczniku, żeby wyschły.

Kilka dni później znowu przyszła Suhur. Ciotka Zajna przyniosła wysuszone drobinki skóry mojej siostry i obie kobiety spaliły je, mamrocząc jakieś głuche zaklęcia.

W Maroku każdy wie, co to znaczy: czar dający władzę nad innymi.

Ammi Hasan nie był złym człowiekiem. Gdy ciotka Zajna wychodziła z domu, był dla nas czuły. Nawet wyciągał nam gnidy z włosów. Gdy tylko pojawiała się ciotka, zmieniał się. Stawał się szorstki i odpychający, wystarczyło jedno zuchwałe słowo, żeby oberwać.

Odkąd ojciec dostał ostateczny wyrok, stryj Hasan odgrywał rolę głowy rodziny. Ustanowiono go powiernikiem parceli, która mimo całej nędzy, w jakiej żyliśmy, z jakichś powodów ojcu przysługiwała.

Dzisiaj ta ziemia już do nas nie należy. Rabi'a doszła do tego, co się najprawdopodobniej stało: stryj Hasan zamienił w dokumentach imię mojego ojca – Husajn Ibn Muhammad Ibn Abd Allah – na swoje: Hasan Ibn Muhammad Ibn Abd Allah. Po arabsku różnica w pisowni między Husajn a Hasan jest jeszcze mniejsza.

Ammi Hasan sprzedał parcelę i roztrwonił pieniądze. A potrzebował ich dużo, bo lubił wypić i chodził do wideoteki po kasety, które razem z ciotką Zajną oglądał w sypialni. Żadne z dzieci nie miało wtedy prawa wejść do pokoju.

Nasi kuzyni i kuzynki cieszyli się, gdy stryj Hasan miał pieniądze. Kupował im wtedy jogurt. Wołał ich pojedynczo do pokoju. Po krótkiej chwili wychodzili z kubkiem pysznego jogurtu i z apetytem jedli go łyżkami. My nie dostawaliśmy nic, tylko musieliśmy patrzeć, jak jedzą.

Raz poprosiłam kuzynkę Fatimę:

– Proszę, zostaw mi łyżeczkę.

Fatima była jeszcze najsympatyczniejsza z dzieci. Jadła jogurt widelcem, bo w naszym domu brakowało sztućców.

– Poczekaj jeszcze trochę – powiedziała. Potem wyskrobywała kubek, aż prawie nic nie zostało. Tak się cieszyłam na ten jogurt, że nie zwracałam uwagi na spojrzenia, jakie wymieniała ze swoim rodzeństwem. Szeroko otworzyłam usta, żeby niczego nie uronić. Fatima wyjęła z kubka widelec, na którym było bardzo mało jogurtu. A potem wbiła mi zęby widelca głęboko w gardło.

Krzyknęłam z bólu. Kuzyni śmiali się szyderczo. Przez trzy dni nie mogłam nic jeść. Rana się zagoiła, a ja już nigdy nie poprosiłam krewnych o nic.

Gdy pieniądze się kończyły, stryj Hasan wymyślał nowe sposoby, jak by tu je zdobyć. Nie zawsze legalne.

Na początku lat osiemdziesiątych trafił nawet na kilka miesięcy do więzienia, podobno za to, że przelakierowywał skradzione samochody dla francuskich gangsterów.

Nie były to dla nas dobre czasy, kiedy stryj Hasan siedział w więzieniu. W naszej rodzinie nie było pieniędzy. Nie mieliśmy środków do życia i głodowaliśmy.

Wszyscy mieli za zadanie zorganizować coś do jedzenia. Ja musiałam rano przed szkołą i po południu po lekcjach obchodzić z Dżamilą piekarnie w sąsiedztwie i żebrać o chleb. Nasza duża rodzina potrzebowała go tyle, że jedna runda żebracza nie wystarczała. Wieczorami chodziliśmy do dalekiego krewnego, który sprzedawał mięso na targu. Jeśli mieliśmy szczęście, dostawaliśmy kości, chrząstki i resztki, z których można było ugotować zupę.

Nierzadko wracaliśmy jednak z pustymi rękami. Wtedy ciotka nas biła. Krzyczała na mnie:

– Wcale nie byłaś u rzeźnika, ty rozpuszczona gówniaro, włóczyłaś się, ty dziwko, zamiast postarać się o jedzenie.

Miałam osiem lat i nie wiedziałam, co znaczy słowo „dziwka". Ale nawet nie miałam okazji zapytać. Bo ciotka przewracała mnie na ziemię, schylała się nade mną i spiczastymi paznokciami szczypała mnie w uda od wewnętrznej, delikatnej strony, tuż pod wargami sromowymi. Kiedy skowyczałam z bólu, krzyczała:

– Przestań robić teatr!

Czasami zapominała o udach i brała się od razu do policzków. Wwiercała paznokcie w skórę i szarpała, aż leciała krew. Jeszcze dzisiaj mam po tych torturach małe blizny na twarzy.

W tym okresie często szliśmy spać posiniaczeni, z krwawiącymi ranami i burczącym żołądkiem. Ciasno do siebie przytuleni zasypialiśmy, szukając pocieszenia w cieple ciał rodzeństwa.

Dżamila i ja miałyśmy słodką tajemnicę i nadzieję, że ciotka nigdy się o niej nie dowie. Na naszych żebraczych wyprawach przechodziłyśmy obok małego hotelu, należącego do pewnego człowieka, którego nazwiska nigdy nie poznałyśmy. Nazywałyśmy go Bu Dirham – mężczyzną z dirhamem. Za każdym razem, gdy przechodziłyśmy rano obok jego hotelu, tak długo kręciłyśmy się koło wejścia, aż nas zauważył – dwie małe dziewczynki. Wtedy Bu Dirham wychodził, nie mówiąc ani słowa głaskał nas po głowie i wciskał Dżamili, starszej, monetę do ręki.

Mówiłyśmy cichutko: „Niech Allah będzie łaskawy dla pańskich rodziców", i uciekałyśmy, zanim się rozmyśli.

Za tego dirhama kupowałyśmy masło i marmoladę, rozcinałyśmy jeden z chlebów, wkładałyśmy do środka masło i marmoladę i zawijałyśmy jedzenie w gazetę. Nie miałyśmy odwagi jeść, bo ciotka codziennie rano sprawdzała nasz oddech.

– Chuchnij! – rozkazywała. Marmoladę i masło od razu by wyczuła. Dlatego chowałyśmy nasz łup pod drzewem koło szkoły i zjadałyśmy szybko przed lekcjami.

Codziennie żałowałam, że nie mogłam smakować tego chleba. Ale bałyśmy się, że kuzyni nas przyłapią. Od razu by wygadali. I znowu w domu dostałybyśmy lanie.

Poza tym w żadnym razie nie mogłyśmy się spóźnić do szkoły. Czekał tam dyrektor, którego nazywałyśmy „odwróconą butelką oranginy", bo miał gruby brzuch i wyjątkowo chude nogi. Punktualnie o ósmej dyrektor stawał przy wejściu do szkoły, trzymając w ręce kawałek gumowego węża, którym bił wszystkich uczniów usiłujących po ósmej przemknąć się przez bramę.

Gdy dyrektor trafiał kogoś swoim wężem, rozlegało się głuche, bolesne pacnięcie, a na skórze pojawiały się pręgi podbiegłe krwią.

Królestwo duchów

Za przepięknym miastem Tarudant, gdzie mój ojciec chciał zostać pochowany, zaczynają się najwyższe góry w Maroku – Atlas Wysoki. Serpentyny wijące się po stromych zboczach prowadzą do Dżabal Tubkal, pasma górskiego wysokości ponad czterech tysięcy metrów pod zawsze błękitnym niebem i pokrywą wiecznego śniegu.

Kilka lat temu pojechałam w Atlas Wysoki. Zjechaliśmy samochodem na wypłukany szlak, prowadzący coraz głębiej w góry. Nasze auto ledwo pokonywało tę drogę. Z lewej strony szlaku schodziły kilkaset metrów w dół zielone doliny, z prawej piętrzyły się skały wysokie jak dom.

Jakiś chłopiec rozbijał kilofem kamienie, które stoczyły się ze stromego zbocza na drogę. Zatrzymaliśmy się i daliśmy mu parę dirhamów. Taki jest zwyczaj w górach. Z datków kierowców to dziecko utrzymuje swoją rodzinę. Nikt mu nie kazał pracować na drodze – robi to, by krewni cierpieli mniejszą biedę.

W górach wszędzie widać dzieci, usiłujące zrobić jakiś interes. Gdy nadjeżdża jeden z rzadkich tu samochodów, wyskakują na drogę z wiązkami ziół, garnuszkami miodu albo owocami i próbują je sprzedać.

W końcu dojechaliśmy do regionu Imintakin. Zatrzymaliśmy się w górskiej wiosce, bo droga nagle się skończyła. Młody człowiek zaprowadził nas przez wieś w dół nad strumień, nad którym kobiety prały bieliznę, a mężczyźni przechadzali się ze swoimi osłami. Dzieci przyniosły nam owoce z drzew, a ja spróbowałam, czy potrafię jeszcze tak obrać figi opuncji, żeby nie powbijać sobie kolców w ręce i palce. Zrezygnowałam już po pierwszej fidze. Ale moja siostra Wafa, do dzisiaj pracująca jako nauczycielka analfabetów w wiosce sąsiadującej z Ad-Dirhem, gdzie się urodziłam, bez problemów obrała tuzin świeżych fig, których smak przewyższał wszystkie figi, jakie kiedykolwiek jadłam w Niemczech.

Mile wspominam to miejsce w górach, które Berberowie nazywają Imintakin, a Arabowie – Mintaka. Raz byliśmy tam jako dzieci, po śmierci naszej matki. Ciotka Zajna i stryj Hasan zabrali nas ze sobą, bo była to rodzinna miejscowość naszej ciotki. Polubiliśmy ubogą górską wioskę, chłodne powietrze i swobodę w tej dzikiej okolicy. Nikt nas nie mógł tu kontrolować, nikt nie mógł nas szykanować. Czas spędzaliśmy na dworze, bawiliśmy się i przeżywaliśmy różne przygody razem z innymi dziećmi.

Szczególnego znaczenia nabrały dla mnie góry, gdy w Imintakinie umarła matka ciotki Zajny. Początkowo wyglądało to na katastrofę, bo rodzeństwo musiało się rozdzielić. Ale z perspektywy czasu wiem, że zawdzięczam temu wydarzeniu osiemnaście szczęśliwych miesięcy.

Ciotka z *ammi* Hasanem oczywiście musiała pojechać w góry na pogrzeb. I oczywiście nie mogła zabrać ze sobą piętnaściorga dzieci (urodziło się jej tymczasem jeszcze jedno, Hafida). Dlatego mogli pojechać tylko kuzyni i kuzynki oraz moja siostra Muna. Resztę nas odesłano.

Ciotka Zajna wsadziła Dżamilę, która miała wtedy dziesięć lat, z pięcioletnią Wafą i trzyletnią Asją do autobusu jadącego do Tiznitu.

– Jedźcie do swojej babki, tej szarify, niech ona się wami zajmie. Da radę, ta święta.

Dla Dżamili nie była to przyjemna podróż. Autobus zatrzymywał się co parę kilometrów, aby wziąć jeszcze więcej pasażerów, chociaż wszystkie miejsca siedzące były już zajęte. Pod koniec Wafa i Asja siedziały Dżamili na kolanach. Asja przez cały czas wymiotowała ze zdenerwowania, a Wafa marudziła, bo była głodna.

Gdy wszystkie trzy dojechały wreszcie do Tiznitu, monsieur „Autobusa" znowu nie można było znaleźć. Dopiero wieczorem siostry dotarły do babki w Ad-Dirhu.

Babka nie wiedziała, że mają przyjechać. Ale przygotowała wnuczkom posłanie obok swojego łóżka w sypialni nad bramą wejściową i odmówiła z nimi surę 94 z Koranu, *Otwarcie* [*Asz-Szarh*]:

W imię Boga Miłosiernego, Litościwego!
Czyż nie otwarliśmy twojej piersi?
Czy nie zdjęliśmy z ciebie twego brzemienia,
które przytłaczało ci plecy?
Czy nie rozgłosiliśmy
twojej sławy?
Obok trudności jest łatwość!
Zaprawdę, obok trudności jest łatwość!
Przeto kiedy masz wolny czas,
bądź skupiony
i do twego Pana skieruj twoje pragnienia!

Surę tę recytuje się tylko wtedy, gdy rozpacz ściska serce i nie widać wyjścia. Myślę, że babka miała nadzieję, że Allah jej pomoże w tej trudnej sytuacji. Kochała swoje wnuczęta. Ale jednocześnie bała się je przyjąć.

– Co będzie, jeżeli mój zięć wyjdzie z więzienia? Zabije nas wszystkich – powiedziała swojemu synowi, *chali* Ibrahimowi, i jego żonie Fatimie.

– Został skazany i siedzi w więzieniu – powiedział wuj Ibrahim – Allahowi niech będą dzięki.

– Nie wiem – odparła babka – nie mam dobrych przeczuć.

Ale Dżamila zaczęła błagać o swoje rodzeństwo:

– Proszę cię, babciu, zatrzymaj u siebie Asję i Wafę. Nie jest nam dobrze w Agadirze. Tutaj będą bezpieczne.

W końcu udało się Dżamili przekonać ciotkę Chadidżę, żeby wzięła do siebie Asję i Wafę. Ciotka Chadidża mieszkała z mężem Muhammadem w sąsiednim Ikrirarze. Muhammad był o wiele starszy od naszej ciotki i bardzo miły. Nie mieli dzieci.

Dżamila wróciła sama do Agadiru. Nasze siostry zostały u ciotki Chadidży, dopóki nie dorosły.

Przez wiele lat nasza rodzina żyła rozdzielona. Nie dorastałam razem z Wafą i Asją. Gdy zrozumiałam, że nie zobaczę ich tak szybko w naszym domu w Agadirze, uświadomiłam sobie, że nasza rodzina już nie istnieje. Matka nie żyje, ojciec w więzieniu, moje małe siostrzyczki na wsi. To był szok.

Byłam smutna, bo czułam się samotna. I byłam zazdrosna, że Asja i Wafa tak dobrze trafiły. Mieszkały u rodziny mojej matki. W glinianym domu mojej ciotki miały swój własny pokój, swoją szafę. A nawet każda miała swoją własną krowę. A ja miałam tylko tekturowy karton, w którym trzymałam jeden t-shirt i parę spodni. A gdy miałam pecha, kuzynki rozwalały karton i wyrzucały t-shirt na ziemię.

Nie miałam już nic własnego. Nawet majtki do mnie nie należały. Gdy je uprałam, kuzynki kradły mi je ze sznurka. Przyzwyczaiłam się tak długo siedzieć przy majtkach, aż wyschły i mogłam je znowu założyć.

Nie było żadnej prywatności w domu mojego stryja. Moja tożsamość się rozpłynęła. Kto należał do mnie? Kto był przeciw mnie? Komu mogłam ufać?

Tak wykorzeniona, jak w tamtym okresie, nie czułam się jeszcze nigdy, nawet po śmierci matki.

Starałam się zapomnieć o jej śmierci. Nie miałam możliwości obchodzenia po niej żałoby. Moje nowe życie było na to zbyt trudne. Myślałam, jak nie zginąć. Na ulicy udawałam kutą na cztery nogi i silną. Nie chciałam budzić współczucia, tylko respekt. Ale utrata sióstr, a tym samym rodziny, była głęboką, bolesną raną w mojej duszy.

Rabi'ę, Dżabira i mnie stryj Hasan wyprawił do znajomych w Dżajrze, przedmieściu Agadiru. Rodzina Al-Amimów składała się z siedmiu osób. Ojciec już nie żył. Jeszcze tylko jego portret na imponującej czarno-białej fotografii wisiał w pokoju stołowym. Dom prowadziły dwie wdowy po nim: *chalati* Nadżma i *chalati* Hadija. Miały pięcioro dorosłych dzieci, które nadal mieszkały z nimi.

Bardzo dziwną osobą była Chadidża – grubą i wielce niezadowoloną. Podczas wspólnych posiłków prawie nic nie jadła. Ale gdy była sama, opychała się kilogramami chleba. Wieczorami można ją było czasem zobaczyć, jak ubrana w dziwny plastikowy kombinezon biega w kółko po podwórku. Wyglądała jak astronauta na Księżycu.

– Co robisz? – zapytałam.

– Odchudzam się.

– W kombinezonie dla astronautów?

– To nie jest kombinezon dla astronautów, tylko kombinezon odchudzający. Dostałam go z Francji. Jak się go ma na sobie, człowiek bardzo mocno się poci i staje się taki chudy jak jakaś Francuzka.

– Aha – powiedziałam.

– Jeszcze się przekonasz! – zawołała Chadidża.

Ale nie tyle do mnie, ile do swojego brata Hasana, który stał oparty o mur domu i chichotał.

Hasan miał ogromne wąsy i piękny powóz z dwoma końmi, który wynajmował. Z Hasanem było dużo śmiechu: co wieczór jadł jaja sadzone, po których miał silne wzdęcia. Dlatego zawsze najdłużej się modlił. Bo kto podczas modlitwy puści bąka, ten musi zaczynać jeszcze raz od początku. Podczas ciągłego pochylania się i klękania, należącego w islamie do modlitwy, rzadko udawało się Hasanowi zatrzymać w sobie wszystkie wiatry.

Zahra była najmilszym człowiekiem, jakiego spotkałam od śmierci mojej matki. Z zawodu była krawcową i z resztek materiałów, przynoszonych przez klientów, szyła mi śliczne hiszpańskie sukieneczki. Gdy miała coś do załatwienia, brała mnie ze sobą.

Abdu pracował jako mechanik samochodowy. Wieczorem przychodził do domu, brał prysznic, przebierał się, nie mówił ani słowa i znowu znikał. Chyba nigdy z nim nie rozmawiałam.

Amina była najmłodsza, właśnie zdała maturę. Uważaliśmy, że jest bardzo mądra i rozpieszczona. Miała krótkie, rude włosy, a na całej twarzy słodkie piegi. Do dzisiaj nie wiem, czy była córką ciotki Nadżmy, czy ciotki Hadiji. Ponieważ Amina była taka mądra, miała własny pokój, a w nim poduszki z czerwonymi serduszkami, uszyte przez Zahrę. Nie wolno jej było przeszkadzać, gdy zamknęła drzwi. Bo wtedy Amina się uczyła i stawała się jeszcze troszeczkę mądrzejsza.

I był jeszcze syn o imieniu Tuhami. Mieszkał we Francji, a gdy przyjeżdżał odwiedzić rodzinę, przywoził z zagranicy tysiące cudownych rzeczy. Na przykład ogromne pluszowe zwierzaki. Był tam brązowy pluszowy pies od Tuhamiego i tygrys, oba tak piękne, że dostały honorowe miejsce w pokoju stołowym i nie wolno mi było ich dotykać.

– Bo tygrys się zepsuje – mówiła *chalati* Hadija.

Rzeczy, których Tuhami nie mógł przywieźć z Francji, kupował swojej rodzinie na miejscu. Kiedyś, w połowie ramadanu, kupił lodówkę. Gdy tylko znalazła się w domu, zobaczyłam, jak Tuhami wyjął butelkę wody, przytknął do ust i pił, zanim odstawił ją z powrotem do lodówki. W biały dzień! W ramadanie, miesiącu postu!

Byłam zszokowana i jednocześnie zafascynowana. U nas w domu nikt by się nie odważył w ramadanie wypić czegokolwiek przed zachodem słońca. Ale w wypadku Tuhamiego uznałam, że to w porządku, w końcu mieszkał w Europie.

Uważałam, że Europa jest kapitalna, bo można tam pić wodę w biały dzień. A poza tym Tuhami wydawał mi się o wiele fajniejszy od ludzi żyjących w Maroku. Czasami śmiał się z rzeczy, które u nas były *huszuma* – grzechem. U nas, w Maroku, zawsze coś było grzechem, a więc zakazane. Wydawało mi się, że w Europie jest o wiele mniej grzechów i zakazów. Zastanawiałam się, czy nie zapytać Tuhamiego, czyby mnie nie wziął do tego innego świata, gdzie wszystko wydawało się takie proste i zabawne. Ale nie miałam odwagi go spytać.

Kiedyś Tuhami popełnił bardzo wielką huszumę. Wziął jednego dirhama i tak długo składał wizerunek naszego króla na banknocie, aż jego ucho zaczęło przypominać zajęcze. Najpierw zatkało mnie z przerażenia. Nasz król! Hasan II! Z zajęczym uchem! To była niesłychana zbrodnia. Nigdy bym się nie odważyła zrobić czegoś takiego.

Ale Tuhami tylko się śmiał ze swojej sztuczki, jakby to był świetny żart. Zapamiętałam, jak to zrobił. I kiedy następnym razem poszłam z banknotem do sklepu na rogu, powiedziałam właścicielowi:

– *Sidi*, znam świetną sztuczkę. Chce pan zobaczyć?

– Tak, córko, pokaż, jaką znasz sztuczkę.

Wzięłam banknot i składałam go tak długo, aż ucho króla wyglądało jak zajęcze. Myślałam, że właściciel sklepu też się będzie z tego tak śmiał jak Tuhami. Ale on wcale się nie śmiał, tylko patrzył przerażony.

Chwilę później wiedziałam już, dlaczego. Czyjaś ręka złapała mnie za kołnierz. Moja piękna hiszpańska sukienka podciągnęła się w górę, ledwie mogłam oddychać. Odwróciłam głowę. I zobaczyłam olbrzymiego żołnierza w mundurze.

Patrzył z wielką powagą.

– Dziewczyno – powiedział – chcesz drwić z mojego *sidi*?

– Nie, ja tylko chciałam pokazać, jaką znam fajną sztuczkę. Popatrz, ucho *sidi* wygląda jak u zająca.

Nie powinnam była tego mówić. Żołnierz nagle popatrzył tak groźnie, że ze strachu zrobiłam w majtki.

– Zjeżdżaj – powiedział żołnierz, gdy to zauważył – zanim się rozmyślę, mała spryciaro!

Pędem pobiegłam do domu. Bez zakupów, z królem-zającem zgniecionym w ręce. W domu wygładziłam banknot. Od tej pory już nigdy nie robiłam z króla zająca.

Po trzech tygodniach pod drzwiami rodziny Al-Amimów zjawił się stryj Hasan.

– Już po pogrzebie – powiedział – przyjechałem po moje bratanice i bratanka.

Ale rodzina Al-Amimów mnie polubiła.

– Proszę, Hasanie – powiedziała ciotka Nadżma – zostaw u nas małą Ouardę. Dobrze jej u nas. A dla was to mniejszy ciężar.

Stryj Hasan długo nie dyskutował, załadował Rabi'ę i Dżabira do swojego zardzewiałego renaulta i odjechał. Płakałam. Ale tylko troszkę, bo ciotka Nadżma była o wiele milsza od ciotki Zajny.

Zaczęły się dla mnie szczęśliwe czasy. Mojej nowej rodzinie dobrze się powodziło, miała dość pieniędzy na codzienne życie i każdego dnia można się było najeść do syta. I panowała ciepła atmosfera, dająca poczucie bezpieczeństwa. Jeszcze nigdy do tej pory nie widziałam, żeby w rodzinie nie było bicia i prawie żadnych kłótni. Poza tym ustęp był bardzo czysty, nikt nie wycierał brudnych rąk o ściany.

Jedyny problem polegał na tym, że ta dzielnica nie miała wodociągów. Wodę do celów gospodarczych moja nowa rodzina brała ze studni. Ale wodę do picia musiałam ja przynosić. Rodzina Al-Amimów miała znajomych w sąsiedniej dzielnicy, już podłączonej do wodociągu. Codziennie rano szłam tam z dwoma pięciolitrowymi kanistrami z plastiku, napełniałam je wodą i przynosiłam do domu. Może dlatego mam ręce dłuższe niż nogi. Kanistry miały taki kształt, że nie dały się przenosić na głowie, jak to się w Maroku zwykle robi z dużymi ciężarami. Nie miały równego dna.

Tylko przed wielkimi świętami Hasan zaprzęgał konie do powozu i jechał do sąsiedniej dzielnicy, by przywieźć wodę w dużych kadziach. Biegłam za Hasanem i jego końmi.

– Proszę cię, Hasanie, weź mnie z sobą.

Ale najczęściej Hasan nie chciał mieć pasażera na koźle. Trzaskał z bicza, śmiał się swoją wąsatą twarzą i znikał w chmurze kurzu.

Czasami jednak pozwalał mi wejść na kozioł. Siedziałam obok niego dumna i szczęśliwa, wysoko nad przechodniami idącymi w kurzu, szybsza niż wszyscy inni na ulicy.

Uwielbiałam siedzieć obok Hasana na koźle. Uwielbiałam też, kiedy ze śmiechem odjeżdżał. Uważałam, że to normalne: mężczyźni jadą powozem, a dzieci za nimi biegną. Byłam zadowolona, że mogę być dzieckiem tej szczęśliwej rodziny.

Straciłam w tym czasie pierwsze mleczne zęby. Właściwie ich nie straciłam, bo ciągle jeszcze mocno siedziały w szczęce, ale za nimi wyrastały już stałe zęby. Pewnego dnia okazało się, że mam w dolnej szczęce cztery siekacze w dwóch rzędach. Dzieci na naszej ulicy uważały to za fascynujące; wszystkie chciały zobaczyć moją krokodylą szczękę. Ale ja ją pokazywałam tylko najlepszym przyjaciołom za rogiem domu. Przy innych zaciskałam usta.

– Proszę – napraszały się inne dzieci – mogę popatrzeć?

Korzystałam ze swojej władzy.

– *La* – syczałam przez zaciśnięte wargi – pokażę ci tylko wtedy, gdy dostanę cukierka.

Miałam więcej zębów niż wszystkie inne dzieci – i więcej cukierków.

Rodzina Al-Amimów się martwiła, że moje mleczne zęby nawet kilka tygodni później wcale jeszcze nie miały zamiaru się chwiać. Zaprowadzili mnie do sąsiadki, która miała tyle dzieci, że uchodziła na ulicy za ekspertkę od kłopotów z dziećmi.

Sąsiadka nie namyślała się długo, tylko wzięła obcęgi i wyrwała mi oba mleczne zęby. Przez kilka dni nie mogłam jeść cukierków, a przez kilka miesięcy musiałam całymi dniami wypychać językiem stałe zęby do przodu, żeby nie wyrosły krzywe.

– Chcecie zobaczyć, jak wypycham językiem moje nowe zęby do przodu? – pytałam się dzieci na ulicy. – Dajcie mi cukierka, to wam pokażę.

Ale sztuczka z językiem nikogo nie interesowała.

Dżajra była dzielnicą tradycyjną. Tutaj po raz pierwszy zetknęłam się z dawnymi obyczajami mojego ludu.

Podczas dorocznego Święta Ofiarowania, *Id al-Adha*, trwającego trzy do czterech dni, ludzie wspominają Abrahama, gotowego ofiarować swojego syna Bogu. Każda rodzina, którą na to stać, szlachtuje barana i dzieli się nim z potrzebującymi. Inni zarzynają co najmniej koguta.

Mężczyźni z tych rodzin w Dżajrze, które mogły sobie pozwolić na zaszlachtowanie barana, owijali się w świeżo zdjęte skóry zwierząt ofiarnych, wkładali baranią maskę, brali odrąbane nogi zwierzęcia i wyruszali na ulice. Podobno dotknięcie kogoś kopytami przynosiło szczęście. Ja jednak bałam się tych mężczyzn. Uciekłam z krzykiem, a potem się okazało, że dobrze zrobiłam.

Mężczyźni dopadli Dżalilę, dziewczynę z sąsiedztwa. Potem opętał ją dżinn, jeden z naszych podejrzanych duchów.

Wymknęłam się do domu ofiary, bo Dżalila mnie zawołała. Siedziałyśmy razem na kanapie i Dżalila mi opowiadała, jak dotykali ją mężczyźni w baranich skórach. Była to fascynująca historia. Dżalila uciekła i prawie udało się jej umknąć mężczyznom-baranom, ale się potknęła o pokrywę od kanalizacji. Nikt dobrowolnie nie przestępuje pokrywy od kanalizacji, bo mieszkają pod nią dżinny. Każdy Marokańczyk omija szerokim łukiem takie pokrywy. Ale Dżalila, uciekając, nie myślała o tym, żeby ją ominąć. Wyłożyła się jak długa, mając pod sobą bulgocące i śmierdzące rury kanalizacyjne. W zasięgu wpływu dżinnów i mężczyzn-baranów.

Oczami wytrzeszczonymi ze strachu patrzyła, jak zbliżały się do niej skrwawione nogi baranów i dotykały jej ciała. Skuliła się i zamknęła oczy. Gdy je otworzyła, mężczyzn już nie było, a ona sama leżała na brudnej ulicy.

Była to niepokojąca historia i dostałam gęsiej skórki z powodu dżinnów. Nie było jednak tak źle, jak to sobie wyobrażałam. Według pogłosek krążących po Dżajrze, dżinna, który opętał Dżalilę, można widzieć i słyszeć. Jak dotąd, niczego takiego nie zauważyłam.

Aż nagle Dżalila zaczęła krzyczeć głosem, jakiego nigdy jeszcze nie słyszałam, tak głośnym, przenikliwym i niesamowitym, jakby nie był głosem człowieka.

– Teraz dżinn wychodzi z moich ust, widzisz? – krzyczała.

Niczego nie widziałam. Ale nie mogłam odpowiedzieć, bo strach mnie sparaliżował.

– Wwierca mi się w brzuch. Ojeeeeej! Na pomoc!

Potem zemdlała. Cała rodzina wpadła do pokoju. Uciekłam jak najszybciej. Od tego dnia przez wiele miesięcy nie miałam odwagi przebywać na ulicy po zapadnięciu zmroku. Każdy wie, że dżinny rozrabiają głównie po nocach.

Kiedy indziej moja nowa rodzina poszła na tradycyjne uroczystości na suku w Dżajrze. Mężczyźni rytmicznie walili w bębny. Nad placem zawisł taki dywan z dźwięków, że zakręciło mi się w głowie. Muzyka nie cichła, tylko stawała się coraz szybsza. Mężczyźni tańczyli, mocno uderzając o ziemię stopami. Potem tłukli szklane butelki i chodzili po nich boso. Ze strachu wstrzymałam oddech – dokładnie mogłam widzieć ich stopy, bo jako mała dziewczynka siedziałam z przodu: żadnej krwi, żadnych ran.

Później mężczyźni wzięli metalowe rożna, na jakie kucharze nadziewają kawałki baraniny, żeby je opiekać nad ogniem. Ale nie robili szaszłyków, jak się spodziewałam, tylko wbijali sobie te rożna głęboko pod skórę na plecach i na piersi.

Szybko wybiegłam z pierwszego rzędu i schowałam się za plecami grubej Chadidży, która tak zawsze opychała się chlebem. Mimo to widziałam, jak mężczyźni brali w ręce kawałki szkła leżące na ziemi i wcierali je sobie w twarz. Niektórzy nawet jedli szkło.

– Co to są za mężczyźni? – zapytałam szeptem.

– To są derwisze *isawi*, święci mężowie – powiedziała Chadidża.

– Dlaczego nic się im nie dzieje, kiedy jedzą szkło?

– Bo są święci, głuptasku. Nie odczuwają bólu. Allah ich chroni.

Byłam zafascynowana i zarazem zaniepokojona. Inni ludzie w tłumie też chyba nie wszyscy wiedzieli, że Allah chroni isawich. Niektórzy wydawali okrzyki przerażenia. Paru wołało: „W imię Allaha, ratuj nas!”.

Za plecami Chadidży czułam się dość pewnie. Wyczuwałam energię, jaka emanowała z tych dawnych obrzędów, ale wiedziałam, że nie mogą zaszkodzić mojej duszy, dopóki są ludzie, którzy mnie chronią.

Tej nocy spałam niespokojnie. We śnie widziałam mężczyzn maltretujących się szkłem, ogniem i ostrymi metalowymi prętami. Przedmioty te wbijały się głęboko w ich ciało, ale krew nie płynęła. Gdy we śnie dokładnie się przyjrzałam, zobaczyłam, że to wcale nie byli mężczyźni. To były dżinny, potężne istoty, które nagle się pojawiały, po czym znowu znikały. Jeden z dżinnów wyglądał jak mój ojciec. Kiedy jednak chciałam mu się przyjrzeć z bliska, okazało się, że to tylko stryj Hasan.

Byłam zadowolona, że się obudziłam. Szybko pobiegłam do Zahry, wśliznęłam się pod jej koc i przytuliłam do jej ciepłego ciała. Kto ma się do kogo przytulić, ten nie musi się bać żadnych istot ze świata podziemnego.

Rodzina Al-Amimów nie tylko uważała, że jestem miła, ale też bardzo mądra. To także było dla mnie nowym doświadczeniem: są ludzie, którzy nie tylko mnie lubią, ale też wiele się po mnie spodziewają. Chadidża, która jeszcze nie wyszła za mąż i ciągle siedziała w domu, miała książeczkę z obrazkami zwierząt, których nazwy były wypisane pod spodem arabskim pismem. Każdego dnia, gdy przyniosłam wodę, Chadidża siadała obok mnie i próbowała uczyć mnie pisać. Oczywiście znałam większość zwierząt z książki: owce, konie, ptaki, wielbłądy, osły. Bezbłędnie wymieniałam ich nazwy, wodząc palcem po arabskich literach z prawej do lewej, tak jak się należy, chociaż nawet na nie nie patrzyłam.

Chadidża nie zauważyła, że wcale nie czytam, tylko patrzę na obrazki.

– Chodźcie tu wszyscy – zawołała z dumą – coś wam pokażę!

– Co takiego? – zapytała *chalati* Nadżma.

– Nauczyłam Ouardę czytać – zawołała Chadidża – nie było to łatwe, ale teraz już umie.

Cała rodzina się zbiegła. Wszyscy stanęli wokół Chadidży i mnie, z wyrazem oczekiwania na twarzy.

– Przeczytaj im – wyszeptała Chadidża. – Nie przejmuj się, potrafisz.

Gdyby Chadidża wiedziała! Postanowiłam, że jej nie rozczaruję:

– Owca – to było łatwe.

– Wielbłąd – żaden problem.

– Krowa – poznałam od razu.

– Małpa – śmiesznie proste.

Chadidża uśmiechała się z zadowoleniem. Rodzina była zdumiona.

Ale teraz przyszło jakieś dziwne zwierzę. Było brązowe, miało wzorzyste futro i bardzo długą szyję, na której była osadzona nienaturalnie mała głowa. Wiedziałam, że Chadidża mi kiedyś mówiła, jak się to zwierzę nazywa. Ale nie mogłam sobie przypomnieć.

Aby zyskać na czasie, zmarszczyłam czoło, pośliniłam palec i przejechałam po nieznanych mi literach pod obrazkiem. Zrobiłam to raz – i ciągle jeszcze nie mogłam sobie przypomnieć nazwy tego przeklętego zwierzaka. Więc jeszcze raz. A potem po raz trzeci. Publiczność z wolna zaczęła się niepokoić. Wiedziałam, że muszę w końcu coś powiedzieć.

– Koza – powiedziałam.

Rodzina milczała. Chadidża milczała.

– Koza – powtórzyłam, ale bardzo cicho.

Rodzina nadal milczała. W końcu wąsaty Hasan wybuchnął śmiechem. Potem roześmiały się Amina i Zahra, a w końcu śmiała się cała rodzina Al-Amimów. Tylko Chadidży i mnie nie było do śmiechu.

– To jest żyrafa – powiedziała Chadidża. – Ty wcale nie umiesz czytać. Nabrałaś mnie.

Przez kilka dni chodziła obrażona. A potem zapisali mnie do szkoły.

Dostałam tornister, specjalnie zamówiony u szewca, zeszyty, ołówki i kredki, i biały fartuszek. Poza tym miałam śliczne białe sandałki.

Pierwszego dnia szkoły Zahra szorowała mnie jeszcze o świcie, sprawdziła, czy mam umyte zęby, wtarła oliwę w moje długie, czarne włosy i zaplotła mi dwa grube warkocze. Uważałam, że wyglądam bardzo pięknie.

Zahra zaprowadziła mnie do szkoły. Niestety, w drodze moje białe sandałki całkiem się zakurzyły. Przed wejściem jeszcze szybko umyłam je śliną. Buciki miałam teraz wprawdzie czyste, za to palec – brudny.

Nasz nauczyciel był młody i nowoczesny. Nosił dżinsy i marynarkę z naszytymi skórzanymi łatami na łokciach. W klasie usiadłam pośrodku szeregu ławek. Obok mnie siedziała dziewczynka, ale już jej nie pamiętam. Stół i ławka były połączone śrubami. Jeśli poruszało się ławką, poruszał się także stół. W stole była dziura i zastanawiałam się, do czego ona może służyć.

Nazajutrz się dowiedziałam: do tej dziury wkładało się kałamarz. Za każdym razem, gdy napełnialiśmy wieczne pióra, atrament się rozlewał. Musieliśmy czyścić stoły i ręce płynem z chlorem.

Nie byłam dobrą uczennicą. Nauczyciel był dla mnie bardzo szorstki. Przypuszczam, że denerwował go mój tik: ile razy zadawał pytanie, podnosiłam palce i wymachiwałam ręką jak szalona, nawet jeśli nie znałam odpowiedzi. Liczyłam na to, że jeśli będę udawała, jakbym się wszystkiego nauczyła i wszystko zrozumiała, nie wezwie mnie do odpowiedzi. Bałam się, że oberwę linijką po łapach, jeśli odpowiem nie tak, jak należy. Wszystkie dzieci dostawały po łapach, jeśli odpowiadały nie tak, jak należy. To znałam już ze szkoły koranicznej. Nic szczególnego, ale niekoniecznie trzeba było się o to starać. Moja strategia chyba się nie sprawdziła. Raz po raz nauczyciel przyłapywał mnie na tym, że się zgłaszałam, mimo że nie miałam pojęcia, jaka powinna być właściwa odpowiedź. Najczęściej ze zdenerwowania zapominałam nawet, jakie było pytanie.

Pewnego dnia nauczyciel chyba miał mnie dość. Zapytał:

– Kto właściwie jest w twoim wypadku osobą uprawnioną do wychowania?

– Osobą uprawnioną do wychowania? – Nie wiedziałam, co to znaczy.

– Kto się tobą opiekuje?

– Wszyscy – powiedziałam z dumą. – Chadidża nauczyła mnie czytać. Zahra szyje mi ubrania. Tuhami ma wielkie pluszowe zwierzęta, ale nie wolno mi ich dotykać. A czasem nawet jeżdżę z Hasanem powozem…

– To mnie nie interesuje – przerwał mi nauczyciel surowo. – Chcę rozmawiać z twoimi rodzicami. Jesteś zagrożona, możesz nie przejść do następnej klasy.

Spuściłam głowę. Prawie niedosłyszalnie wymamrotałam:

– *Ye, mon maître*, powiem w domu.

Po lekcjach pobiegłam do domu i płakałam, nie chciałam już chodzić do szkoły.

– Co się stało, moja mała? – zapytała Zahra, która się stała moją najbliższą powierniczką.

Tylko szlochałam.

– Nie powiesz mi?

Potrząsnęłam głową.

Zahra objęła mnie i tuliła do piersi, aż łzy mi przestały płynąć.

– Widzisz – powiedziała – już ci lepiej. A jeśli teraz jeszcze mi powiesz, co cię gnębi, dostaniesz cukierka.

Pociągnęłam nosem.
– A jakiego?
– Możesz sobie wybrać.
– Dobrze, opowiem ci. Nauczyciel chce rozmawiać z moimi rodzicami. A ja przecież nie mam już rodziców.
I znowu się rozpłakałam. Zahra pogłaskała mnie po głowie. Tak bardzo chciałam, żeby powiedziała: Moja mała. Ja jestem twoją mamą. Zawsze będę cię chronić.
Nawet na chwilę przestałam szlochać, żeby usłyszeć to zdanie. Ale niczego nie usłyszałam. Tylko czułam, że ona też płacze.
Gdy się uspokoiła, powiedziała:
– Ja się tym zajmę.
Lepsze to niż nic.
– Dam ci list do nauczyciela.
A potem usiadła przy stole i pięknymi arabskimi literami napisała śliczny list, którego nie mogłam przeczytać, bo byłam złą uczennicą. List wsunęła do przepięknej koperty z delikatnego papieru, zwilżyła językiem podgumowany brzeg i włożyła mi kopertę do tornistra.
Następnego dnia oddałam list nauczycielowi. Siedział przy swoim pulpicie obok tablicy i dał mi znak, żebym poszła na swoje miejsce. Otworzył list, chwilę poczytał, popatrzył na mnie, znowu trochę przeczytał i znów na mnie popatrzył.
Nic nie powiedział. Ale od tego dnia traktował mnie jak księżniczkę. Do dzisiaj nie wiem, co było w tym liście, ale wiem, że lekcje z tym nauczycielem nagle zaczęły mi sprawiać przyjemność i że na koniec pierwszej klasy byłam najlepszą uczennicą ze wszystkich.
Podczas drugiego ramadanu w Dżajrze czułam się jako uczennica już taka duża, że koniecznie chciałam pościć razem z innymi. Wszyscy członkowie rodziny Al-Amimów poza mną byli dorośli i przestrzegali reguł Koranu dotyczą-

cych postu. Zgodnie z tymi regułami w miesiącu postu między wschodem a zachodem słońca nie przyjmuje się żadnego pożywienia, nie żuje gumy, nie pali papierosów, nie wypija nawet łyczka wody.

Dopiero po zachodzie słońca nakaz postu przestaje obowiązywać. Muezzin uruchamia na kopule meczetu syrenę, która wyje przez minutę. Będąc dzieckiem, próbowałam wyć razem z nią, ale tchu mi nie wystarczyło. Ulice błyskawicznie pustoszeją. Wszyscy spieszą się do domu. Nareszcie można jeść!

Na początek jest *harira*, pożywna zupa z soczewicy, ciecierzycy, mięsa i ryżu. Do tego podaje się dojrzałe daktyle i szabakijję – pieczywo słodzone miodem. Kto jeszcze nie jest syty, ten dostaje *musamman* – cieniutki płaski chlebek albo naleśnik z naturalnym jogurtem. Do tego pije się kawę z mlekiem albo tradycyjną marokańską herbatę z miętą, dobrą dla ciała i duszy.

Na długo przed wschodem słońca rozlega się z wieży meczetu wołanie muezzina:

> Allahu akbar, Allah jest największy, nie ma innego bóstwa prócz Boga Jedynego, Mahomet jest jego prorokiem. Przybywajcie na modlitwę! Modlitwa jest lepsza od snu. Allahu akbar.

Wtedy wszyscy dorośli wstają, jedzą śniadanie i modlą się. Posiłek ten nosi nazwę *suhur* i składa się najczęściej z resztek kolacji z poprzedniego dnia.

Dzieci uczestniczą w ramadanie dopiero wtedy, gdy wyrosną im włosy łonowe. Do tego czasu są zwolnione z postu.

Tak długo jednak w żadnym razie nie chciałam czekać, uważałam bowiem, że ramadan jest bardzo podniecający. Tym bardziej że przed nami była Noc Przeznaczenia (*Al-Kadar*). Tej nocy z 26 na 27 dzień ramadanu Allah zesłał

Mahometowi objawienie. Ludzie idą do meczetu i odmawiają surę 97, *Przeznaczenie* [*Al-Kadar*]:

W imię Boga Miłosiernego, Litościwego!
Zaprawdę, zesłaliśmy go w Noc Przeznaczenia!
A co cię pouczy,
co to jest Noc Przeznaczenia?
Noc Przeznaczenia
– lepsza niż tysiąc miesięcy!
Aniołowie i Duch zstępują tej Nocy,
za pozwoleniem swego Pana,
dla wypełnienia wszelkich rozkazów. Ona to pokój
– aż do pojawienia się zorzy porannej!

Modlitwy w Noc Przeznaczenia są tysiąc razy więcej warte niż modlitwa w każdy inny dzień.

– Czy ja jutro też mogę pościć? Proszę! – powiedziałam Zahrze.

Zahra kładła mnie właśnie do łóżka.

– Jesteś jeszcze za mała, kwiatuszku.

– Ale ja już wcale nie jestem mała!

Tak długo się naprzykrzałam, aż Zahra w końcu straciła cierpliwość i powiedziała:

– Dobrze, obudzę cię jutro, gdy muezzin zawoła.

Nazajutrz naturalnie nikt mnie nie obudził, tylko sama się obudziłam. W pokoju było ciemno, muezzin wołał, tylko mnie nikt nie zawołał. Byłam tak rozczarowana, że naciągnęłam koc na głowę i zaczęłam tak głośno płakać, że Zahra przybiegła do mojego pokoju.

– Co się stało, kwiatuszku? – zapytała przerażona.

– Nie obudziłaś mnie! – szlochałam.

– Przecież nie śpisz!

– Ale tylko dlatego, że sama się obudziłam. To się nie liczy.

– Ach, daj spokój, nie bądź nudziarą – powiedziała Zahra – właśnie szłam po ciebie. *Suhur* jest gotowy.

Wstałam. W pokoju jadalnym paliło się jasne, elektryczne światło. Półmiski z parującymi potrawami stały na stole. Była mniej więcej czwarta nad ranem. Wydawałam się sobie bardzo duża i ważna.

Wreszcie znowu rozległ się głos muezzina: przypomniał, że czas modłów zaraz się skończy. Dorośli jeszcze raz zwrócili się szybko w stronę Mekki i wymamrotali rytualne sury. Potem wszyscy wrócili do łóżek.

Nie jadłam niczego przed szkołą. Nie jadłam niczego po szkole. Rodzina Al-Amimów zaczynała się już trochę o mnie martwić. Od czasu głodowania po śmierci matki ciągle jeszcze byłam osłabiona i chuda jak patyk.

– Dziecko, ty musisz coś jeść – powiedziała *chalati* Nadżma – popatrz, mam nawet ciasto dla ciebie.

– Nie, ja poszczę – odpowiedziałam.

Po południu, podczas zabawy na ulicy, poczułam nagle, że robi mi się słabo. Było to tak, jakby ktoś wyłączył światło słońca, a moje ciało składało się z budyniu zamiast mięśni i kości. Może miało to też związek z tym, że właśnie w tej chwili zobaczyłam moich kuzynów z Agadiru, wychodzących zza rogu. Czyżby przyszli po mnie?

Udawałam, że ich nie widzę, co nie przyszło mi trudno, bo wszystko wokół mnie stawało się coraz ciemniejsze i bezbarwne. Kuzyni przywitali się ze mną.

Powiedziałam bezdźwięcznie:

– Cześć.

Więcej nie chciałam mówić. Więcej nie mogłam mówić.

Kuzyni znikli w domu mojej nowej rodziny, a ja wyobrażałam sobie, jak ciotka Nadżma, Zahra i gruba Chadidża przygotowują dla nich najsmaczniejsze potrawy. Ślina napłynęła mi do ust. W żołądku mi burczało. Moje chwiejące się nogi jakby same zaczęły się poruszać.

Nagle ja też siedziałam przy stole i jadłam razem z moimi kuzynami, światło znowu się zapaliło, budyń znikł z mojego ciała i znowu poczułam się silna.

– Ale pościłam – powiedziałam. – Do teraz. Chociaż jestem jeszcze bardzo mała.

Kuzyni wyjątkowo nie powiedzieli tym razem nic.

Dom Pomocy

Kuzyni poszli i nie zabrali mnie ze sobą. Byli u przyjaciół w sąsiedztwie i chcieli mnie tylko przy okazji odwiedzić.

Ulżyło mi, a jednocześnie byłam rozczarowana. Ulżyło, bo nie musiałam wracać do stryja Hasana i ciotki Zajny, gdzie czułam się odrzucona. A rozczarowana byłam dlatego, że bardzo już tęskniłam za rodzeństwem. Oczywiście, dobrze było czuć się kochaną. Ale kochali mnie obcy ludzie, a nie własna rodzina. To było smutne.

Akurat w dniu mojego triumfu, w Noc Przeznaczenia, kiedy jeszcze przed wschodem słońca pozwolono mi razem z innymi zjeść śniadanie, zrozumiałam, że nie jestem jedną z nich. Wszyscy w rodzinie Al-Amimów byli dorośli. Byłam jedynym dzieckiem w domu. I nie mogłam zapomnieć spojrzeń, jakimi wszyscy mnie obrzucali, gdy dowodząc swojego uporu siedziałam z nimi przy suhurze. Przyglądali mi się z czułym zainteresowaniem, tak jak się patrzy na egzotycznego owada, który nagle wleciał przez okno do pokoju.

Nie byłam taka jak oni, tylko inna. Przyszłam z zewnątrz. Mój los poruszył serca rodziny, która mnie przyjęła, ale to był mój los, nie ich.

Po osiemnastu miesiącach stryj Hasan przyjechał po mnie samochodem – już nie dawnym R4, tylko innym. Spakowałam swój skromny dobytek, a Zahra ubrała mnie w śliczną brązową aksamitną sukienkę, którą mi uszyła.

Potem się pożegnałam. Czułam, że już nigdy nie wrócę do tej rodziny i że krótki okres szczęścia się skończył.

Wsiadłam do samochodu stryja Hasana i odjechaliśmy. Nie obejrzałam się za siebie.

Przy rue el Ghazoua panował, jak zawsze, chaos. Kuzyni i kuzynki kłócili się, ciotka Zajna przywitała mnie z zaciętą twarzą. Przebiegłam obok niej i rzuciłam się w ramiona Rabi'i. Dżabir, Dżamila i Muna tulili mnie do siebie. Byliśmy jednym kłębkiem radości, pocałunków i łez.

– Dość tego! – powiedziała ciotka Zajna. – Musimy iść. Zdejmijcie z Ouardy ten szykowny łaszek i dajcie jej starą sukienkę.

– Dlaczego? – protestowałam. – Zahra specjalnie mi to uszyła. Wygląda bardzo pięknie.

– Właśnie dlatego – ucięła ciotka.

Kuzynki ściągnęły ze mnie brązową aksamitną sukienkę i włożyły mi przez głowę wypłowiałą szmatę pełną dziur. Broniłam się, ale nie miałam żadnych szans.

Po czym cała rodzina wyruszyła. Przodem stryj Hasan i ciotka Zajna z ośmiorgiem swoich dzieci, z najmłodszą Hafidą na biodrze, a moje rodzeństwo i ja za nimi.

Mniej więcej po dwudziestu minutach nasza mała karawana dotarła do celu. Była to parcela na terenie fabrycznym przy rue Qued Zis na rogu avenue El Mouquaouama. Weszliśmy po metalowych schodach do dwupiętrowego budynku. Nad drzwiami widniał szyld. Było na nim namalowane *Dar al-hidana* – „Dom Pomocy". Poniżej, mniejszymi literami: „Terre des Hommes".

– Ziemia ludzi? – spytałam po cichu Rabi'ę. – Po co tu przyszliśmy?

– To bardzo mili ludzie – powiedziała Rabi'a – pomagają nam. Dają nam nowe ubrania.

– Nie potrzebuję nowych ubrań. Zahra uszyła mi piękne rzeczy.

– Pst – powiedziała Rabi'a – nie wolno ci nic mówić. Mają bardzo fajne rzeczy. Z Europy.

To mnie przekonało. Europa – tam przecież była Francja, skąd Tuhami przywoził najpiękniejsze rzeczy, na przykład ogromnego pluszowego tygrysa. Postanowiłam, że będę grać w tę grę i trzymać buzię na kłódkę.

Przysiedliśmy się do innych ludzi, którzy przyszli przed nami, na ławce w poczekalni. Jakiś mężczyzna z kalekimi ramionami i w okularach słonecznych przywitał nas. Później się okazało, że nazywał się Abd Allah i był kierownikiem tego domu. Za okularami kryły się oczy bez źrenic: Abd Allah był niewidomy.

Bardzo się dziwiłam, że kalecy ludzie mają tutaj pracę. Do tej pory widziałam inwalidów tylko na ulicy. Siedzieli żałośnie skuleni w swoich kątach i żebrali. Albo toczyli się po wyboistych ulicach na czymś w rodzaju deski do prasowania zaopatrzonej w kółka, odpychając się rękami.

Kaleki mężczyzna w Terre des Hommes wcale nie był żałosny. Nosił dżinsy i adidasy i sprawiał wrażenie bardzo pewnego siebie. Wydawało mi się, że jestem w jakimś innym świecie, i gapiłam się zdumiona na mężczyznę o kalekich ramionach.

Dżamila dała mi kuksańca w bok.

– Zamknij usta! – syknęła.

Szybko zamknęłam usta.

Wzywano nas jedno po drugim. Jakaś kobieta wchodziła do poczekalni, wołała jedno z dzieci i znikała razem z nim. Po krótkiej chwili dzieci wracały z plastikową torbą w ręce.

Drzwi znowu się otworzyły.

– Ouarda! – zawołała kobieta i rozejrzała się.

– Jestem – odpowiedziałam nieśmiało.

– Chodź ze mną – powiedziała kobieta – na ciebie kolej.

Na kartce papieru, przypiętej do podkładki, postawiła haczyk. Wydawało mi się to wszystko bardzo profesjonalne.

Kobieta zabrała mnie do jednego z pokojów z tyłu. Był to rodzaj magazynu i śmierdziało tam naftaliną. Wprawnym okiem oceniła moje wymiary. Potem znikła między regałami.

Wróciła ze stosem ubrań.

– Powinno na ciebie pasować – powiedziała i zapakowała wszystko do plastikowej torby. – Dokładam ci jeszcze parę butów.

– Przepraszam – powiedziałam ostrożnie – czy to wszystko jest naprawdę dla mnie?

Byłam raczej pewna, że ludzie z Terre des Hommes tylko sobie ze mnie żartują. Na pewno wszystko mi odbiorą, gdy tylko będę chciała to wziąć.

– Oczywiście – powiedziała kobieta – to wszystko jest dla ciebie. Te ubrania to dar ludzi z Europy.

– Ale przecież ludzie w Europie wcale mnie nie znają.

– Nie szkodzi, teraz my cię znamy.

Postanowiłam już nic nie mówić. Szybko chwyciłam torbę z tymi wszystkimi wspaniałymi rzeczami z Europy i pobiegłam z powrotem do poczekalni, zanim ta miła pani się rozmyśli.

Obładowani wróciliśmy do domu. Od tej pory mniej więcej dwa lub trzy razy w roku robiliśmy wycieczki do Terre des Hommes, a ja zaczynałam rozumieć, że ta dziwna organizacja z Europy jest dla nas arcyważna. Stryj Hasan nie zarabiał na naprawach samochodów wystarczająco dużo, żeby utrzymać swoją piętnastoosobową wtedy rodzinę. To, co przynosił do domu, w najlepszym razie wystarczało, żeby nas uchronić od śmierci z głodu.

We wszystkich innych sprawach byliśmy skazani na jałmużnę. Kupcy i piekarze dawali nam czasem żywność. Bu Dirham, miły właściciel hotelu, jak dawniej dawał Dżamili i mnie co rano jednego dirhama na masło i marmoladę. Czasami sąsiedzi wtykali nam 5 dirhamów (równowartość

50 centów) do ręki. Ale gdyby nie Terre des Hommes, nie mielibyśmy nic do ubrania, żadnych butów, żadnych podręczników, żadnych zeszytów, żadnych ołówków.

Lubiłam chodzić do Terre des Hommes. Nie tylko dlatego, że były tam piękne ubrania z Europy, ale że panowała tam zupełnie inna atmosfera niż ta, do której byłam przyzwyczajona.

Współpracownicy sprawiali wrażenie, jakby bardzo dokładnie wiedzieli, co robią. Inwalidzi byli szefami. Kobietom wolno było decydować samym. Gdy byłam w Terre des Hommes, miałam uczucie, że jestem w samej Europie. Uwielbiałam Terre des Hommes. Uwielbiałam Europę.

W Domu Pomocy był oddział dla dzieci ciężko chorych i ułomnych, o które nie mogły się troszczyć ich rodziny albo które zostały wyrzucone przez swoje rodziny. Gdy moja najstarsza siostra Muna skończyła szkołę, wyuczono ją w Terre des Hommes na pielęgniarkę dzieci i zatrudniono na tym oddziale.

Często przynosiłam jej coś do jedzenia, gdy miała nocny dyżur. Ale na oddziale chorych nie czułam się dobrze. Z trudem znosiłam tyle nieszczęścia naraz.

Dowiedziałam się od Muny, że Agadir podlegał szwajcarskiej filii Terre des Hommes. Czasami przyjeżdżali ludzie ze Szwajcarii, mówili po francusku z dziwnym akcentem i opowiadali, że ich kraj jest bardzo mały, ale ma bardzo wysokie góry.

– Takie duże jak Tubkal, na którego szczycie zawsze leży śnieg? – zapytałam.

– Tak, takie duże jak Tubkal. Ale u nas śnieg leży nawet w dolinach. Zimą śnieg jest u nas wszędzie – mówili swoim śmiesznym francuskim.

Nie byłam pewna, czy mnie nie nabierają, aż pokazali mi zdjęcia miejscowości, które ledwo można było rozpoznać, bo wszędzie leżał śnieg. Śnieg leżał nawet na samochodach jadących po zaśnieżonych ulicach. Zrobiło to na mnie wrażenie.

Najczęściej jednak nie odważałam się rozmawiać z ludźmi z kraju, gdzie śnieg leżał na ulicach, bo zawsze byli tacy zaganiani. Wolałam rozmawiać z niewidomym monsieur Abd Allahem, bo zawsze był spokojny i opanowany. Czasami miałam uczucie, że mi się przygląda, chociaż przecież wcale nie mógł nic widzieć.

Dzięki Terre des Hommes zmienił się mój obraz świata. Zobaczyłam, że można też żyć całkiem inaczej, niż żyjemy w Maroku. Najwyraźniej ludzie gdzie indziej na ziemi byli o wiele bardziej wolni od nas. Kobiety mogły robić to samo, co mężczyźni. Kalecy mogli mieć dzieci. Był to dla mnie fascynujący nowy świat.

W domu stryj Hasan i ciotka Zajna wyprowadzili się z sypialni i kupili sobie łóżko, które wstawili do maleńkiego pokoiku na piętrze. W małżeńskim łóżku moich rodziców spały teraz moje kuzynki. My leżałyśmy przed łóżkiem na kartonach, przykryte pomarańczowym kocem. Parter stryj Hasan wynajął dwóm parom małżeńskim. Mieliśmy teraz tylko trzy małe pokoiki dla tylu osób i nawet nie mieliśmy już podwórka.

Nocą, gdy w przepełnionym domu robiło się tak głośno, że nie mogłam zasnąć, pogrążałam się w myślach.

Widziałam ojca i matkę na łóżku, w którym teraz cisnęły się moje kuzynki. W podświadomości słyszałam, jak rodzice się kłócą, prawie cieleśnie czułam razy, które ojciec zadaje matce. Kuliłam się pod wytartym pomarańczowym kocem, starając się być jak najmniejsza.

Co by było, gdyby matka poszła do Terre des Hommes? Czy ludzie z Europy mogliby ją uratować? Czy też dostałaby podkładkę z zatrzaskiem na papiery i chodziłaby pewna siebie po pokojach? Może wyjechałaby do Europy, gdzie ludzie są równi, niezależnie od tego, czy urodzili się mężczyzną czy kobietą. My, dzieci, naturalnie pojechałybyśmy z nią do tego innego świata, w którym ludzie mają tyle rzeczy do ubrania, że część z nich mogą oddać i wysłać do Afryki. Z drugiej strony – czy to właściwie fajnie, jeśli wszędzie jest śnieg, nawet na ulicach? I co byłoby z ojcem? Czy też pojechałby do Europy?

Tak dużo pytań. I żadnych odpowiedzi. Rozmyślając, czułam się coraz bardziej zmęczona i zaczynałam śnić sen, który mnie w tym domu nachodził noc w noc: krzyki, nóż, ogień na dachu. Matka na noszach, zakryte ciało, tylko stopy widoczne – białe jak mleko, białe jak niewinność, białe jak życie. Wtedy ktoś ściągał prześcieradło z twarzy, ale twarzy nie było. Była tylko wielka czarna rana. Puste oczodoły, zamiast warg ziejąca blizna. Tylko jedno zdanie wychodziło z tych spalonych ust. Prawie go nie rozumiałam, tak ulotne były słowa: „*Ouarda-ti*, mój kwiatuszku, twój tato chce mnie zabić. Proszę, powiedz sąsiadom”.

Budziłam się, przerażona. Drżałam. A tektura pode mną była mokra.

Małe niewolnice

Moje życie znowu się zmieniło, ale nie na lepsze. Myślałam, że sytuacja w naszym domu się uspokoiła, że każdy znalazł już swoje miejsce i że wracam do domu, w którym panuje rodzinna atmosfera. Może stryj Hasan i ciotka Zajna zabrali mnie z powrotem, bo się za mną stęsknili?

Szybko się okazało, że jest inaczej. Stryj i ciotka zabrali mnie od Al-Amimów, by położyć kres plotkom krążącym po naszej ulicy, jakoby mnie sprzedali bogatej rodzinie jako *petite bonne* – niewolnicę. Jeszcze dzisiaj to w Maroku normalne, że biedni ludzie oddają swoje córki za pieniądze. Małe dziewczynki z daleka od domu są całkowicie zdane na pastwę nowych właścicieli. Czasami wolno im chodzić do szkoły i są dobrze traktowane. Najczęściej jednak są wyzyskiwane i wykorzystywane. Terre des Hommes w Maroku i organizacja Umm al-Banin (Matka Dzieci) walczą dziś przede wszystkim o prawa tych dziewczynek.

Latem 2003 roku pojechałam do Umm al-Banin w Agadirze. Biuro znajdowało się w dawnym domu Terre des Hommes, gdyż Umm al-Banin w 2000 roku przejęło pracę tej europejskiej organizacji. Niewiele się tu zmieniło, tylko żelazne schody dwupiętrowego budynku były już zardzewiałe i rozchwiane. Na podwórzu urządzono szkołę dla dzieci głuchoniemych. W milczeniu uczyły się naprawiać rowery.

Umm al-Banin prowadzi madame Mahdżuba Ad-Dabusz, postawna, silna kobieta, dawniejsza współpracownica Terre des Hommes. Zastałam ją siedzącą w maleńkim, gorącym biurze, z biurkiem zawalonym aktami. Wydawało mi się, że ją sobie przypominam, ale nie byłam pewna.

– *Salam alajkum* – powiedziałam. – Jestem Ouarda.

Żadnej reakcji.

– Ouarda Saillo.

Madame Ad-Dabusz zaparło dech w piersiach. Oczy zrobiły się jej ogromne, prawą ręką chwyciła się za serce.

– Saillo? – zapytała. – Tego Saillo?

– Jestem jego córką.

Madame Ad-Dabusz dźwignęła masywne ciało z biurowego krzesła i podeszła do mnie. Jej oczy napełniły się łzami. A potem przyciągnęła mnie do siebie. Utonęłam w jej ogromnym biuście. Nagle stałam się znowu małą dziewczynką, jaką byłam wtedy, kiedy mnie poznała.

– Mała, malutka Ouarda – szlochała. – Saillo. Nigdy nie zapomnę waszego losu. Jak ci się wiedzie? Skąd przyjechałaś? Co porabia twoje rodzeństwo?

Nie mogłam odpowiedzieć, wciśnięta między jej piersi. Odsunęła mnie od siebie.

– Dobrze wyglądasz. Jak Europejka. Mieszkasz w Europie?

Skinęłam potakująco. Nie mogłam mówić. Silne emocje tej kobiety zaparły mi dech.

Madame Ad-Dabusz wzięła kilka tabletek i popiła łykiem wody. Uspokoiła się trochę. Chusteczką, którą wyjęła z rękawa, wytarła sobie łzy z policzków.

A potem opowiadała o swojej pracy, o walce o prawa kobiet w Maroku, o niepowodzeniach, o poparciu ze strony młodego króla.

– Spójrz tutaj – powiedziała i wskazała na zdjęcie na ścianie. Widać było króla obok niej, u boku madame

Ad-Dabusz wydawał się niemal filigranowy. – Król nam pomaga, Allahowi niech będą dzięki, inaczej bylibyśmy zgubieni.

Umm al-Banin stara się przede wszystkim o poprawę losu *petites bonnes*. Dziewczynki te są często gwałcone przez swoich właścicieli i ich synów, a jeśli zajdą w ciążę – wypędzane. W Maroku grozi kara za urodzenie nieślubnego dziecka. Dziewczynki, często dopiero trzynasto- czy czternastoletnie, są w tym społeczeństwie zgubione. Gwałt i ciąża to tak wielka hańba, że ofiary nie mają odwagi wrócić do rodziny.

Samotne i zrozpaczone, oddają się w ręce pokątnych akuszerek spędzających płód albo same próbują to robić za pomocą ziół, trucizn lub igieł. Albo rodzą dziecko potajemnie i wychowują je, nie zgłaszając władzom. Bo to pociągnęłoby za sobą nieuchronnie karę więzienia. Te nielegalne dzieci nie mogą ani chodzić do szkoły, ani do lekarza. Bowiem oficjalnie wcale nie istnieją.

Madame Ad-Dabusz mówiła bardzo szybko, niemalże nie zaczerpując powietrza. Opowiadała o jednym losie po drugim: o dziewczynkach, które wykrwawiają się po próbie przerwania ciąży; o niemowlętach, które po próbach aborcji rodzą się kalekami; o młodych matkach w nędznych więziennych celach; o dzieciach w domach sierot.

– Mamy tajne porodówki – powiedziała – czasami znajdujemy nawet mężczyzn, którzy się żenią z tymi kobietami. Wtedy możemy zalegalizować dzieci.

Madame Ad-Dabusz westchnęła, jakby dźwigała na barkach ciężkie brzemię.

– Ale udaje się nam to bardzo rzadko. Nasze społeczeństwo musi się zmienić. *Muhammad – salla Allahu awjhi wa-sallam*, „niech Allah go błogosławi” – nigdy nie mówił, że mężczyźni mają trzymać kobiety jak niewolnice, a wyrzucać je, kiedy zajdą w ciążę.

Na parterze domu płakały niemowlęta, pozostawione przez niektóre *petites bonnes*. Pielęgniarka dawała im butelkę. W poczekalni siedziały młode kobiety, biednie ubrane, i karmiły piersią swoje dzieci.

– Brakuje nam wszystkiego – powiedziała madame Ad-Dabusz – społecznego uznania, pieniędzy, sukcesów. To nie jest praca, tylko walka, która się nigdy nie kończy.

Jestem zdecydowana poprzeć tę walkę, chociaż sama nigdy nie musiałam pracować jako *petite bonne*.

Po powrocie do rodziny mojego stryja i naszego dawnego domu miałam spotkanie z taką *petite bonne* i tego przeżycia nigdy nie zapomnę. Dziewczynka mieszkała i pracowała u naszych sąsiadów, którzy w porównaniu z nami byli zamożni. Pani domu, *lala* A'isza, była dobrym człowiekiem, jej córka Fatima chodziła ze mną do tej samej klasy. Byłam w szkole lepsza od Fatimy, często więc jej pomagałam w zadaniach domowych.

Gdy stryj Hasan siedział w więzieniu, *lala* A'isza należała do tych, którzy nam raz po raz przysyłali miski z parującym kuskusem albo gliniany garnek z tadżinem.

Kiedyś dumna wróciłam do domu z najlepszym świadectwem w klasie, a ciotka Zajna zapytała:

– Co się tak głupio uśmiechasz?

– Jestem najlepsza z całej mojej klasy – odpowiedziałam z dumą.

– I co z tego? W głowie ci się teraz przewróci? Chcesz polecieć na Księżyc? Lepiej zostań na Ziemi i zjeżdżaj stąd z tym swoim uśmieszkiem, bo działa mi na nerwy.

Byłam bardzo rozczarowana, bo miałam nadzieję, że dobrym świadectwem zmiękczę twarde serce ciotki, przynajmniej na jedno popołudnie. Ale znowu zostałam odepchnięta i upokorzona.

Siedziałam, płacząc, pod drzwiami naszego domu i gołymi palcami u stóp rysowałam bezsensowne wzorki na piasku.

– Co się stało, Ouardo? – zawołała *lala* A'isza. – Chodź tu do mnie!

Poszłam.

Lala A'isza przytuliła mnie.

– Jesteś dobrą uczennicą. Wiem, że dostałaś najlepsze świadectwo w klasie. Fatima też zdała do następnej klasy. Dziękujemy ci za pomoc. Poczekaj, mam coś dla ciebie.

Poszła do domu i wróciła ze spodnium Fatimy. Było beżowe i niezbyt piękne, ale była to jedyna nagroda, jaką miałam dostać za dobre wyniki. Nosiłam to spodnium codziennie, aż się poprzecierało i rozpadło, i musieliśmy je wyrzucić.

Moja siostra Muna, która miała wtedy siedemnaście lat, raz lub dwa razy w tygodniu sprzątała w domu rodziny A'iszy, pomagając ich *petite bonne*. Nie dostawała za to pieniędzy, tylko żywność: miarkę kuskusu, litr mleka, trochę oliwy.

Któregoś dnia Muna nie mogła pracować u sąsiadów. Chyba była chora. Posłano więc mnie: miało być wielkie sprzątanie. Dwa ogromne dywany trzeba było uprać, depcząc je nogami w kadziach z ługiem mydlarskim. Wszystkie szafki kuchenne zostały opróżnione, półki umyte płynem z chlorem, a garnki wyszorowane wełną stalową.

Zaczęłyśmy rano o szóstej. O dziesiątej bolały mnie już plecy od ciężkiej pracy – miałam dopiero dziesięć lat. Około pierwszej po południu byłyśmy całkiem wykończone.

Sąsiadka przygotowała kuskus, ja szorowałam podłogę w jadalni. Dziewczynka mi przy tym pomagała. Przyniosłyśmy naczynia i sztućce do jadalni. A'isza rozdzieliła jedzenie do dwóch misek – dużej i małej. Dużą postawiła na stole w jadalni, drugą na podłodze w kuchni.

Byłam zaskoczona, ale nic nie powiedziałam. Właśnie miałam przejść do jadalni, gdy *petite bonne* chwyciła mnie za rękaw sukienki.

– Nie wolno ci jeść razem z rodziną – wyszeptała lękliwie. – My dostajemy jedzenie tu, na podłodze.

Patrzyłam na nią zdumiona.

– Jesteś tu tylko sprzątaczką – powiedziała dziewczynka – tak jak ja. Nie jadamy razem z państwem.

– Ale ja nie jestem żadną sprzątaczką – odparłam oburzona – chodzę z Fatimą do szkoły i zawsze jej pomagam przy zadaniach domowych, bo jestem lepsza w szkole.

– Mimo to – powiedziała dziewczynka – jesteś tak biedna jak ja. Nie należymy do nich.

Siedziałam razem z dziewczynką na podłodze w kuchni. Słyszałyśmy, jak rodzina w jadalni ze sobą rozmawia. *Petite bonne* jadła, jakby od wielu dni niczego nie miała w ustach. Uformowałam prawą ręką kulkę z kaszy, warzyw i małych, tłustych kawałków mięsa. Byłam głodna, jak zawsze, ale nie mogłam jeść tutaj, z podłogi kuchennej. Z oburzenia moje gardło było jak zasznurowane. Dlaczego traktowano nas jak psy? Czy byłyśmy gorszymi ludźmi tylko dlatego, że byłyśmy biedne? Czy ludzie mogą tak paskudnie traktować innych ludzi?

Przysięgłam sobie, że nigdy nie będę obchodzić się z ludźmi tak jak ta rodzina. Nie chciałam mieć żadnej *petite bonne*, jak będę dorosła. Nie chciałam nikogo traktować jak zwierzęcia.

Dom naszych sąsiadów opuściłam z pustym żołądkiem, ale pełna dumy.

Czas przemocy

W domu znowu czekały mnie upokarzające docinki ciotki, brutalna przemoc ze strony kuzynów, ordynarny ton kuzynek i razy wymierzane przez stryja.

Odkąd Wafa i Asja mieszkały na wsi, byłam najmłodszym dzieckiem w rodzinie. Tylko kuzynka Hafida i kuzyn Husajn byli ode mnie młodsi.

Zawsze byliśmy głodni i rzucaliśmy się na wszystko, co się nam wydawało jadalne. Rabi'a się dowiedziała, że w małej stacji sanitarnej na rogu można dostać mąkę i zboże. Po kryjomu chodziliśmy tam od czasu do czasu po kilka racji, mieszaliśmy mąkę z ciepłą wodą i szybko zjadaliśmy tę papkę. Gdy raz nas ciotka przyłapała, była wielka awantura.

Odebrała nam mieszankę zbożową, napełniła cebrzyk wodą i mąką i postawiła go na podwórzu na ziemi.

– Chodźcie tu wszyscy! – zawołała. – Pokażę wam, jak jedzą te zwierzęta.

Wszystkie kuzynki i kuzyni stanęli wokół nas, a my klęczeliśmy na ziemi przed miską. Wiedziałam, że wystawiają nas na pośmiewisko, ale głód był większy od wstydu.

– *Allez*, Ouarda! – wrzeszczeli kuzyni, gdy podnosiłam pierwszą garść do ust.

– Dżamila, możesz zeżreć więcej – wołali inni – masz taką grubą dupę!

Ciotce ta scena zdawała się sprawiać uciechę. Nie chciałam jej sprawić tej uciechy, ale jadłam dalej. Tylko Allah wiedział, kiedy znowu będzie coś do jedzenia.

Pośród śmiechu, szyderstw i drwin kuzynek i kuzynów zjedliśmy cały cebrzyk. Dzisiaj się wstydzę, że zabrakło mi dumy, by odmówić jedzenia. Wtedy byłam szczęśliwa, że mogę napełnić brzuch.

Zwłaszcza Dżamili, najodważniejszej i najzuchwalszej z nas, ciotka Zajna dawała odczuć swoją nienawiść. Kiedyś Dżamila dostała lanie, bo znalazła pomidora i zjadła go po kryjomu w ustępie. Innym razem stryj Hasan rzucił w nią wiadrem wody, bo nie skończyła myć korytarza, zanim wrócił do domu.

– Popatrz, ta mała zdzira jeszcze nie skończyła – wysyczała ciotka Zajna. – Nie wiem, co ona ma w głowie. Może myśli o czym innym, może nie szanuje cię jako pana domu. Gdybym była tobą, mój kochany mężu, pokazałabym jej, kto tutaj rządzi. Ja nie mogę. Jestem słabą kobietą. A to przecież twoi krewni, nie moi. Ty jesteś odpowiedzialny za ich wychowanie. Ja nie chcę się wtrącać.

Stryj Hasan nie wiedział, co robić. Nerwowo przebiegał wzrokiem od ciotki Zajny do Dżamili. Lubił Dżamilę, bo pomagała mu w pracy, a była tak zręczna jak uczeń w terminie.

– No i co? Czego chcesz ode mnie?

– Pokaż jej, że jesteś naszym panem!

Stryj Hasan chwilę się zastanawiał nad sytuacją, po czym wziął wiadro z brudną wodą i uderzył nim Dżamilę w głowę. Brew jej pękła i zaczęła tak mocno krwawić, że stryj się bardzo przestraszył. Twarz Dżamili była czerwona od krwi. Szybko zawiózł ją do szpitala, gdzie zszyto jej ranę.

Innym razem ja padłam ofiarą. Z jakiegoś powodu *chalati* Zajna mnie zbiła. Prawdopodobnie bez żadnego powodu. Ochraniałam twarz ramionami, a ciotka biła mnie tak mocno, że stłukła sobie nadgarstek.

Wieczorem, kiedy miał wrócić stryj Hasan, ze zbolałą miną położyła się do łóżka.

– Hasanie, mój kochany mężu – płakała – musisz z tym coś zrobić.

– Co się stało? – zapytał stryj Hasan przestraszony.

– Dzieci twojego brata biją mnie, kiedy cię nie ma.

– Kto cię bije?

– Ouarda.

– Ouarda? Przecież to jeszcze małe dziecko.

– Stajesz przeciwko mnie – darła się ciotka Zajna – w obronie nieudanego pomiotu mordercy?

– Nie – powiedział wuj Hasan – mówię tylko, że Ouarda jest bardzo mała i na wpół zagłodzona. Jak miałaby ciebie bić?

– Ale mnie biła! Musisz ją ukarać.

Stryj Hasan westchnął.

– Chodź ze mną, Ouardo – powiedział surowym tonem.

Potem wepchnął mnie do pokoju obok. Drżałam ze strachu. Stryj Hasan potrafił być brutalny, gdy był nie w humorze. A często był nie w humorze, jeśli nie mógł sobie pozwolić na papierosy, wino i filmy wideo.

Ammi Hasan zamknął drzwi. Przyłożył palec do ust.

– Pst – powiedział cicho.

Potem uderzył pięścią w ścianę. Jak oszalały walił w tynk.

– Ty mała bestio – ryczał – ja ci pokażę! Bić moją żonę! Matkę, która was wychowuje! Nie masz cienia szacunku?

Tego dnia miałam szczęście. Widocznie stryj Hasan zdobył trochę pieniędzy na papierosy. Ale mogło się skończyć inaczej, jak wtedy, gdy robiłam pranie. Była to ciężka praca, bo musiałam sprać olej z roboczego ubrania stryja.

Kuzynka Habiba przyszła do mnie.

– Musisz jeszcze zrobić ciasto i upiec chleb.

– Nie mogę, piorę – powiedziałam. – Ty to zrób.

– Dlaczego nie możesz? – awanturowała się Habiba. – Zrobiłaś się taka leniwa.

Wrzask na podwórku wyrwał stryja Hasana z południowej drzemki.

– Co się tu dzieje? – rozzłościł się.

Widziałam, że jest wściekły.

– Nie możecie dać pospać ciężko pracującemu człowiekowi?

– Ouarda nie chce ci upiec chleba – judziła Habiba – więc musiałam na nią nakrzyczeć.

Stryj Hasan skrzywił twarz, rzucił się na mnie i zbił mnie tak, jak jeszcze nikt nigdy do tej pory. Wcisnęłam się w kąt i skuliłam w sobie. Czułam się jak rozdeptywany karaluch. Stryj walił mnie z hukiem po głowie, kopał po łydkach.

Habiba go dopingowała.

– Tak, pokaż tej leniwej łajzie!

Wreszcie uderzył mnie pięścią w twarz. Poczułam przeszywający ból, idący od kości nosowej prosto do mózgu. Wstrzymałam dech, żeby zdławić ten ból. Nic nie pomogło. Łzy napłynęły mi do oczu, a stryj Hasan przestał mnie bić.

Od tamtej pory mam złamany nos.

Również nocami my, dziewczynki, rzadko miałyśmy spokój, bo nasz kuzyn Ali, o siedem lat ode mnie starszy, regularnie nas nachodził. Myślę, że on był trochę niespełna rozumu. Ledwo się robiło ciemno, skradał się po domu. Cicho jak dżinn otwierał drzwi do naszego pokoju. Potem wślizgiwał się pod nasz zdarty koc i przyciskał się do pierwszego lepszego ciała.

Dla mnie był to największy strach, jaki kiedykolwiek przeżyłam: ledwo dosłyszalny chrzęst kości, gdy się zbliżał, jego oddech, który czułam na karku, jego sztywny członek przy moim ciele.

W takich sytuacjach byłam sparaliżowana strachem i nie mogłam wydobyć z siebie głosu. Ręką szukałam moich starszych sióstr, Rabi'i lub Dżamili.

Zrywały się ze snu.

– O co chodzi?

Nic nie mówiłam.

– Ali znowu tu jest?

Milczałam.

– Ali, zjeżdżaj, wiemy, że to ty.

Wtedy Ali znikał. Ale przychodził znowu. Co noc. Wiele razy. Ledwo zasnęłyśmy, znowu czułyśmy, że w pokoju jest mężczyzna. Całymi nocami nie spałam z powodu Alego. Całymi nocami ledwo śmiałam oddychać. Ali był moim koszmarem.

Później, kiedy akurat skończyłam trzynaście lat, Ali mnie omal nie zgwałcił. Dom był pusty, a ja robiłam pranie. Ali przyszedł na podwórko i był dla mnie bardzo miły. Nie złapał mnie, jak zwykle, brutalnie za ramię, tak że jego odciski palców jeszcze przez kilka dni było widać w postaci siniaków, tylko powiedział:

– Ouardo, moja kochana, za dużo pracujesz. Moje kalesony upiorę dzisiaj sam.

Nienawidziłam kalesonów Alego, bo zawsze były poplamione spermą i kałem. Nie był to czysty chłopak. Ale jego propozycja mnie zaniepokoiła. Wiedziałam, że coś tu jest nie tak. Miałam nadzieję, że sobie pójdzie, zanim zdarzy się coś złego.

– Niech Allah mnie strzeże – wyszeptałam.

Ali miał na sobie dżellabę, było gorąco. Jak tygrys chodził po podwórzu w tę i z powrotem. W tę i z powrotem. W tę i z powrotem. A potem wszedł do domu.

– Ouardo, magnetofon nie działa. Możesz rzucić okiem?

Wiedziałam, że to pułapka. Ale nie miałam żadnych szans. Byliśmy w domu sami. Jeśli nie usłucham, Ali mnie zbije i okaleczy. Szybko pomknęłam do pokoju, wsadziłam wtyczkę aparatu do kontaktu i chciałam wybiec. Ale było za późno. Ali zamknął z hukiem drzwi i zaryglował.

Drżałam.

– Czego chcesz ode mnie? Wypuść mnie!

Ali był zupełnie spokojny:

– Nie musisz się bać. Włożę ci go do pupy. Nie stracisz dziewictwa. Nikt nie zauważy.

Czułam, jak wzbiera we mnie wściekłość. Wołałam o pomoc, tak głośno jak potrafiłam. Pole widzenia mi się zawęziło, widziałam tylko jego. Nienawidziłam go, bałam się go. Wskoczyłam mu nogami na piersi. Nagle miałam w sobie tyle siły, ile nigdy przedtem.

Ali potknął się, ja wybiegłam z pokoju, przez podwórze, przez korytarz, do drzwi, na ulicę. Dzisiaj jestem pewna, że Allah mnie uratował. Albo mój anioł stróż. Miałam w sobie obcą siłę. Ktoś, coś nie chciało, żeby tutaj, tego dnia zgwałcił mnie mój własny kuzyn.

Spędziłam ten dzień na ulicy, mokra od prania, bez butów, dopóki nie wróciła Rabi'a i mogłam pod ochroną rodzeństwa wejść do domu.

Ciotka Zajna była zła:

– Dlaczego nie skończyłaś prania?

– Ali mnie napastował. Chciał mi wyrządzić krzywdę.

Nawet kuzynki były oburzone.

– A to świnia, Ouarda ma przecież dopiero trzynaście lat.

Ale ciotce Zajnie chyba to nie przeszkadzało.

– Co z tego? – powiedziała. – No to się z tobą ożeni.

Najbardziej by jej odpowiadało, gdyby mogła swoich synów pożenić z nami. Muna i Mustafa byli nawet przez jakiś czas zaręczeni. Ciotka miała nadzieję, że wtedy na zawsze będzie mogła zostać w naszym domu, bo jako teściowej musielibyśmy dać jej prawo mieszkania z nami.

Egzorcyzmy

Ali był drugim synem mojego stryja. Wcześnie zaczął brać narkotyki. Palił haszysz i włóczył się po ulicach Agadiru. W wieku piętnastu lat był stałym bywalcem dyskotek i barów w dużych hotelach. Sprzedawał się mężczyznom, przyjeżdżającym z zagranicy do naszego miasta po homoseksualną miłość.

Jednym z jego kochanków był Jean-Claude z Luksemburga. Lubiliśmy Jean-Claude'a. Gdy przychodził do nas do domu, zawsze przynosił torby z jedzeniem. Potem szedł z Alim do jednego z pokojów, a gdy wychodził, był całkiem czerwony na twarzy. Nawet ja wiedziałam, że w tym pokoju musi się dziać coś podniecającego i zakazanego. Zauważyłam, że przychodził tylko wtedy, kiedy stryja Hasana nie było w domu. Ciekawe, że ciotka Zajna nie przeszkadzała Alemu i Jean-Claudowi, mimo że sąsiedzi już poszeptywali, a niektórzy nawet spluwali, przechodząc koło naszego domu. Gardziłam ciotką za to, że nic nie robiła. Za trochę jedzenia czy parę dirhamów pozwalała, żeby bezbożne rzeczy bezcześciły dom moich rodziców.

Później Jean-Claude chciał zabrać mojego kuzyna do Luksemburga. Stryj Hasan był przeciwny, ciotka Zajna była za tym i postawiła na swoim. Jean-Claude kupił Alemu bilet, a gdy Ali pojechał na lotnisko, my, dziewczynki, odetchnęłyśmy: wreszcie spokojne noce, bez seksualnego napastowania.

Ale spokój nie trwał długo. Już po tygodniu Ali wrócił. Po prostu wziął w Luksemburgu samochód Jean-Claude'a, bo chciał sobie pojeździć po śniegu. Oczywiście nie miał prawa jazdy. Złapali go i odesłali do Maroka.

Ali kochał samochody. Gdy był naćpany, próbował wszelkimi sposobami dostać się za kierownicę jakiegoś samochodu. Kiedyś znikł samochód stryja Hasana.

Stryj otworzył rano drzwi, by pojechać do swojego nowego warsztatu w Tamrhachtu, kilka kilometrów wybrzeżem w kierunku As-Sawiry. A tu renaulta nie ma.

Stryj Hasan na początku nie mógł uwierzyć. Potem wpadł do domu.

– Zajno! – krzyczał. – Dzieci! Samochód znikł. Gdzie jest Ali?

Szukaliśmy Alego, ale go nie było.

– Ali wziął samochód – wołał stryj Hasan – już całkiem zwariował?

Postanowiliśmy szukać Alego i samochodu. Wszyscy kuzyni i wszystkie kuzynki, mój brat, moje siostry i ja wyruszyliśmy na ulice Agadiru. Ja pobiegłam w dół miasta na plażę. Tam zobaczyłam samochód i Alego śpiącego za kierownicą. Ali włamał się do samochodu i nie włączając silnika potoczył się ku morzu. Na siedzeniu obok kierowcy leżała buteleczka jodyny i plaster.

– To gdybym miał wypadek – wyjaśnił Ali.

Stryj Hasan sprał Alego i oznajmił, że Ali jest chory na głowę i musi iść do szpitala. Ali się bronił. Krzyczał, jakby go obdzierali ze skóry, i kurczowo czepiał się mebli.

– Na pomoc – wrzeszczał – ojciec chce mnie zabić, tak jak jego brat zabił moją ciotkę!

Stryj Hasan poszedł do rodziny Amelów i zatelefonował do szpitala. Klinika przysłała samochód z pielęgniarzami, którzy usiłowali poskromić Alego. Ali walił głową o kamienną posadzkę, aż krew bryzgała. Wszyscy krzyczeli i płakali. Stryj Hasan siedział skulony przy murze podwórka i szlochał jak dziecko.

Błagałam:

– Nie zabijajcie go, proszę, nie zabijajcie go.

Pod domem zebrali się sąsiedzi. Wiele kobiet miało łzy w oczach. Długo to trwało, zanim pielęgniarze wsadzili Alego do samochodu i odjechali.

Zawieźli go do zakładu w pobliżu Terre des Hommes. Kiedyś go tam odwiedziliśmy. W wielkim pomieszczeniu siedzieli na ziemi mężczyźni, z kolanami pod brodą, i kiwali się powoli i rytmicznie, niczym rozkołysana trzcina. Wielu ślina ciekła z ust. Ich oczy były pozbawione blasku.

Ali miał na sobie o wiele za krótkie spodnie od dresu, poplamione w kroku moczem. Jego nagi tułów był wychudzony. Ali podszedł do nas, szurając nogami, i wybełkotał:

– *Ahlan*, cześć. Zabieracie mnie stąd?

Było to straszne przeżycie. Mimo że Ali niemal co noc napędzał mi strachu, teraz było mi go żal. Był już tylko cieniem samego siebie, spokojny, bo na lekach, bliższy śmierci niż życia.

Później udało mu się uciec z zakładu. Ze strachu przed ojcem nie odważył się zastukać do drzwi wejściowych. To ja wpuściłam go do domu.

Ali się zmienił. Nie był już agresywny, zachowywał się jak małe dziecko. Mimo że był ode mnie starszy, teraz ja go pilnowałam. Ali zaczął żebrać po ulicach i musiałam go szukać. Czasem ciotka nie pozwalała mi iść do szkoły, bo Ali zniknął. Byłam wtedy w szóstej klasie.

– Nie wracaj bez mojego syna do domu – groziła ciotka – bo oberwiesz.

Prawie zawsze wiedziałam, gdzie on jest: przed hotelami, przed kawiarniami, przed restauracjami. Kradł jabłka w sklepach z owocami i keksy w cukierniach. Gdy go przyłapywano, to ja go wyciągałam z tarapatów i odprowadzałam do domu.

Myślę, że Ali zwariował. Mamrotał słowa, które brzmiały jak sury. Słuchaliśmy uważnie, co Ali mówi, ale Rabi'a oświadczyła:

– To nie są sury, tylko bzdury.

Ciotka Zajna upierała się, że Alego opętał dżinn, który mu cały Koran włożył do głowy. Sprowadziła do domu jedną z owych starych kobiet, które znały się na jasnowidzeniu. Jasnowidzka zmarszczyła czoło, wzięła zapłatę i przepisała Alemu obrzęd *gnaoua* na świętej ziemi na szczycie Kasby, góry wznoszącej się na północ od Agadiru. Świątynia ta jest poświęcona *sidi* Bu Dżama'a I'gnaouanowi, który dawno temu został tam pochowany. Nad jego doczesnymi szczątkami wznosi się tam dziś świątyńka, w której bractwo *gnaoui* odprawia swoje ceremonie.

Gnaoui pochodzą od niewolników z Sudanu i Ghany i przynieśli swoje pogańskie zdolności wudu do Maroka. Podczas nocnych rytuałów, tak zwanych *lila*, wprawiają swoich zwolenników rytmem prostych instrumentów w trans. Wielu ludzi w Maroku wierzy, że *gnaoui* potrafią leczyć choroby, zwłaszcza natury psychicznej.

Cała rodzina musiała towarzyszyć stryjowi Hasanowi i ciotce Zajnie, gdy w święty piątek prowadzili Alego do świątyni *sidi* Bu Dżama'a I'gnaouana. Ali nie bardzo miał na to wszystko ochotę.

– Dajcie mi spokój z tą głupotą – złościł się – nie chcę mieć z tym nic wspólnego. To jest zabobon.

Ale ciotka Zajna tak łatwo nie ustępowała, jeśli już czymś nabiła sobie głowę. Bracia *gnaoui* zaczęli grać swoją muzykę. Kilka kobiet tańczyło do chropawych dźwięków. Ciotka Zajna dołączyła do tańczących, wymachiwała rękami i kołysała biodrami. Robiła to coraz gwałtowniej, aż w końcu także Alego pociągnęła do tańca.

Ali wykonał kilka ospałych ruchów i chciał znowu usiąść. Ciotka jednak nie pozwoliła. Zmusiła go, by tak jak inni potrząsał ciałem, w końcu jednak udało się Alemu zniknąć w jednym z pokojów terapeutycznych.

W tej świątyni było dużo pokojów. Przemykałam się po korytarzach i zaglądałam ukradkiem przez drzwi. W jednym pomieszczeniu siedziała piękna, młoda kobieta z rodziną. Kobieta mówiła grubym, ordynarnym głosem.

Przemawiała do niej starsza kobieta.

– Dżinnie, posiadasz tę młodą kobietę już od tak dawna, daj jej wytchnąć, odstąp od niej.

Młoda kobieta odpowiedziała głębokim, męskim głosem:

– Nie, nie zostawię tej kobiety w spokoju. Tak źle jest traktowana w domu. Jestem dobrym dżinnem. Będę ją chronił, a potem wezmę ją za żonę, ponieważ jest taka piękna.

Starsza kobieta powiedziała:

– Proszę, proszę, błagam cię. Daj jej trochę czasu. Ona musi coś zjeść, inaczej umrze. Jak mogę ci pomóc wyjść z tego ciała?

– Nie wyjdę z tego ciała – grzmiała młoda kobieta głosem dżinna. – Może odejdę na krótko. Ale tylko jeśli dostanę wodę różaną i trochę cukru.

Stara kobieta nakarmiła młodą odrobiną cukru i spryskała ją wodą różaną, aż słodki zapach rozszedł się w pomieszczeniu. Podchodziłam coraz bliżej, żeby nie przeoczyć, co się teraz stanie. Było mi żal młodej kobiety, gdy tak siedziała z zamkniętymi oczami i mówiła swoim strasznym głosem. Mogłam czuć jej zdenerwowanie.

W końcu siedziałam już tuż obok niej. Nagle chwyciła mnie za ramię. Jej chwyt był tak mocny, jak chwyt mężczyzny. Próbowałam się uwolnić. Bezskutecznie. Serce mi ze strachu prawie stanęło. Wtedy jednak dżinn opuścił ciało kobiety, a ona obudziła się z transu, rozejrzała zdumiona dokoła, spostrzegła, że brutalnie ściska za ramię obcą dziewczynkę i powiedziała łagodnym głosem:

– Przepraszam, moja mała, kim ty jesteś?

– Ouarda – bąknęłam. – Mam na imię Ouarda.

Wtedy mnie puściła i podziękowała:

– To ładnie, że przy mnie byłaś. To mi pomogło.

Szybko poszłam do pokoju, w którym był Ali. Teraz również jakiś kogut znajdował się w tym pomieszczeniu. Ali był nagi.

– Nie jestem opętany przez dżinna – złościł się – palę haszysz i biorę tabletki, dlatego jestem pomieszany.

To jednak ciotki Zajny nie obchodziło. Chciała definitywnie wyzwolić swojego syna. Kilka osób go trzymało, gdy posadzono mu koguta na głowie. Zanim Ali zdążył zaprotestować, ktoś poderżnął ptakowi szyję i krew spłynęła na Alego.

Ofiara na niewiele się zdała. Może dżinny trzymały się teraz z dala od Alego, ale on nie trzymał się z dala od konopi z gór Rifu.

Pewnego dnia Ali dostał wysokiej gorączki. Co dzień rosła, aż osiągnęła 41 stopni. Język miał obłożony, serce biło coraz wolniej, zaczęły się halucynacje.

Nikt z rodziny zdawał się tym nie martwić. Tylko ja od czasu do czasu zakradałam się do niego do pokoju, żeby zobaczyć, jak się czuje.

– Ouarda – zaskrzypiał – widzisz pomarańczę?

– Nie, Ali, nie widzę żadnej pomarańczy.

– Tam, pod sufitem! Zdejmij mi ją.

– Ali, tam nie ma żadnej pomarańczy.

– Poczekaj tylko, jak wyzdrowieję, to cię załatwię – groził mi bezsilnie.

Wybiegłam z pokoju.

Potem również Rabi'a i synek ciotki Zajny, Raszid, dostali wysokiej gorączki. Raszid czuł się tak źle, że ciotka zaprowadziła go do lekarza. Ten go zbadał i bardzo się zdenerwował.

– Dziecko ma tyfus – powiedział – to jest zakaźna, śmiertelna choroba. Czy ktoś jeszcze w pani rodzinie jest chory?

– Tak – powiedziała ciotka Zajna – mój syn Ali i moja bratanica Rabi'a.

– Natychmiast do szpitala – rozkazał lekarz.

Bardzo się bałam o Rabi'ę. Choroba wżerała się w jej ciało i zabierała jej wszystkie siły. Do tej chwili Rabi'a była tą, dzięki której nasza rodzina była mocna. Mnie zastępowała matkę, którą zabrał mi los. Nieustannie walczyła o nasz honor. Często czytała nam książki, w których honorowe zachowanie odgrywało dużą rolę. Tłumaczyła mi, jaka jest różnica między dobrem a złem, i nalegała, żebyśmy się nigdy nie poddawali.

– Jest nam wprawdzie źle – mówiła Rabi'a – ale nie wolno wam zapominać, że są dzieci, które mają jeszcze o wiele gorzej niż my.

Prowadziła mnie do dzielnic nędzy w naszym mieście, gdzie chłopcy i dziewczęta z czerwonymi oczami siedzieli apatycznie we własnym moczu i wąchali szewski klej z plastikowych torebek. Pokazywała mi zakłady, w których trzymano sieroty. Pokazywała mi żebraków bez palców, bez ramion, bez nóg.

Czasami, kiedy czułam się bardzo mała i słaba, pocieszała mnie i dodawała mi sił. Prawie nigdy mnie nie przytulała, bo kontakt cielesny prawie nie odgrywał roli w naszych stosunkach. Była moją duchową przewodniczką, moim źródłem energii.

Teraz ta siła znikła. Rabi'a leżała w łóżku, z oczami rozszerzonymi gorączką. Mimo że na dworze słońce paliło ziemię, marzła dniem i nocą. Otulała chude ciało w dwa szlafroki i podciągała podarty koc aż pod brodę. Ale zimno miała już w kościach.

– Ouardo, zimno mi – szeptała. Nie wiedziałam, co robić. Gdy zdobyłam jakoś kilka groszy, kupowałam jej ulubiony serek Kiri, który kosztował dwa dirhamy. Ale Rabi'a nie mogła utrzymać w żołądku tych pyszności. Połykała ser i od razu wymiotowała.

Żałośnie wyglądała moja starsza siostra, gdy tak leżała. Można było zobaczyć jej skórę na głowie, bo przez chorobę wypadły jej włosy. Twarz miała nienaturalnie bladą.

Gdy Rabi'a w końcu poszła do szpitala, była bardziej martwa niż żywa. Samotnie wegetowała w swoim łóżku w klinice. Rodzina mojego stryja mało się o nią troszczyła. Ciotka Zajna odwiedzała swoje dzieci, Alego i Raszida, i tylko moje rodzeństwo i ja troszczyliśmy się o Rabi'ę. Mimo że ciągle jej było zimno, nie dostała koca. Dopiero gdy Ali został wypisany, mogła skorzystać z jego koca.

Upłynęło wiele tygodni, a Rabi'a nie czuła się lepiej. Gdy pewnego dnia rano przyszłam razem z ciotką do szpitala, u stóp jej łóżka wisiała kartka: „Saillo, Rabi'a, dzisiaj wychodzi".

– Ale ty przecież jeszcze jesteś chora – powiedziałam.

– Tak – wyszeptała Rabi'a.

– Dlaczego nie możesz tu zostać?

Rabi'a przełknęła ślinę.

– Myślę, że oni wolą, żebym umarła w domu.

Lekarze stracili nadzieję na wyleczenie mojej siostry. Położyli jej łóżko na płasko, bo serce jej tak osłabło, że jeszcze tylko w tej pozycji mogło zaopatrywać w krew jej ciało.

Ciotka Zajna podczas jednej ze swoich rzadkich wizyt chciała jej dać jogurt i podniosła zagłówek łóżka.

– Proszę – szeptała Rabi'a – zostaw mnie.

– Ale musisz coś zjeść – powiedziała ciotka.

Tułów Rabi'i znajdował się teraz w pozycji pionowej. Rabi'a trochę się osunęła. A potem dostała skurczu. Jeszcze dzisiaj mam ten obraz przed oczami: jej ciało zesztywniało, twarz się wykrzywiła. Oczy wyszły z orbit. Potem wydobył się z jej ust skomlący, syczący, przenikliwy ton, którego też nigdy nie zapomnę.

Wdarł mi się w uszy, rozwirował w głowie, oszołomił, całe ciało ogarnęła panika. Straciłam orientację i znalazłam się na korytarzu, krzycząc:

– Na pomoc! Pomóżcie nam, moja mama umiera.

Po raz pierwszy nazwałam Rabi'ę „mamą". Biegałam po korytarzach, aż znalazłam lekarza. Krzyczałam, płakałam, bałam się. Widziałam przed sobą Rabi'ę, mimo że leżała wiele pokojów dalej. Widziałam, jak umiera. Widziałam ją martwą.

Postanowiłam umrzeć razem z nią. Nie chciałam żyć bez Rabi'i. Stałam przed lekarzem i wiedziałam, że jeśli on jej nie uratuje, to wejdę do morza tak daleko, że nie będzie już odwrotu. Obejmie mnie zielona, chłodna woda. Tam znajdę spokój. Na zawsze.

Lekarz zadziwiająco szybko znalazł się w pokoju Rabi'i. Gorączkowo szukał żyły, w którą mógłby się wkłuć z kroplówką ratującą życie. Nie znalazł, żyły Rabi'i były już niedrożne. W końcu udało mu się jednak podłączyć kroplówkę. Rabi'a leżała jak martwa w łóżku, gdy do jej żył zaczęło płynąć lekarstwo.

Powoli zaczęła dochodzić do siebie. Kilka tygodni później została wypisana, ale ciągle jeszcze była bardzo słaba.

– Musisz wyjść na świeże powietrze – powiedziałam – chodźmy na plażę. Jeszcze jest wcześnie rano i chłodno.

Podpierałam ją jak staruszkę, gdy szłyśmy ulicą. Stopy Rabi'i szurały po piasku. Co pięćdziesiąt metrów przystawała wyczerpana, żeby nabrać tchu. Jej ciało było jeszcze słabe, ale wola życia powróciła. Rabi'a doszła do plaży i z moją pomocą pokonała także drogę z powrotem do domu.

Trwało jeszcze miesiące, zanim całkiem wyzdrowiała i mogła przejąć swoją dawną główną rolę w moim życiu.

Natomiast Ali nigdy nie wydobrzał. Nadal był słaby i bez energii. Ale obłęd minął.

Dziś Ali pracuje czasem jako marynarz na jednym z wielkich statków, które wypływają z Agadiru i dopiero po kilku miesiącach wracają do miasta na skraju pustyni.

(z lewej u góry) Przed ślubem mój ojciec był człowiekiem światowym, zaangażowanym politycznie, bywalcem kół dyskusyjnych w kawiarniach.

(z prawej u góry) Moja matka w wieku siedemnastu lat, po ślubie z ojcem.

(u dołu) Moja siostra Rabi'a (u góry) i moja przybrana siostra Muna-Raszida (u dołu) przed telewizorem z „cudowną" folią, zamieniającą czarno-biały obraz w kolorowy.

(u góry) Dżamila na grzbiecie Rabi'i, z lewej Muna-Raszida. Nasz ojciec dekorował zdjęciami i wycinkami z gazet nie tylko ściany, ale i meble.

(z prawej) Rabi'a, Muna-Raszida, Dżamila (od lewej do prawej).

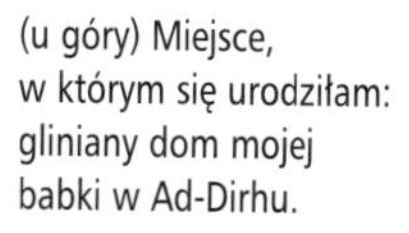

(u góry) Miejsce, w którym się urodziłam: gliniany dom mojej babki w Ad-Dirhu.

(pośrodku) Moje pierwsze zdjęcie w ramionach matki! Obok nas Rabi'a, Dżamila, Muna-Raszida i Dżabir.

(u dołu) Z matką (z lewej) i Dżabirem (z prawej) na tle ściany z fotografiami ojca.

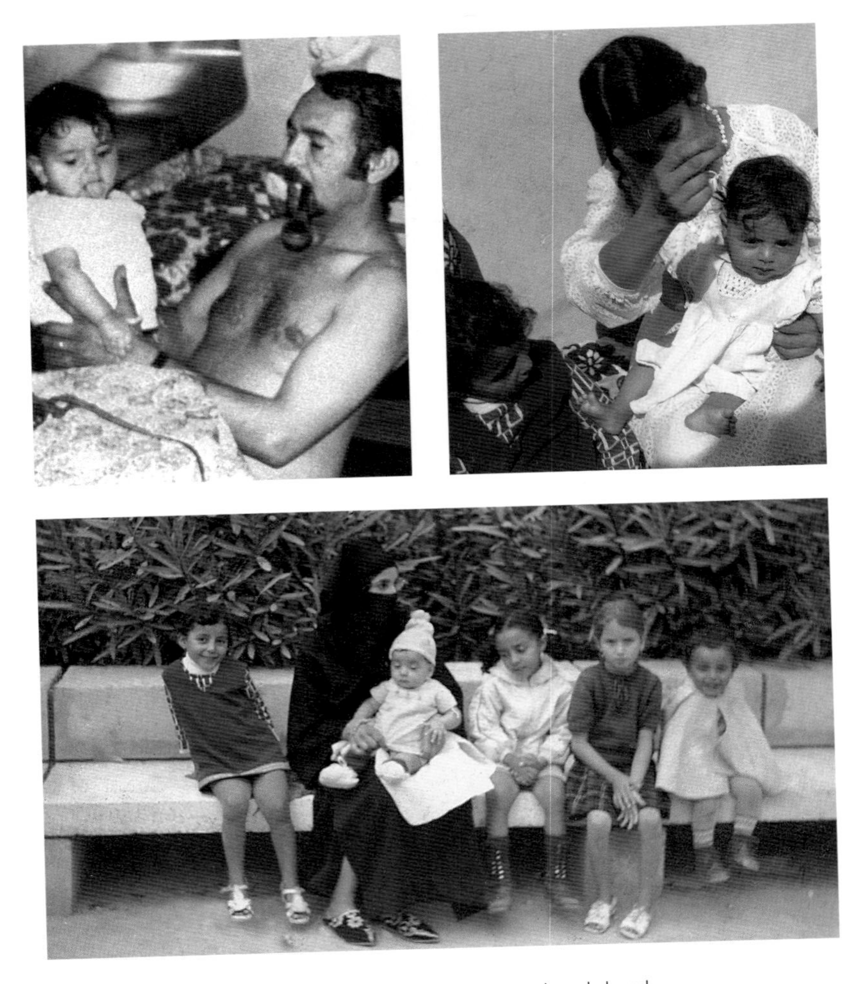

(z lewej u góry) Ojciec z fajką trzyma mnie na kolanach.
W tle widać „cudowną" folię przed ekranem telewizora.

(z prawej u góry) Matka trzyma mnie na rękach, a Dżamila się przygląda.

(u dołu) Podczas spaceru w parku miejskim.
Od lewej: Dżamila, matka ze mną na kolanach, Rabi'a, Muna-Raszida, Dżabir.
Matka nigdy nie wychodziła z domu bez zasłony na twarzy.

(u góry) Ojciec zaczyna brać narkotyki – widać to po jego oczach. Traci włosy i tyje.

(pośrodku) To zdjęcie zostało zrobione dla ojca w więzieniu i pokazuje mnie z długimi włosami, a więc jeszcze przed atakiem wszawicy. Obok mnie moja siostra Rabi'a i brat Dżabir. Przepaskę na włosy i t-shirt „pożyczyłam" od mojej kuzynki Fatimy, co skończyło się później awanturą.

(u dołu) Krótkie włosy z powodu wszy! Mam jedenaście lat i idę do szóstej klasy.

(u góry) Sylwester w naszej chaotycznej rodzinie. Kuzyn Ali jest tak odurzony narkotykami, że został w piżamie. Od lewej: Muna-Raszida, kuzyn Mustafa, Dżabir w pulowerze, ciotka Zajna, kuzynka Hafida, Ali, Dżamila, ja zasłaniam Rabi'ę. Były pomarańcze – rzadki smakołyk.

(pośrodku) Rabi'a po tyfusie jest chuda jak patyk (z prawej na tapczanie obok kuzyna Mustafy, znajomego i kuzynki Fatimy). Dżabir i ja (na podłodze) też jesteśmy wychudzeni.

(u dołu) Powoli staję się kobietą – a mam dopiero czternaście lat. Leżę w malowniczej pozie w parku przy plaży.

(u góry) Moje pierwsze miejsce pracy w gastronomii. Miałam siedemnaście lat i piekłam wafle w lodziarni „Eis-Pop". Jeszcze dziś blizny po oparzeniach na moich rękach świadczą o tej działalności. Lokal przy plaży należał do niemieckiego małżeństwa.

(u dołu) Ze znajomą w restauracji „Golden Gate", w której byłam kelnerką.

(u góry) Przyjęcie sylwestrowe w „Golden Gate".
Po raz pierwszy pracowałam wtedy w nocy.

(z lewej u dołu) Jako kelnerka w „Golden Gate", rano przed otwarciem.

(z prawej u dołu) Rabi'a (w dżinsach i swetrze) przyszła po mnie do „Golden Gate".
Święty Mikołaj mnie obejmuje; Rokia do dzisiaj piecze tam pizzę.

(u góry) Z kolegami z pracy (stoję z lewej).

(u dołu) Sylwester – ta w kapeluszu to ja.

(z prawej) W nowym mundurku podczas sesji zdjęciowej dla turystów.

(u dołu) Z dwoma gośćmi i moją koleżanką Rheno (z prawej), która rok później zmarła na raka piersi.

(u góry) Wysoka Rheno (z lewej) i koleżanka (z prawej), której już nie pamiętam.

(pośrodku) Przy ladzie z lodami. Stoję pośrodku.

(u dołu) Z kolegami w „Golden Gate".

(u góry) Bratanek właściciela należał do moich wielbicieli. Torebkę mam już na ramieniu – fajrant w „Golden Gate".

(pośrodku i u dołu) Moje dziewiętnaste urodziny wśród koleżanek z „Golden Gate".

(u góry) Przyjęcie urodzinowe! Druga z prawej to Samira, która mi zaimponowała swoją pewnością siebie.

(pośrodku) Otwarcie hotelu „Sheraton" w Agadirze, gdzie razem z Rabi'ą (z prawej) pracowałyśmy jako hostessy.

(u dołu) Moja kuzynka Habiba (z lewej) i ja.

(z lewej u góry) G'rraba, sprzedawcy wody na plaży w Agadirze,
pozują razem ze mną do zdjęcia zrobionego przez turystów.

(z prawej u góry) Wygłupy na plaży.
Pokazuję wysportowanym amatorkom surfingu z Europy, że mogę je wziąć na ręce.

(u dołu) Uroczystość rodzinna z kuzynką Fatimą,
ciotką Zajną, stryjem Hasanem i mną (od prawej).

(z lewej u góry) Kuzynka Habiba jest prawie dwa razy szersza ode mnie.

(z prawej u góry) Moja siostra Rabi'a.

(u dołu) W marynarce przyjaciela. Przyjaciela już dawno nie ma, marynarkę mam do dziś.

(u góry) Mojej przyjaciółce Sa'idzie chyba bardzo „śmierdzi",
że niedługo wyjadę do Niemiec.

(u dołu). Z wizytą na wsi, gdzie się urodziłam.
Moja siostra Asja trzyma na rękach mojego syna Samuela;
z prawej moja „mała" siostrzyczka Wafa.
Obie o wiele lepiej niż ja potrafią zawiązać chustkę tak jak należy – płasko.

Utracona niewinność

Seksualność odgrywa w społeczeństwie marokańskim dużą rolę, chociaż jest obłożona silnym tabu. Wszystko dzieje się w ukryciu, nic otwarcie. Prawie zawsze ofiarami są kobiety, a sprawcami mężczyźni.

Bardzo wcześnie się dowiedziałam, jak bolesna i brudna może być ta ukryta przemoc seksualna. Nocy spędzonych w strachu przed moim kuzynem nie zapomnę nigdy. Ani spojrzeń mężczyzn na ulicy. Ich ruchów pod dżellabą, gdy patrzyli na nas, dziewczęta. Ich prostackich dotknięć w przepełnionych autobusach. Ich spoconych ciał, niby przypadkiem ocierających się o mnie na suku, gdy pochylona wybierałam cebulę.

Dziewczyna w Maroku ciągle musi się strzec, żeby nie paść ofiarą. Napastowano mnie w biały dzień na plaży, o zmierzchu na głównej ulicy, nocami w naszej dzielnicy. Ale miałam dość sprytu i byłam dostatecznie szybka, żeby się nie dać wykorzystać.

To się nigdy nie zdarzy – przyrzekłam Rabi'i. Moja siostra wciąż mi dawała książki i wycinki z gazet, opisujące losy dziewczyn lekkiego prowadzenia.

– Właśnie dlatego, że tyle już straciłyśmy w życiu, nie możemy stracić jeszcze i honoru – mówiła Rabi'a. – To jedyne, co nam zostało.

Nie chciałam stać się taka jak dziewczęta z mojej ulicy, które robiły sobie żarty, prowokując starszych mężczyzn; które brały pieniądze, bo się im to wydawało taką łatwą ucieczką od biedy; które przez kilka miesięcy albo lat chodziły ubrane jak księżniczki, bo mogły sobie pozwolić na zakupy w butikach dla turystów; i które w końcu były wypluwane na bruk przez nasze społeczeństwo, na pozór tolerancyjne, w rzeczywistości jednak bardzo konserwatywne.

Żaden mężczyzna z porządnej rodziny nie ożeniłby się z taką dziewczyną, żaden ojciec by jej nie zaakceptował jako synowej. Pozostawało im tylko życie na marginesie społeczeństwa, w samotności i bez ochrony klanu.

W naszej dzielnicy mieszkał zamożny mężczyzna, który dziwnie fascynował niektóre z moich koleżanek. Nazywałyśmy go monsieur Diabolos, bo był tak mały, że ledwo go było widać, kiedy jechał ulicami swoim wielkim, srebrnym samochodem. Wydawało się, że sam diabeł prowadzi pojazd, tak cicho i zwinnie, jakby bez kierowcy sunący przez miasto.

Monsieur Diabolos miał dużą willę obok szkoły, otoczoną murem, za którym widać było wysokie palmy. Sądzę, że miał czworo albo pięcioro dzieci, które jednak nie chodziły do szkoły publicznej, tylko do jednej z drogich szkół prywatnych, w których, jak słyszałam, nauczycielom nie wolno bić dzieci. Nie mogłam uwierzyć. Szkoła, w której nie biją? Nigdy o czymś takim nie słyszałam.

W mojej szkole nie tylko dyrektor bił gumowym szlauchem wszystkich uczniów, którzy się spóźnili. U nas prawie każdy nauczyciel miał swoje osobiste chwyty, żeby nas dręczyć i upokarzać. Jeśli ktoś coś źle zrobił, musiał stać na jednej nodze albo dostawał po buzi, albo wiercono mu knykciem dziurę w głowie. Kiedyś, gdy zrobiłam jakiś błąd, nauczyciel kazał mi otworzyć usta. Otworzyłam.

– Szerzej! – powiedział nauczyciel.

Otworzyłam usta jeszcze szerzej.

Nauczyciel odchrząknął, a potem napluł mi do buzi. Ledwo udało mi się nie zwymiotować tuż przed nim. Wybiegłam na podwórko do otwartych latryn na drugim końcu terenu. Ale odruch wymiotny wracał jeszcze przez wiele dni, gdy pomyślałam o tym upokorzeniu.

O monsieur Diabolosie chodziły słuchy, że jest jednym z najbogatszych ludzi w Agadirze. Nie wiedzieliśmy, dlaczego był taki bogaty, ale wiedzieliśmy, że to prawda.

W Noc Przeznaczenia, największe święto podczas ramadanu, miesiąca postu, moja siostra Dżamila i ja chodziłyśmy zwykle zastukać do bramy willi Diabolosa. Każdy wierzący muzułmanin ma tego dnia obowiązek ofiarować dwa i pół procent swojego majątku potrzebującym jako tak zwany *zakat*. W surze 24, *Światło* [*An-Nur*], czytamy:

> Odprawiajcie modlitwę,
> dawajcie jałmużnę
> i słuchajcie Posłańca!
> Być może, doznacie miłosierdzia!

Sura 24 jest poza tym bardzo okrutna. Każe cudzołożnikom wymierzać sto batów i zaleca wiele innych nieprzyjemnych możliwości brania odwetu. Dopiero później miałam się dowiedzieć, że *An-Nur* i pod tym względem doskonale pasowała do monsieur Diabolosa.

W Noc Przeznaczenia monsieur Diabolos wręczał nam w każdym razie pięćset dirhamów (około 50 euro); mogłyśmy za to wyżywić naszą już szesnastoosobową rodzinę prawie przez dwa tygodnie.

– Niech Allah obdarzy łaską pańskich rodziców – mówiłyśmy, dziękując, i pędziłyśmy po ciemku do domu, ściskając w ręce banknoty.

Pewnego dnia odkryłyśmy, że pobożny monsieur Diabolos również w inny sposób przysparzał pieniędzy naszemu domowi. Co prawda, moje kuzynki musiały w tym celu bardzo wcześnie wstawać. Monsieur Diabolos miał bowiem zwyczaj jeździć po porannej modlitwie o brzasku swoim srebrnym samochodem po naszej dzielnicy i umawiać się z małymi dziewczynkami.

Na siedzeniu obok kierowcy miał duży stos banknotów. Moje kuzynki uwielbiały te stosy banknotów. Chociaż właściwie lubiły długo spać, wraz z okresem dojrzewania nagle zaczęły wstawać bardzo wcześnie.

Wystawały na ulicach, którymi monsieur Diabolos wracał z meczetu. Samochód się zatrzymywał, a kuzynki wskakiwały na tylne siedzenie.

– Dzisiaj o szesnastej? – pytał monsieur Diabolos.

– Tak, ale chcemy przedtem oczyścić się w hammamie – odpowiadały kuzynki.

Monsieur Diabolos w milczeniu podawał do tyłu pięćset dirhamów. Nie lubił dużo mówić.

– Czekam tutaj o szesnastej. A teraz wysiadajcie!

Raz stryj przyłapał swoje córki, gdy bladym świtem wracały do domu. Właśnie szedł do warsztatu.

– A wy co tu robicie? – zapytał nieufnie.

– Byłyśmy pobiegać.

– Gdzie?

– Na plaży.

– Na plaży? – zapytał stryj z niedowierzaniem. – Pokażcie no buty.

Sprawdził, czy na butach był piasek. Nie było.

– Ręce! – rozkazał stryj Hasan.

Polizał ramiona kuzynek.

– Nie czuję soli – krzyczał. – Chyba nie chcecie mnie okłamywać?

– Nie – chciały odpowiedzieć kuzynki, ale nie zdążyły, bo już posypały się razy.

– Jeśli chodzicie rano pobiegać, bierzcie w przyszłości ze sobą Ouardę – rozkazał stryj. – Ona jest jedyna, której ufam.

Nieufność stryja miała związek z czymś, co się niedawno wydarzyło. Moje kuzynki uwielbiały dyskoteki, chociaż były jeszcze o wiele za młode, żeby je tam oficjalnie wpuszczano. Stryj Hasan był tolerancyjny, jeśli chodzi o zachodnie ubrania. Nie miał nawet nic przeciwko temu, żeby Habiba i Fatima nosiły spódniczki i bluzki z dekoltem – byle nie po fajrancie, kiedy on był w domu.

– Przyzwoite dziewczyny nie włóczą się o zmroku – krzyczał i ryglował drzwi wejściowe.

Dlatego kuzynki o pierwszej w nocy zakradały się na płaski dach, zakładały najkrótsze minispódniczki, malowały się najmodniejszymi kolorami lat osiemdziesiątych – fioletem i różem, przełaziły przez niski murek na sąsiedni dach, a stamtąd po schodach w dół. Umówiły się z córką sąsiada, która po drugiej stronie muru miała pilnować, żeby nikogo nie było w pobliżu.

Ja stałam na czatach na naszym dachu. Kilka razy udało się świetnie. Ale kiedyś Habiba się potknęła o jakąś blachę i narobiła okropnego hałasu. Stryj i ciotka się obudzili, sąsiad też.

Przeszukano sypialnie. Habiby i Fatimy nie było. Pod ich kocami leżały poduszki ułożone w ludzki kształt.

Cała ulica zwróciła uwagę na występek Habiby i Fatimy, bo stryj Hasan w środku nocy awanturował się na dachu.

– Całkiem powariowałyście? Czy jestem otoczony samymi zdzirami? – wyrzekał. – Allah jedyny wie, czym sobie na to zasłużyłem.

Stryj Hasan nie mógł się uspokoić. W ten sposób wszyscy się dowiedzieli, że dziewczyny przemknęły się ukradkiem po schodach sąsiada i usiłowały niezauważone wejść do domu. To im się oczywiście nie udało. Stryj Hasan złapał je jeszcze przed drzwiami i spuścił moim kuzynkom lanie na ulicy, co wzbudziło duże zainteresowanie sąsiadów.

Od tamtej nocy stryj był szczególnie podejrzliwy.

Od tej pory musiałam wstawać o szóstej rano, żeby zapewnić kuzynkom alibi. Nawet przynosiłam piasek, żeby miały trochę w butach, kiedy stryj Hasan przeprowadzał swoje kontrole. Po piasek szłam na plażę, gdy kuzynki jechały samochodem z monsieur Diabolosem. Nie chciałam, żeby znowu dostały lanie. I tak już było za dużo przemocy w naszym życiu.

Uważałam, że monsieur Diabolos jest miły. Kiedyś dał mi trzysta dirhamów, chociaż tylko stałam na brzegu ulicy i patrzyłam, jak moje kuzynki wsiadały do jego samochodu.

– Zaczekaj tu – powiedziały. – Zaraz wrócimy.

Ale niski mężczyzna za kierownicą samochodu otworzył okienko od strony pasażera i podał mi banknoty. Już myślałam, że wygrałam wielki los na loterii. Ale gdy kuzynki wróciły, od razu zabrały mi wszystkie pieniądze.

– To nasz zarobek. A ty się nie wtrącaj, i tak jesteś za mała. Monsieur nie lubi dziewic.

Monsieur Diabolos nie był jedynym, który jeździł po naszym mieście w poszukiwaniu dzieci. Kiedyś wsiadłam z moimi kuzynkami do innego samochodu. Kuzynki targowały się o pieniądze.

Mężczyzna za kierownicą obserwował mnie we wstecznym lusterku. Nagle powiedział:

– Nie mógłbym mieć tej małej?

Nie wiedziałam dokładnie, o co mu chodzi, ale czułam, że o nic dobrego. Zrobiłam się jeszcze mniejsza, niż byłam. Habiba tylko się roześmiała:

– Jej? Przecież jest na wpół zagłodzona.

I mężczyzna kazał mi wysiąść.

Później, w szóstej klasie, przeżyłam coś, co ostatecznie mnie powstrzymało od pójścia drogą łatwego zarobku.

Mieliśmy wolną lekcję i siedzieliśmy na podwórku szkolnym. Przed bramą stał mężczyzna, na którego od razu zwróciłam uwagę, bo nie wyglądał jak nauczyciel.

– Znasz go? – zapytałam moją przyjaciółkę Sa'idę.

Sa'ida spojrzała na bramę i zelektryzowało ją. – To ten z przedwczoraj.

– Co za typ?

– Dał mi sto dirhamów.

– Za co?

– Chodź ze mną, to sama zobaczysz. Nic ci się nie stanie. Jest nieszkodliwy. Nie dotknie cię. Nawet nie będzie z tobą rozmawiał. Musimy tylko za nim pójść.

Zaufałam Sa'idzie. Ona też była Berberką, ale wyższą ode mnie i o wiele jaśniejszą. Miała zupełnie białą skórę i grube nogi. Ideał urody. O takich nogach mówiliśmy zawsze „nogi jak kłody cukru".

Sa'ida wyszła z podwórka. Mężczyzna się oddalił. Poszłam za Sa'idą aż do schodów w cichym bloku niedaleko szkoły, na których nie było żywej duszy. Mężczyzna stanął na dole schodów, my na najwyższym stopniu. Mężczyzna dał nam znak ręką, żebyśmy się zatrzymały. Odległość wynosiła około dwudziestu pięciu metrów.

Sa'ida chichotała:

– Zaraz się zacznie.

Zauważyłam, że mężczyzna znów dał znak.

Sa'ida podniosła spódnicę, tak że było widać jej jędrne, białe kolana. Mężczyzna włożył rękę do spodni i wykonywał ruchy, o których wiedziałam, co znaczą, chociaż spod długiej marynarki mało co było widać.

Mężczyzna drugą ręką dał kolejny znak: wyżej.

– Za chwilę dojdzie – szepnęła Sa'ida. Z rozmachem uniosła spódnicę, aż pokazały się majtki. Wstrzymałam oddech. Mężczyzna poruszał się nerwowo. A potem stanął spokojnie. Widziałam, jak spod jego marynarki coś wytrysnęło. Zrobiło mi się niedobrze.

– Już po wszystkim – uspokoiła mnie Sa'ida. – Teraz będzie to najlepsze.

Mężczyzna wyciągnął portmonetkę, wyjął z niej banknot, ukłonił się i w podziękowaniu położył rękę na sercu. Banknot upuścił na ziemię. Potem znikł.

Sa'ida zbiegła po schodach i wzięła pieniądze: sto dirhamów.

– Popatrz – powiedziała – sto dirhamów za nic.

Śmiała się.

Ja nie mogłam się śmiać. Tak strasznie chciało mi się wymiotować jak wtedy, kiedy mi nauczyciel napluł do buzi.

Przysięgłam sobie, że nigdy w ten sposób nie zarobię ani dirhama. To, jak ten mężczyzna podniecał się białymi nogami mojej przyjaciółki, uznałam za niehonorowe, świadczące o braku szacunku, szokujące i obrzydliwe.

Nie zazdrościłam jej kieszonkowego. Ale w ustach czułam mdły smak, który nie znikł nawet wieczorem, gdy myłam zęby.

Morze

Gdy miałam dwanaście lat, dostaliśmy świerzbu. Wszystkie dzieci w naszej rodzinie wciąż się drapały, tak nas swędziała skóra, do której pasożyty składały jajeczka. Stryj Hasan bardzo się denerwował. Bał się, że się zarazi.

– Jazda stąd! – wołał do nas już o wschodzie słońca. – Idźcie nad morze, to wam pomoże na skórę. I nie wracajcie, dopóki nie zrobi się ciemno.

Dawał nam szczypiący, żółty roztwór siarki, którym mieliśmy się pędzlować. A potem wyganiał nas na ulicę. W drodze do portu śpiewaliśmy aktualnie ulubiony przebój Dżamili, *L'italiano* Toto Cotugna. Nie rozumieliśmy dobrze słów, bo nikt z nas nie mówił po włosku. Ale melodia nie chciała wyjść nam z głowy.

Unikaliśmy ulic w centrum miasta, bo się baliśmy, że każdy może zobaczyć naszą skórę zżartą przez świerzb i śmiać się z nas. Bocznymi ulicami dochodziliśmy do portu. Plaża nie była tam szczególnie piękna: śmierdziało zepsutymi rybami, a zanim można było wypłynąć na czystą wodę, trzeba było czasem nurkować pod lepką warstwą ropy. Ale miała trzy zalety: poza nami prawie nikogo tam nie było; jak robiło się nudno, można było patrzeć na wielkie statki cumujące przy nabrzeżu; i były budy z tanim jedzeniem, gdzie zawsze znajdowaliśmy odpadki, którymi można się było najeść.

Nie żebrałam, ale w południe tak natarczywie kręciłam się wokół stolików, że kelnerzy ciągle mnie przepędzali.

– *Sir fi halak* – wołali – uciekaj stąd!

– Jestem głodna, proszę, daj mi resztki.

– Nic z tego, przeszkadzasz naszym gościom.

Wtedy chwytałam garść frytek albo kawałek chleba i uciekałam, żeby podzielić się moim łupem z rodzeństwem, zanim kelnerzy zaczną rzucać za mną kamieniami albo większe dzieci odbiorą mi jedzenie.

Nie miałam własnego stroju kąpielowego, musiałam więc nosić te, z których wyrosły moje kuzynki. Nie było łatwo pływać w kostiumach o wiele za dużych. Przy każdej fali mi się zsuwały i musiałam robić supły, żeby je zwęzić.

Z zapaleniem skóry, wielkimi oczami w wychudłej twarzy, ze sfilcowanymi, zawszawionymi włosami i chudym ciałem, ginącym w wielkim kostiumie kąpielowym, musiałam pewnie wyglądać jak dziecko ulicy. Czasami zauważałam, jak turyści spoglądali na mnie z litością.

Wstydziłam się tych jasnych, czystych ludzi, tak smakowicie pachnących kremem do opalania, i bardzo mocno czymś, co sobie rozpylali pod pachami. Dopiero znacznie później ktoś mi wyjaśnił, że jest to dezodorant. U nas w domu niczego takiego nie było. Nie mieliśmy nawet płynu do kąpieli, szamponu czy pasty do zębów. Włosy myłam sobie płynem do prania. Zawierał tyle wybielacza, że moje czarne loki zrobiły się całkiem szare. Zęby czyściliśmy węglem drzewnym.

Chciałam bliżej poznać tych jasnych ludzi i ich dzieci, które całymi godzinami siedziały na plaży, nie wchodząc do wody. Za to niestrudzenie budowały zamki i całe miasta z piasku. Cicho i ostrożnie podchodziłam coraz bliżej do tych dzieci, bawiących się kolorowymi plastikowymi łopatkami i mających najwyraźniej niewyczerpane zapasy słodyczy i lemoniady.

Kuliłam się w sobie, ale w głowie układałam francuskie zdania, żeby do nich zagadać. Czy powinnam powiedzieć *bonjour mademoiselle*? A może po arabsku *salam alajkum*? Nie mogłam się zdecydować, wolałam więc nic nie mówić. Nie wiedziałam, jak ci ludzie zareagują.

Siadałam nieśmiało poza obrębem zamku z piasku i nie mówiłam ani słowa. Powoli przysuwałam się bliżej, a czasem udawało mi się nawet wziąć do ręki jedną z łopatek i wykopać dziurę albo usypać pagórek. Od czasu do czasu dostawałam parę cukierków. Częściej jednak mnie przeganiano.

Inną strategię zbliżania się do obcokrajowców stosowałam tylko wtedy, gdy właśnie wróciliśmy z Terre des Hommes i dostałam ubrania, które wydawały mi się bardzo europejskie. Wtedy niedbale i powoli podchodziłam do białych dzieci na naszej plaży, udawałam, że też jestem dzieckiem turystów i odzywałam się do nich w wymyślonym języku, który moim zdaniem mógłby być europejski.

– Anama andisch, anma adi uh ada khaib – mówiłam.

– Hę? – mówiły białe dzieci.

– Kalamu mala mo – mówiłam.

– Mamo, ona się wygłupia – wołały dzieci. Nie dały się nabrać na moje małe przedstawienie. Zapomniałam, że od gorącego słońca Maroka byłam opalona na czarno i że europejskie dzieci nie miały na głowie loków szarych od płynu do prania z wybielaczem ani wszy.

Ale nic sobie z tego nie robiłam, że mnie nie chciały. Czułam się jak Europejka, chociaż nikt mnie nie rozumiał. W porządku, mówiłam sobie, wobec tego pochodzę z zupełnie małego kraju w Europie, tak małego jak Szwajcaria, gdzie śnieg leży na ulicach. Dlatego tylko niewielu ludzi mówi w moim języku, a inni mnie nie rozumieją.

Kochałam morze. Morze było moim przyjacielem. W wodzie czułam się bezpieczna, o wiele bezpieczniejsza niż na lądzie. Wchodziłam tak głęboko do wody, że prawie nie mogłam już stać. I czekałam na następną falę, a kiedy nadpływała, kucałam i wyłaniałam się ze splątanymi włosami spod jej grzywy. Raz po raz tak się bawiłam z morzem. Przestawałam dopiero wtedy, kiedy zaczynało mi się kręcić w głowie.

Nigdy nic mi się w wodzie nie stało – dopóki nie poszłam na publiczny basen. Moja starsza kuzynka Habiba flirtowała przez jakiś czas z kąpielowym, mogliśmy więc wszyscy wchodzić za darmo. Wskoczyłam do niewiarygodnie pięknej, niebieskiej wody w basenie, nie myśląc o tym, jaki jest głęboki, i poszłam na dno jak kamień.

Kąpielowy wyciągnął mnie z basenu. Plułam wodą, łapałam powietrze i od razu chciałam wskoczyć jeszcze raz.

– O nie, moja mała – śmiał się kąpielowy – chyba nie myślisz, że będę cię ciągle wyciągał. Lepiej od razu nauczę cię pływać.

Niedługo trwało, zanim nauczyłam się pływać i nurkować. Wkrótce basen stał się dla mnie za ciasny i za nudny, wróciłam więc na plażę. Teraz nurkowałam pod wielkimi falami i wypływałam tak daleko, że głowy ludzi na brzegu wydawały się wielkości śliwki.

Kładłam się na plecy, unosiłam na falach i myślałam o tym, co jest po drugiej stronie morza. Tyle razy o to pytałam, ale nikt nie mógł mi udzielić odpowiedzi. Czy tam też jest plaża? Czy żyją tam ludzie? A może tam jest Europa? Czy może morze jest nieskończenie wielkie?

Tutaj fale były spokojne i równomierne jak oddech gigantycznego zwierzęcia, którego klatka piersiowa unosi się i opada. Dzięki swojej sile dawały mi poczucie bezpieczeństwa, ufałam im. Byłam przekonana, że morze jest nieskończone i co najmniej tak wielkie jak Allah. Pewnie można płynąć całe życie i nigdzie nie dopłynąć. Co najwyżej być podskubywanym przez ryby, zwłaszcza jeżeli ma się na sobie biały kostium kąpielowy. Tak mówili starzy ludzie na plaży.

Starzy ludzie mieli odpowiedź na wszystko, z wyjątkiem odpowiedzi na pytanie o drugą stronę morza. Jeśli drga ci lewe oko, przyjdzie niemiły gość. Jeśli swędzi stopa, będą nowe buty. Jeśli łaskocze cię dłoń, możesz się spodziewać złotego deszczu. A jeśli nieopatrznie włożysz ubranie na lewą stronę, nie martw się, bo dostaniesz nowe rzeczy.

Pozwalając się unosić słonym wodom Atlantyku, rozmyślałam nad takimi banalnymi mądrościami. Ostrożnie wystawiłam lewą rękę z wody. Łaskotało? Nie. Zamknęłam oczy i marzyłam dalej.

Czasami prąd znosił mnie tak daleko, że nie mogłam poznać plaży, na której w końcu lądowałam, i musiałam biec całymi godzinami, zanim doszłam do portu.

Zawierzałam siebie i swoje życie morzu. Mogło mnie pochłonąć, ale zawsze mnie wynosiło na brzeg. Pewnego razu zniosło mnie tak daleko na otwarty ocean, że zwróciła na mnie uwagę załoga jakiejś łodzi.

Podpłynęli w moją stronę.

– Potrzebujesz pomocy? – zawołał człowiek przy sterze.

Nie odpowiadałam. Nie chciałam odpowiedzieć.

– Możemy cię wyciągnąć i zawieźć na ląd! – krzyknął.

Milczałam. Nie chciałam zostać uratowana ręką człowieka. Chciałam zostawić morzu decyzję o życiu i śmierci. Nie chciałam umierać, ale brałam na siebie ryzyko.

Łódź zawróciła. Morze wyrzuciło mnie potem na brzeg. Nie chciało mojego życia. Było po mojej stronie.

Coraz częściej wybiegałam myślami ku Atlantykowi. Wspominałam dnie spędzone z matką na plaży. Ona bała się fal i ich siły. Myślę, że wystawiając się na niebezpieczeństwo, starałam się przezwyciężyć paraliżujący strach mojej matki. Chciałam pokazać, że jestem od niej silniejsza, że nie jestem ofiarą, że nie chcę pójść jej drogą aż po śmierć. Morze użyczało mi swojej energii. Z jego pomocą znosiłam los mojej rodziny.

Gdy tylko miałam w nozdrzach zapach słonej wody, piasek pod stopami, a w uszach odgłos załamujących się fal, czułam się wolna od balastu, jakim było moje pochodzenie. Woda wynosiła moją przeszłość daleko w bezkres oceanu, spowijała moją przyszłość welonem piany, a mnie zostawiała samą z teraźniejszością.

To mi się podobało. Tylko ja i morze. Gdy wracałam z plaży, byłam silna jak mężczyzna i niczego się nie bałam. Ćwiczyłam techniki sportów walki i czułam się pewnie. Włosy nosiłam obcięte na chłopaka i zanim ktoś mi zagroził, groziłam ja jemu.

Gdy ktoś mnie podrywał, od razu atakowałam. Chłopcy szybko się zorientowali, że ze mną nie ma żartów, i przestali mnie napastować. Dlatego przyzwoite dziewczyny w moim wieku bardzo mnie lubiły. Gdy szły ze mną, nic im nie mogło się stać. Mniej porządne dziewczyny unikały mnie, bo w mojej obecności nie zawierały znajomości z mężczyznami.

Czułam, że moja agresywność mnie chroni. Jednocześnie przeszkadzała mi poznawać sympatycznych ludzi. Wszyscy się mnie bali. Prawie wszyscy.

Kiedyś – miałam wtedy trzynaście lat – zaatakował mnie jakiś mężczyzna na plaży. Była dziesiąta rano, siedziałam i czytałam podręcznik. Mężczyzna stanął przede mną.

– Co tutaj robisz?

– Uczę się.

– Ach, to nazywasz nauką? Ty mała zdziro.

Był agresywny. W ręce miał plastikową torbę. Gdy ją odstawił, byłam przygotowana, że wyjmie nóż i potnie mi twarz. Moje myśli galopowały. Nie bałam się śmierci, tylko upokorzenia.

– Idź przodem za wydmy – powiedział – nie odwracaj się. Będę szedł za tobą.

Jego twarz była spalona słońcem, pokryta bliznami od noża. Górną wargę miał spuchniętą, tułów nagi, oczy czerwone. Był pijany.

– Jestem uczennicą – powiedziałam – zostaw mnie w spokoju.

Turyści przechodzili wolno obok nas. Widziałam po ich oczach, że zauważyli, w jakim znalazłam się niebezpieczeństwie. Ale widziałam też ich strach. Nikt nie był gotów mi pomóc.

– Wydaje mi się, że pochodzisz z dobrej rodziny – powiedziałam. – Naprawdę chcesz zgrzeszyć przeciwko małej dziewczynce?

Mężczyzna zaczął kląć:

– Przestań trajkotać. Idź za wydmę albo cię załatwię.

Wiedziałam, że nie zdołam uciec, jeśli nie zostawię książek. Tego jednak w żadnym razie nie chciałam. Podręczniki były moją przyszłością. Muszę się uczyć, dużo uczyć, żeby się wyrwać z mojej nieszczęsnej sytuacji.

Dalej mówiłam do mężczyzny. Mój głos był spokojny, chociaż serce mi drżało. Tego nauczyłam się w domu: nie okazywać żadnych uczuć i żadnego strachu. Nigdy.

W końcu mężczyzna ustąpił.

– Teraz się odwrócę i będę patrzył na morze. Jeśli nadal tu będziesz, gdy znowu popatrzę na miejsce, w którym teraz siedzisz, będziesz należała do mnie.

Mężczyzna się odwrócił. Krew w uszach szumiała mi głośniej niż kipiel. Chwyciłam książki i biegłam najszybciej, jak mogłam. Jak najdalej. Do domu. Do bezpieczeństwa. Ani razu się nie obejrzałam.

Nigdy więcej nie zobaczyłam tego człowieka.

Później, w college'u, często wagarowałam i zamiast na lekcje szłam nad morze. Moja mądra siostra Rabi'a miała brulion zapisany wierszami, krótkimi opowiadaniami i myślami – po francusku i arabsku. Brałam tę książkę z sobą i niemal ją pochłaniałam. Teksty Rabi'i były bardzo skomplikowane, nasze trudne życie opisywały w symbolicznych obrazach, które tylko my rozumieliśmy, ale nasi kuzyni i kuzynki już nie. Czytanie o moim losie w literackiej formie, jakby był to los kogoś obcego, uspokajało mnie. Był mi bliski, bo go przeżywałam. Ale w wierszach i opowiadaniach Rabi'i oddalał się z mojej duszy i pozostawał już tylko w moich myślach. Czytałam o nim jak o losie jakiejś obcej rodziny.

Niestety, książka ta zaginęła. Pamiętam jeszcze tylko początek wiersza o naszej siostrze Dżamili:

Je t'aime si fort
car tu es ma soeur
tu m'a quittée
comme tu as blessé mon coeur...

[Kocham cię tak bardzo
Bo jesteś moją siostrą
Lecz odeszłaś ode mnie
Jakżeś zranione, me serce...]

Dżamila odeszła od nas, gdy miała siedemnaście lat. Ciotka Zajna zarzucała jej, że chce uwieść stryja Hasana. Było to śmieszne. Ale Dżamila przez całą dobę była pilnowana i napastowana przez ciotkę i kuzynów. Dlatego pogorszyła się jej astma. Czasami Dżamila w ogóle nie mogła oddychać i padała zemdlona na podłogę.

Pewnego wieczoru wcisnęła mi do ręki zawiniątko ze swoimi rzeczami.

– Uciekam – powiedziała – rzuć mi tobołek z dachu.

– Dokąd pójdziesz? – wyszeptałam przestraszona.

– Na wieś, do Asji i Wafy.

– Nie zostawiaj mnie samej, siostro – błagałam.

– Już dłużej nie mogę – powiedziała Dżamila – musisz mnie zrozumieć, jesteś dużą dziewczynką. Widzisz, jak kuzyni mnie napastują. Ciotka próbuje rzucić na mnie urok. Stryj codziennie mnie bije. Myślę, że on mnie nienawidzi.

– Już nigdy cię nie zobaczę? – zapytałam.

– Może tak. A może nie – odpowiedziała Dżamila. – *In sza Allah*.

Potem zawołała do ciotki Zajny:

– Idę na chwilę do sklepu.

Ciotka przyszła na podwórze. Dżamila miała na sobie nocną koszulę.

– Zarzuć coś na siebie! – rozkazała ciotka.

Dżamila wymknęła się z domu. Zrzuciłam jej z dachu tobołek.

– Spotkajmy się w lasku – wyszeptała.

Tam mnie objęła – po raz ostatni na wiele lat – i znikła.

Na wsi niechętnie ją przyjęto. Była pyskata i nosiła prowokująco obcisłe miastowe ubrania, podkreślające jej duży biust i jędrny tyłek.

Babka była oburzona, ciotka zrozpaczona. Chciały odesłać Dżamilę z powrotem do miasta. Ale moja siostra nawet nie chciała o tym słyszeć. Szukała mężczyzny, który chciałby się z nią ożenić i stworzyć jej własny dom. Po trzech miesiącach znalazła. Pierwszy, który zrobił do niej słodkie oczy, został jej mężem. Urodziła syna.

Dzisiaj oczywiście już nie są razem.

Ja nadal spędzałam czas nad Atlantykiem. Gdy miałam piętnaście lat, poszłam na bezalkoholowe plażowe przyjęcie dla nastolatków; chłopcy musieli zapłacić za wstęp, natomiast dziewczyny nie.

Właściwie te przyjęcia były dozwolone dopiero od lat osiemnastu, ale udało mi się przeszmuglować. Chciałam potańczyć.

W następnym tygodniu po przyjęciu podszedł do mnie na plaży jakiś chłopiec.

– Pamiętasz mnie? – zapytał.

– Nie, skąd? – odparłam.

– Widziałem cię w weekend na przyjęciu dla nastolatków.

– Ja ciebie nie – odpowiedziałam.

Muhsin miał już dwadzieścia lat, ale był bardzo mały. Kiedy tak stał przede mną, wydawał mi się słodki. Miał bardzo krótkie, kręcone włosy i wygolony kark. Loczki miał usztywnione żelem. Jego skóra była ciemna, oczy jasne. Muhsin nie był Berberem, tylko Arabem.

Trochę porozmawialiśmy i wkrótce się okazało, że coś nas łączy: uwielbienie dla egipskiego piosenkarza Abd al--Halima Hafiza (1929–1977).

Zaczęłam śpiewać jedną z moich ulubionych piosenek Hafiza: *Risalat min taht al-ma* (List spod wody):

Jeśli naprawdę mnie kochasz,
pomóż mi uciec od ciebie.
A jeśli chcesz mnie wyleczyć,
wylecz mnie z siebie.

Gdybym wiedział,
jak niebezpieczna jest miłość,
nigdy bym się nie zakochał.

Gdybym wiedział,
jak głębokie jest morze,
nie zbliżałbym się do niego.

Gdybym wiedział,
jaki będzie koniec,
nigdy bym nie zaczynał.

Potem Muhsin przyłączył się do refrenu:

Nie mam siły
oddychać w wodzie.
Dlatego utonę.
Utonę,
utonę, utonę.

Śpiewaliśmy razem i rozmawialiśmy, chowaliśmy się za wydmami, bo kuzyni mnie śledzili. Nie pozwalałam się Muhsinowi całować. Bałam się zostać taka jak moje kuzynki.

Zdesperowany Muhsin pisał do mnie pocztówki, które kupował w kiosku i wysyłał listem poleconym. Na kartkach były wydrukowane kiczowate czerwone serca, a poniżej widniało napisane jego ręką „Ouardo, tęsknię za Tobą".

Listy polecone rzadko przychodziły na naszą ulicę, więc gdy posłaniec kazał mnie szukać, żebym pokwitowała przesyłkę, cała ulica była na nogach. Kuzynki wyśmiewały się ze mnie, kuzyni grozili, że wytropią natarczywego wielbiciela i przetrzepią mu skórę, ale stryj Hasan śmiał się dobrodusznie. Mnie ze zdenerwowania serce waliło jak młotem.

A jednak z naszej miłości nic nie wyszło. Po roku Muhsin miał dość mojej powściągliwości. Znalazł sobie dziewczynę do całowania i przestał przysyłać mi pocztówki.

Był to dla mnie cios. Byłam wprawdzie przyzwyczajona do rozstań. Opuściła mnie matka, ojciec i połowa mojego rodzeństwa też mnie opuścili. Teraz jednak opuściła mnie nowa miłość.

Łzy mi napływały do oczu. Całymi miesiącami szukałam Muhsina na plaży, ale więcej się nie pokazał. Miał romans z Sa'idą, dziewczyną, która za sto dirhamów pokazywała białe nogi.

Płacząc, weszłam do morza. Wypłynęłam daleko, za linię kipieli. Gdy wróciłam na plażę, woda już zmyła łzy po utraconej miłości.

Wieś u podnóża gór

Latem 2003 roku moja siostra Asja w wieku dwudziestu sześciu lat wyszła za mąż za swojego przyjaciela, Sa'ida.

Asja prowadzi w Agadirze szkołę języków obcych. Z domu wychodzi w chuście na głowie. Ma to przyczyny religijne, ale służy przede wszystkim ochronie. Kobiety, które nie noszą chust na głowie, są uważane w niektórych okolicach miasta za łatwe dziewczyny, które zawsze można napastować.

Sa'id, starszy od niej o rok, z zawodu jest kucharzem, lecz pracuje jako konduktor w zakładach komunikacyjnych Zetrap, a w czasie wolnym gra w zespole folklorystycznym. Pochodzi z biednej, ale przyzwoitej rodziny. Jego ojciec wcześnie umarł, a matka sama wychowała trzech synów.

Na wesele zaproszono czterystu gości. Pannę młodą, z dłońmi i stopami pomalowanymi henną, niesiono w lektyce przez Agadir. Pan młody jechał konno ulicami i strzelał z zabytkowej strzelby w powietrze. Młodzi Berberowie witali gości mlekiem i daktylami, tradycyjnym poczęstunkiem powitalnym. Muzykanci grali, kucharze podawali najpyszniejsze potrawy kraju – uroczystości trwały trzy dni.

Młoda para przeniosła się do romantycznego hotelu w dzielnicy Ben Sergao. Oczywiście aż do nocy poślubnej moja siostra była dziewicą. Goście nie mogli tego jednak sprawdzić, bo Asja i Sa'id nie chcieli publicznie pokazywać skrwawionego prześcieradła po nocy poślubnej.

– Nie żyjemy przecież w średniowieczu – uznała Asja.

Jednak nie wszyscy nowożeńcy są tacy. Pamiętam ślub u naszych sąsiadów w Agadirze. Uroczystość odbyła się w dużym namiocie na ulicy i trwała do następnego rana. Wtedy młoda para przeszła do jednego z pokojów w sąsiednim domu. Goście czekali na prześcieradło. Minęła jedna godzina, potem dwie. Po trzech godzinach otworzyły się drzwi domu. Ale nie wyszła z nich matka panny młodej z prześcieradłem na tacy, aby z nią przetańczyć pośród zgromadzonych gości, lecz pan młody.

Nie miał ze sobą prześcieradła i klął:

– Co za oszustwo, nabrali nas. Dziewczyna wcale nie była dziewicą. Podsunęli mi towar z drugiej ręki. Niech was Allah pokarze.

Z wściekłością zatrzasnął drzwi, zebrał wokół siebie swoją rodzinę i odszedł. Na ulicy zapanowało kłopotliwe milczenie. Goście weselni chyłkiem się wynosili jeden po drugim. Taki skandal to niedobry znak. Rodzina panny młodej zamknęła się w domu. Dziewczyna całymi tygodniami nie odważyła się wyjść na ulicę. Także później widywałam ją tylko, jak ze spuszczoną głową przemykała się do sklepu *si* Husajna.

Powiadano potem na ulicy, że dziewczyna z całą pewnością była dziewicą, tylko pan młody okazał się durniem, który nie potrafił spełnić swojego obowiązku w noc poślubną. Ale niewielka skaza pozostała jednak na opinii sąsiadów.

Święto Asji w Agadirze było końcowym aktem trwających prawie dwanaście miesięcy uroczystości z okazji zaślubin. Rozmiary całej sprawy uważałam za trochę przesadne, przede wszystkim dlatego, że raz po raz musiałam latać z Niemiec do Maroka, żeby uczestniczyć w tych uroczystościach. Z drugiej strony potrafiłam zrozumieć, że Asja odczuwała potrzebę zademonstrowania swojego szczęścia i szacunku społecznego.

Nazwisko Saillo jeszcze dzisiaj kojarzy się w Agadirze z okrutną śmiercią mojej matki. Jesteśmy dziećmi mordercy, niemal wszyscy znają nasz los i jakoś na niego reagują. Sądzę, że Asja usiłowała zrehabilitować nazwisko Saillo przez wielkie uroczystości weselne. Chciała chyba powiedzieć: uwaga, ludzie, byliśmy z tego społeczeństwa wyrzuceni, ale teraz wróciliśmy.

Zaczęło się rok wcześniej od małego przyjęcia w Ikrirarze, wiosce sąsiadującej z Ad-Dirhem, w której Asja wyrastała pod opieką naszej ciotki Chadidży. W glinianym domu *chalati* Chadidży spotkały się kobiety i dzieci ze wsi, mężczyźni musieli zostać na zewnątrz. Na zakończenie była fanta, coca-cola i *pommes* – napój z soku jabłkowego, uważany na wsi za wytworny.

W drodze do Ikriraru zjechaliśmy z asfaltowej szosy na szlak, z którego korzystał już monsieur „Autobus", gdy wiózł moją matkę z powrotem do ojczystej wioski, gdzie miałam przyjść na świat.

Od tamtej pory nic się w Ad-Dirhu i Ikrirarze nie zmieniło, tyle że teraz biegła linia wysokiego napięcia przez górę i zaopatrywała wioski u podnóża Antyatlasu w prąd.

Chalati Chadidża mogła już chłodzić butelki *pommes* w lodówce, a po zachodzie słońca zapalać światło elektryczne na pobielonym dziedzińcu. Wodę jednak tak jak dawniej czerpała z cysterny, a nim zapadł zmrok, biegła jeszcze szybko na drugie podwórko, żeby oporządzić osła i obie owce.

Przypomniałam sobie beztroskie tygodnie, jakie tu spędziłam, będąc dzieckiem. Podczas letnich wakacji stryj Hasan wysyłał nas zwykle na wieś. Rabi'a, Dżamila i ja pakowałyśmy torby i wsiadałyśmy do autobusu. Tylko Dżabir i Muna nie mogli z nami jechać – ojciec nie chciał, żeby jego najstarsza córka i jedyny syn mieli kontakt z rodziną mojej matki. Muna była córką innej kobiety, a Dżabir miał przypuszczalnie przenieść w przyszłość nieskażone dziedzictwo genetyczne mojego ojca.

Cieszyłam się, że zobaczę Asję i Wafę, które wychowywały się tutaj u mojej ciotki i z którymi przez cały rok nie miałam kontaktu. Ale wkrótce się okazało, że wcale nie było łatwo dojść z nimi do ładu. Asja i Wafa mówiły nagle w *taszilhajt*, języku mojego plemienia, a my dopiero musiałyśmy się go uczyć od nowa.

Obie poruszały się całkiem pewnie w tym obcym otoczeniu, w którym były rośliny o niebezpiecznych kolcach, roje szarańczy i jadowite węże, napawające mnie lękiem.

Przez pierwsze dni zawsze niedobrze się tam czułam, dopóki nie przywykłam do innych warunków. Babka dawała mi poczucie bezpieczeństwa. Nocą spałam obok niej w łóżku, przytulałam się do jej ciała, które pachniało jednocześnie tak obco i tak znajomo. Babka drapała mnie po głowie, dopóki nie usnęłam, a kiedy rano przed wschodem słońca wstawała z łóżka, by odmówić swoje modlitwy i o chłodzie poranka rozpocząć pracę w polu, od razu się budziłam i nie odstępowałam jej ani na krok.

– Dziecko – mówiła babka – jest jeszcze ciemno, zostań w łóżku.

– Nie – wołałam – chcę iść z tobą!

Babka wszystkie ciężary nosiła na głowie, co potrafią dzisiaj jeszcze tylko stare kobiety. Chodziła sztywno wyprostowana, a ja uważałam, że wygląda jak królowa. Na polu pieliła i zbierała świeże owoce. Potem szybko wracała do domu i gotowała pożywną zupę kukurydzianą na śniadanie. Jedliśmy na podwórzu.

Lubiłam ją wąchać, kiedy wracała z pola. Jej skóra pachniała kwaśno jak mleko po upalnym dniu. A najpiękniej było wtedy, gdy zdejmowała chustkę i rozpuszczała włosy. Miała długie barwione henną włosy, mieniące się wieloma odcieniami.

Po śniadaniu karmiła kury, owce, kozy i osła. Gdy słońce stawało w zenicie i robiło się za gorąco, żeby pracować, kobiety z dziesięciu rodzin mieszkających we wsi zbierały się, gotowały herbatę, siadały razem w cieniu i opowiadały sobie podniecające i banalne historyjki dnia powszedniego.

Potem śpiewałyśmy stare piosenki naszego plemienia, niektóre kobiety wyjmowały proste instrumenty i podawały takt, do którego dziewczęta tańczyły.

Uczestniczyłyśmy w tych spotkaniach, jakby to było całkiem oczywiste, a ja rozkoszowałam się przynależnością do tej wielkiej, pokojowej wspólnoty wiejskiej. My, dziewczyny, gotowałyśmy herbatę tak jak dorosłe, a w sezonie zbierania orzechów arganowych organizowałyśmy zawody, kto zerwie najwięcej tych twardych owoców.

Siedziałyśmy po turecku, mając przed sobą płaskie, oszlifowane kamienie, na których kładło się wysuszone na słońcu orzechy. Potem rozbijałyśmy skorupkę spiczastym kamieniem. Tylko wtedy, gdy trafiło się kamieniem w bardzo określone miejsce na skorupce, można było wydobyć cenne nasiona.

Babka argusowym okiem patrzyła, żebyśmy nie uszkadzały nasion. Bo to właśnie one zawierają cenny olejek arganowy, służący nie tylko jako środek spożywczy, lecz także używany przez szarify jako silne lekarstwo na wiele chorób i ułomności.

Najciekawsze były przygody z Dżamilą. Była najbardziej nieposkromiona ze wszystkich dziewcząt i niczego się nie bała. Razem z nią wspinałyśmy się na skały za wsią.

Kiedy chodziłyśmy po polach, nosiłyśmy ze sobą długie badyle trzciny cukrowej rozszczepione u góry i zaopatrzone w linę. Tymi badylami można było jak obcęgami ściągać słodkie figi opuncji z kolczastych krzewów, niedostępne gołą ręką.

Dżamila użyła kiedyś tego badyla, żeby złapać węża, którego znalazłyśmy w źródle na polu. Uwielbiałam oglądać swoją twarz w źródlanej wodzie. Było to tak, jakbym miała siostrę bliźniaczkę, która uśmiechała się do mnie z niepokojącej głębiny. Tego dnia, gdy nachyliłam się nad źródłem, nie zobaczyłam jednak siebie, tylko wstrętnego gada.

– Dżamilo – krzyknęłam – tu jest coś obrzydliwego!

Dżamila podeszła do sprawy ze spokojem.

– To wąż – powiedziała. – Wyciągnę go.

– Nie rób tego, proszę – zawołałam. – To przecież niebezpieczne.

Jeszcze dzisiaj boję się żmij. Nie mogę na nie patrzeć nawet w telewizji.

– Dam radę – powiedziała Dżamila, a jej szeroka twarz zarumieniła się, ogarnięta łowiecką gorączką.

Pochyliłyśmy się nad brzegiem źródła i przyglądałyśmy się zafascynowane, jak Dżamila cęgami do fig celuje w węża. Gad zasyczał ze złością. Trzy razy udało mu się uwolnić. Ale potem jego długie cielsko utknęło.

Dżamila triumfalnie wyciągnęła węża na słońce. Wąż wił się, zaciśnięty pętlą. Widziałam jego rozwidlony język i zimne oczy. Z krzykiem się rozbiegłyśmy, gdy moja siostra zaczęła wywijać nad głową badylem z wężem.

– Chcę, żeby mu się zakręciło we łbie! – krzyczała Dżamila. – Widzicie? A jak się mu zakręci, to będziemy po nim deptać, aż zdechnie.

– Wrzuć go natychmiast z powrotem do źródła – wrzeszczałam w panice – albo powiem babci.

– Tchórz – zawołała Dżamila – pokonam węża! Tylko patrzcie.

Z bezpiecznej odległości przyglądałyśmy się walce Dżamili z wężem. Mojej siostrze rzeczywiście udało się ogłuszyć zwierzę. Na koniec wąż leżał na ziemi, a Dżamila skakała po nim w zielonych gumowych kaloszkach. Już dawno się przestał ruszać, gdy również inne dziewczynki podeszły bliżej i kopały martwego węża. Tylko ja się nie odważyłam go kopnąć. Za bardzo się bałam.

Wieczorem babka na nas nakrzyczała.

– Węże mogą zabić człowieka – powiedziała. – Nigdy więcej tak nie róbcie, bo nie wypuszczę was samych na pola.

Uważałam się za bojowniczkę zwalczającą skorpiony. Pod domem mojej ciotki stała betonowa kadź, w której się zbierało deszczówkę. Ale deszcz padał tak rzadko, że kadź najczęściej stała pusta. A wtedy zbierały się w niej żuki i skorpiony. Były czarne skorpiony, które wyrastały na stosunkowo duże, i małe czerwone, które były ogromnie jadowite. Nachylałam się nad kadzią i kijem rozgniatałam jadowite zwierzęta. Czułam się, jakbym ratowała nasz spokój nocą. Każdy martwy skorpion to o jedno niebezpieczeństwo mniej, co pozwalało mi nieco spokojniej spać.

Na wsi dnie przepływały beztrosko obok mnie. Czułam się silna, zdrowa i czysta. Było dość jedzenia, przebywałyśmy na świeżym powietrzu, babka codziennie namydlała mnie ostrym szarym mydłem, które kupowała na targu w Tiznicie. Były szczotki i pasta do zębów, tak że moja szczęka połyskiwała bielą, gdy się nachylałam, żeby obejrzeć swoje odbicie w wodzie. Raz w tygodniu babka paliła suchymi gałęźmi w hammamie na drugim dziedzińcu, a my pociłyśmy się na leżąco, bo pomieszczenie było tak niskie, że nie można tam było siedzieć. Jak bochenki chleba w piecu leżałyśmy płasko obok siebie, a kiedy skóra rozgotowywała się nam na miękko od gorącej pary, babka szorowała nas szorstką rękawicą.

Na kilka dni przed początkiem roku szkolnego babka zabierała się do pakowania naszych rzeczy i zawiązywania tobołków. Zaczynałam odczuwać ból pożegnania, który punkt kulminacyjny osiągał wtedy, gdy monsieur „Autobus" pojawiał się swoim starym samochodem w chmurze pyłu na szlaku do Ikriraru i Ad-Dirhu.

Siadałyśmy na stopniach przed domem babki i walczyłyśmy z płaczem. Cała wieś przychodziła się pożegnać.

A potem siedziałyśmy w autobusie i patrzyłyśmy przez tylną szybę: wieś robiła się coraz mniejsza, aż w końcu wcale nie było jej widać.

Lato minęło. Przed nami była jesień ze stryjem Hasanem, ciotką Zajną i zwykłą biedą, o której w ciągu tych tygodni na wsi prawie już zapomniałyśmy.

Pięść stryja

Stryj Hasan stawał się coraz brutalniejszy. Jeśli można powiedzieć o nim coś dobrego, to to, że był sprawiedliwy: bił swoje dzieci tak samo jak nas. Nad Mustafą, swoim pasierbem, znęcał się jednak szczególnie. *Ammi* Hasan wieszał go nawet za stopy na haku w ścianie, aż Mustafie twarz nabiegała krwią, i bił go gumowym wężem albo paskiem klinowym od samochodu.

Jeśli stryj Hasan był w złym humorze, lepiej było schodzić mu z drogi. Przedtem już złamał mi nos, ale tak naprawdę skatował mnie dopiero wtedy, gdy zgubiłam okulary kuzynki Fatimy.

Fatima miała zmiany na skórze, które latem się zmniejszały, a zimą tak nasilały, że obejmowały nawet twarz. Myślę, że to była świerzbiączka ogniskowa. Aby ukryć liszaje, Fatima nosiła ogromne okulary przeciwsłoneczne, które kupił jej stryj.

Oczywiście ja też chciałam wypróbować te eleganckie okulary. Pożyczyłam je sobie i chodziłam w tę i z powrotem po głównej ulicy, zadając szyku. Osiągnęłam cel.

Jeden z bardziej interesujących chłopców zatrzymał się przy mnie na swoim motorowerze i powiedział:

– Hej, Ouardo, fajnie wyglądasz w tych okularach.

Uśmiechnęłam się, zadowolona z pochlebstwa.

– Mogę przymierzyć?

Zawahałam się, w końcu okulary nie były moje. Ale nie chciałam wyjść na cykora. Powiedziałam więc:

– Jasne.

Chłopak chwycił okulary, włożył je – i dał gazu.

– Hej, idioto... – wołałam za nim. Ale już skręcił za rogiem – i nie wrócił.

Wieczorem Fatima zauważyła brak okularów.

– Ouarda – zapytała – to znowu twoja sprawka?

Skinęłam głową.

– Oddawaj!

– Już ich nie mam. Pożyczyłam.

Nie była to właściwa odpowiedź. Fatima całkiem się wściekła i chciała rozdrapać mi twarz. Zaalarmowany stryj wyciągnął pasek ze spodni. Z całą pewnością tego wieczoru nie był w dobrym humorze. O nic nie pytał, tylko od razu zaczął bić. Kiedy skończył, wytarłam sobie krew z kącików ust.

Stryj Hasan patrzył bez współczucia.

– Jeśli jutro okularów nie będzie, zatłukę cię na śmierć.

Poszłam do rodziców chłopaka.

– Proszę was – powiedziałam – muszę mieć te okulary.

Zobaczyli pręgi i wiedzieli, co się stało. Stryj Hasan znany był z bijatyk. W ulicznych bójkach, w które się często wplątywał, wypracował sobie skuteczną technikę zadawania bólu.

Jego ręce były twarde jak stal, gdy trafiały mnie w twarz. Nigdy nie bił miękką, wewnętrzną stroną, tylko twardym grzbietem dłoni. Jeśli nic nie mówiłam, wpadał w jeszcze większą złość, tłukł moją głową o ścianę i kopał mnie w brzuch. Jeśli płakałam, jego agresywność z wolna malała, aż w końcu przestawał. Mimo to prawie zawsze byłam zbyt dumna, żeby płakać.

– Tak, mamy te okulary – powiedzieli. – Ale nasz syn stłukł, niestety, szkła. Oprawka jest u optyka. Odbierzemy okulary dopiero pojutrze.

To była zła wiadomość. Będę bita dzień w dzień, dopóki nie odzyskam tych przeklętych okularów. Co rano będę się budziła ze strachem, że wieczorem zostanę pobita do bólu, upokorzona, będę chodzić spać z krwawiącymi ranami, a do szkoły – z podbitym okiem.

Poszłam do domu. Stryj Hasan już czekał.

– Gdzie okulary?

– Dostanę je dopiero...

Zanim zdążyłam powiedzieć zdanie do końca, jego pięść wylądowała na mojej twarzy. Tego wieczoru stryj bił mnie kablem. Najpierw zacisnęłam zęby, żeby nawet nie pisnąć, gdy z ohydnym odgłosem pękała mi skóra. Nie chciałam jęczeniem sprawić satysfakcji gapiącym się kuzynom. Potem jednak postanowiłam skrócić tortury i zemdlałam.

To był chwyt kuzynki Habiby. Gdy dostawała lanie, od razu wywracała oczy i osuwała się na ziemię. Tylko raz się jej nie udało. Była tego dnia u fryzjera i łaziła po mieście wyfiokowana, z gładkimi, wyprostowanymi włosami. Stryj Hasan już na nią czekał, bo miał już po dziurki w nosie, że stale lekceważyła godzinę policyjną, którą sam osobiście wyznaczył na ósmą wieczór. Ledwo Habiba o jedenastej stanęła w drzwiach domu, wymierzył jej pierwszy cios. Od razu teatralnie zemdlała, a przestraszony stryj pobiegł do toalety po wiaderko wody. Habiba obserwowała go jednym okiem. Znalazła się między młotem a kowadłem. Albo musi się przyznać, że tylko udawała zemdlenie, i zaryzykować porządne lanie – albo nowa, gładka fryzura zostanie zniszczona.

Habiba zdecydowała się na lanie.

– Nie, tato – zawołała – tylko nie wodą!

Ale stryj Hasan rozegrał tę grę według własnych reguł. Przez chwilę się zawahał, po czym wylał jej wodę na głowę.

– Myślę, że cię to o wiele bardziej zaboli – zaśmiał się szyderczo.

Tak tanim kosztem rzadko udawało mi się wykręcić. Przez trzy wieczory byłam bita, aż chłopak na motorowerze przywiózł naprawione okulary. Ale nawet wtedy dostałam jeszcze lanie, bo nowe szkła były podobno cieńsze niż potłuczone oryginalne.

Pod względem brutalności ciotka Zajna wcale stryjowi Hasanowi nie ustępowała. Dwa razy udało jej się zbić mnie do utraty przytomności. Pierwszy raz, kiedy chodziłam jeszcze do podstawówki. Ciotka tak tłukła mnie po głowie podkutym obcasem swojego sandała, że straciłam przytomność. Poszło o to, że odważyłam się zjeść kawałek chleba, który upiekła nie dla nas wszystkich, tylko dla swoich dzieci.

Gdy oprzytomniałam, byłam zupełnie mokra, bo ciotka Zajna oblała mnie wodą. Ciotka siedziała obok mnie na poduszce.

– A teraz podejdziesz do mnie, pocałujesz mnie w czoło i przeprosisz za złe zachowanie.

Nie chciałam przepraszać, a tym bardziej jej pocałować. Byłam jednak tak zrozpaczona, że zrobiłam jedno i drugie. Jeszcze dzisiaj, gdy o tym myślę, bardziej jestem zła z powodu tego upokorzenia niż bicia.

Drugi raz, gdy pomyliłam się przy zakupach. Zamiast papryki przyniosłam mielony kminek. Ciotka tak się rozzłościła, że jak zwykle rozdrapała mi spiczastymi paznokciami twarz, a potem wbiła mi szpony we wrażliwą, wewnętrzną stronę ud, a na koniec tak uderzyła mnie wałkiem w kark, że straciłam przytomność.

Moje starsze siostry, Rabi'a i Dżamila, usiłowały nas chronić, same jednak były ofiarami sytuacji.

Rabi'ę rzadziej atakowano fizycznie, bo była taka mądra i postępowała dyplomatycznie. Jeden z kuzynów mocno ją jednak okaleczył. Włożył łyżkę w węgiel drzewny, na którym Rabi'a gotowała tradycyjny tadżin, a potem przycisnął ją jej do twarzy, tak że skóra i ciało spaliły się z sykiem. Nigdy przedtem i nigdy potem nie słyszałam tak rozdzierających krzyków Rabi'i. Blizna została jej do dzisiaj.

Dżamila była narażona zwłaszcza na próby zbliżenia ze strony stryja Hasana. Pracowała razem z nim w warsztacie i nie miała żadnych szans, żeby umknąć jego pożądliwym spojrzeniom i obłapianiom, gdy jej ciało w okresie dojrzewania zaczęło nabierać kobiecych kształtów.

Kiedy ciotka Zajna ją oskarżała, że robi do stryja słodkie oczy, nie odważała się powiedzieć, jak jest naprawdę. Brudną tajemnicę zachowywała dla siebie. W końcu jednak napaści stryja stały się tak gwałtowne, że zwierzyła się Rabi'i. Miała wtedy piętnaście lat.

Wszyscy zauważyliśmy, że stryj Hasan szczególnie serdecznie całował Dżamilę na powitanie i pożegnanie. Ale niczego sobie przy tym nie myśleliśmy. Dżamila jednak uważała to za obrzydliwe. Naradziła się z Rabi'ą i obie poinformowały listownie ojca o tym, co się dzieje w jego dawnym domu.

Rabi'a utrzymywała najściślejsze kontakty z ojcem. Gdy miała czternaście lat, sama zaangażowała nawet adwokata, który miał go wyciągnąć z więzienia. Próba zakończyła się niepowodzeniem. Rabi'a regularnie pisywała do niego listy, co jednak wyszło na jaw dopiero wtedy, gdy ojciec umarł i mój brat Dżabir przeglądał jego spuściznę. Nie wszystkie listy widziałam, bo Dżamila podarła kilka z nich, które jej dotyczyły.

Ojciec bardzo się zdenerwował, złożył na własnego brata doniesienie do władz oraz wniosek, by usunięto Hasana z domu naszej rodziny i zabroniono mu kontaktowania się z nami.

Jako więzień nie stanowił dla nas jednak szczególnie mocnej ochrony. Pasza, wysoki urzędnik sądowy, któremu powierzono sprawę, wezwał jednak wszystkich zainteresowanych.

Stryj Hasan wpadł w prawdziwą panikę, gdy otrzymał wezwanie. Oczyma duszy widział swoje życie w gruzach, bo bez nas straciłby dom, w którym teraz mieszkał. Zostałby bezdomny, a jego reputacja byłaby ostatecznie zrujnowana.

Nie spodziewał się, że Dżamila i Rabi'a zdobędą się na odwagę, by się bronić przeciwko ciągłemu maltretowaniu i molestowaniu. Dwie niepełnoletnie dziewczyny, które się ośmieliły wystąpić przeciwko dorosłemu mężczyźnie! Jak na stosunki marokańskie było to nadzwyczajne. Wszyscy wiedzieli, jak jesteśmy traktowani: sąsiedzi, nasi krewni, przypuszczalnie również władze. Ale tak jak wtedy, gdy razem z matką przeżywaliśmy mękę z powodu naszego ojca, również teraz nikt nie interweniował. Litowano się nad nami, owszem, od czasu do czasu ktoś nam wetknął parę dirhamów albo bagietkę z masłem – ale pomóc nie chciał nam nikt.

Podziwiałam Rabi'ę za jej odwagę. I wyobrażałam sobie, jak zmieni się nasze życie, gdy pozbędziemy się w końcu stryja, ciotki i ich dzieci. Cały dom tylko dla nas! Rabi'a – mądra głowa rodziny, Dżamila – wulkan energii, Muna – wolna od swoich lęków, a my, młodsze – wolne od prześladowań! Oczywiście sprowadzimy Wafę i Asję! Rodzina znowu będzie razem! Moje nadzieje okazały się jednak mrzonką...

Ojciec i moje siostry postanowili nie wspominać o molestowaniu seksualnym. W naszym społeczeństwie taki zarzut często odbija się rykoszetem na ofiarach. Na koniec, jak pisał ojciec z więzienia, Rabi'a i Dżamila wyszłyby na ladacznice, których stryjowi nie udało się wychować mimo wszelkich zabiegów pedagogicznych, podejmowanych w dobrych intencjach.

Mimo wszystko stryj Hasan bał się, gdy wreszcie stanęliśmy przed paszą. Z wyjątkiem najmłodszych wezwano nas wszystkich: Munę, Rabi'ę, Dżamilę, Dżabira i mnie.

Muna nie stanęła po naszej stronie. Ze strachu przed utratą wszystkiego broniła stryja. Była człowiekiem bardzo spragnionym harmonii i bała się własnego cienia. Nawet gdy znajdowała się całkiem sama na ulicy, szła zawsze tak, jakby jej coś groziło. Poza tym wiedziała, że nie jest jedną z nas, ponieważ była adoptowanym dzieckiem z pierwszego małżeństwa mojego ojca. A matka bynajmniej nie traktowała jej dobrze. My natomiast akceptowaliśmy ją w pełni jako siostrę. Kochałam ją i do dzisiaj czuję do niej ogromną sympatię, choć prawie się nie kontaktujemy.

Byłam gotowa powiedzieć paszy jasno i wyraźnie, że nie chcę już mieszkać razem z rodziną mojego stryja. Mimo że miałam dopiero jedenaście lat, było dla mnie oczywiste, że muszę walczyć o naszą wolność. Sama ze sobą zawarłam układ: jeżeli nie uda się nam teraz wyrzucić stryja i ciotki z domu ojca, załatwię to, gdy tylko skończę osiemnaście lat – albo się wyprowadzę.

Ale pasza wcale mnie nie wysłuchał. Siedziałam pod salą rozpraw, podczas gdy Dżamila, Rabi'a, stryj, mój dziadek i jego bratanek składali zeznania.

Ammi Hasan argumentował, że dziewcząt w naszym wieku nie można pozostawiać samych, bo potrzebują kierującej dłoni doświadczonego ojca rodziny, jakim on jest.

Pasza chyba uwierzył moim siostrom. Wówczas stryj Hasan wybuchnął płaczem i zapewniał, że kocha nas tak, jak swoje własne dzieci.

Również dziadek był przeciwny, żebyśmy sami za siebie ponosili odpowiedzialność. W jego pokoleniu coś takiego było nie do pomyślenia.

– Takie młode dziewczyny – podawał pod rozwagę – same w dużym mieście pełnym obcokrajowców. Czy nie zejdą na złą drogę?

Pasza w końcu postanowił dać stryjowi Hasanowi ostatnią szansę. Jeśli jeszcze raz da powód do skargi, on sam zadba o to, żeby stryj ze swoją rodziną został eksmitowany z naszego domu.

Przegraliśmy walkę, ale jednak odnieśliśmy jakieś zwycięstwo. Od kiedy Rabi'a i Dżamila pokazały, że są gotowe walczyć o nasze prawa, stryj Hasan się opanował. Prawie już nie ważył się nas bić, a Dżamila była bezpieczna od jego umizgów.

Tylko ciotka Zajna jeszcze się utwierdziła w swojej nienawiści do nas.

Być kobietą

W drugiej klasie przyjaźniłam się z Siham, dziewczynką z zamożnej rodziny. Siham też mieszkała w Nouveau Talborjt, tuż obok sklepu spożywczego na rogu. Jej ojciec był wziętym adwokatem, matka jeździła mercedesem. Rodzina była tak bogata, że posiadała dwa domy połączone ze sobą. Dzieci tam było tylko dwoje, ale miejsca więcej niż dwa razy tyle, ile miała nasza szesnastoosobowa rodzina przy rue el Ghazoua.

Lubiłam chodzić do rodziny Siham. W ich domu było spokojnie, nigdy żadnych kłótni, rzadko padało jakieś głośne słowo. Poza tym mieli telefon. Siham i ja robiłyśmy sobie żarty i wydzwaniałyśmy do obcych ludzi. Po raz pierwszy w życiu miałam w ręce telefon i kręciłam tarczą.

Niepewnie przycisnęłam słuchawkę do ucha i słuchałam zgrzytliwych dźwięków podczas łączenia. Potem nastąpił ciąg piskliwych tonów.

Przestraszona, spojrzałam na Siham:

– Co to jest? – wyszeptałam.

Siham się roześmiała, troszkę zarozumiale.

– Dźwięk dzwonka. To normalne. Tak działa telefon, głuptasku.

Nagle usłyszałam obcy głos w uchu – i natychmiast odłożyłam słuchawkę.

Potem stałam się odważniejsza. Wprawdzie nic nie mówiłam, ale słuchałam, jak ludzie raz po raz wołają „halo" i „kto mówi?". Chichocząc, odkładałam słuchawkę, zanim zdążyli powiedzieć: „Przeklinam twoją matkę". Marokańczycy szybko mówią coś takiego, kiedy są źli. A ja nie chciałam tego usłyszeć.

Jeśli nie chichotałyśmy, to się razem uczyłyśmy. Ojciec Siham mnie lubił, czasami pogłaskał mnie po głowie albo wcisnął kilka dirhamów do ręki, a ja byłam bardzo dumna, że *monsieur l'avocat*, który odnosi takie sukcesy, widocznie mnie ceni.

Siham była o rok młodsza ode mnie, ale trochę wyższa, bo w przeciwieństwie do mnie regularnie jadała do syta. Poza tym grała w tenisa i dzięki sportowi wyrobiła sobie muskularną sylwetkę. Korzystałam na tym, bo czasami dostawałam ubrania, z których Siham wyrosła.

Matka Siham powiedziała córce:

– Ouarda jest biedna. Dlatego oddajemy jej trochę z naszego bogactwa. To jest nasz obowiązek jako muzułmanów. Ale proszę cię, żebyś o tym nie rozpowiadała, bo nie chcemy uwłaczać jej dumie.

Siham przestrzegała tej zasady, a ja nie miałam żadnych oporów przed noszeniem jej starych ubrań.

Pewnego dnia matka Siham dała mi śliczne wdzianko, które sama zrobiła szydełkiem i które promieniało nasyconą barwą czerwonego wina. Następnego dnia ubrałam się w nie do szkoły. Nasza nauczycielka, która była bardzo piękna, od razu zwróciła na nie uwagę. Nauczycielka chodziła z rozpuszczonymi włosami, nosiła buty na obcasach i krótkie dżellaby z rozcięciem. Na imię miała Hiba.

Gdy na początku roku przyszłam do klasy, nie miałam ani książek, ani zeszytów, ani ołówków, nie mówiąc o tornistrze.

Stryj Hasan powiedział:

– W tym roku nie mam dla ciebie pieniędzy. Może w przyszłym.

– Ależ, stryju – powiedziałam – potrzebuję tych rzeczy teraz.

Stryj Hasan nie rozumiał mojego problemu. Był analfabetą, szkoła nie miała dla niego żadnego znaczenia. Nie chciał na nią wydawać swoich skromnych groszy.

Drugiego dnia szkoły nauczycielka podeszła do mnie.

– Jak się nazywasz?

– Saillo, Ouarda.

Nauczycielka się zdumiała.

– Saillo?

– Tak – powiedziałam prawie niedosłyszalnie.

– Która to twoja siostra – Dżamila czy Habiba?

– Dżamila. Habiba to kuzynka.

Nauczycielka się wyprostowała.

– Uczniowie – powiedziała – w naszej klasie są dzieci, które nie mają rodziców ani pieniędzy. Jednym z nich jest Ouarda. – I wskazała na mnie. Chciałam stać się niewidzialna. Ale się nie udało. Wszyscy się na mnie gapili. – Drugim dzieckiem jest Dżu'a. – Wskazała na chłopca, który przychodził do szkoły z sierocińca. Jego imię oznaczało „głód". Teraz wszystkie dzieci patrzyły na Dżu'ę. – Proszę, byście poszły do domu i poprosiły rodziców, żeby podarowali trochę pieniędzy dla Ouardy i Dżu'y, aby i te dzieci mogły sobie kupić przybory szkolne.

Nazajutrz dzieci przyniosły tyle pieniędzy, że nauczycielka mogła kupić Dżu'e i mnie zeszyty, ołówki, książki, a nawet tornistry.

Wieczorem Rabi'a usiadła obok mnie i powiedziała:

– Ouardo, to było miłe ze strony nauczycielki i dzieci.

– Tak – powiedziałam.

– Powinnaś podziękować.

– Ale jak?

Rabi'a zastanawiała się chwilę.

– Napiszemy list. Jutro odczytasz go klasie.

– Nie potrafię.

– Owszem, potrafisz, uwierz mi, przynajmniej to możesz zrobić. Grzeczność wymaga, żeby podziękować.

List wyszedł pięknie. Ale gdy stanęłam przed klasą, trzymając w ręce kartkę, wydawało mi się, że waży tonę. Jąkając się, odczytałam list. Twarz mi płonęła ze zdenerwowania i wstydu. Kiedy skończyłam, dzieci zaczęły klaskać, a nauczycielka Hiba dała mi coś słodkiego z wielkiej cukiernicy, stojącej na jej pulpicie.

Teraz, gdy siedziałam w moim wdzianku w kolorze burgunda w ławce, nauczycielka do mnie podeszła, wzięła dzianinę między palce i powiedziała z podziwem:

– To przepiękna robota, moja kochana. Możesz mi powiedzieć, kto to zrobił?

– Tak, proszę pani – powiedziałam i ściszyłam głos. – To od mamy Siham, ona mi to podarowała. Ale nikt nie może się o tym dowiedzieć. Proszę…

Było za późno. Nauczycielka wyprostowała się, postukała linijką w pulpit, żeby zwrócić na siebie uwagę klasy, z ważną miną stanęła pośrodku i powiedziała:

– Dzieci, posłuchajcie mnie teraz uważnie. Wydarzyło się tutaj coś szlachetnego. Wiecie przecież wszyscy, że jedna z naszych uczennic, Ouarda, jest bardzo biedna?

Uczniowie zaszemrali potakująco.

– A dzisiaj – powiedziała nauczycielka – ma na sobie piękne wdzianko. Nie kupiła go sama. Otrzymała je w darze od dobrego człowieka. A tym człowiekiem jest… – tu pani Hiba zrobiła teatralną pauzę, a ja kątem oka widziałam, jak Siham kuli się w sobie – …nasza uczennica Siham. Brawa dla Siham.

Klasa klaskała, tylko Siham nie poruszyła dłońmi. A ja się trochę wstydziłam.

Przyjaźń z Siham trwała do szóstej klasy. Po piątej klasie Siham poszła do koedukacyjnego college'u, w którym dziewczęta i chłopcy uczyli się razem, natomiast ja poszłam do gimnazjum wyłącznie dla dziewcząt. Mimo to ciągle odwiedzałam Siham w domu.

Pewnego dnia, gdy zastukałam do drzwi rodziny Siham, wyszedł jej ojciec.

– Muszę z tobą porozmawiać, Ouardo – powiedział.

– Tak, *monsieur l'avocat*?

– To, co ci powiem, musi zostać między nami. Siham nie może się dowiedzieć o naszej rozmowie.

– Tak, *monsieur l'avocat* – odparłam. Pomyślałam, że nie będzie to przyjemna rozmowa.

– Powiem ci zupełnie szczerze – stwierdził ojciec Siham, a jego głos nagle zabrzmiał tak, jak sobie wyobrażałam głos adwokata przemawiającego w sądzie. – Nie chcę, żebyś przychodziła do mojej córki. Zerwij kontakty z Siham. Nie jesteście już dziećmi, a Siham będzie prowadziła inne życie niż ty. Nie pasujecie do siebie.

Odebrałam jego słowa jak policzek. Trafiły mnie prosto w serce. Natychmiast zrozumiałam, co ojciec Siham chciał mi powiedzieć: że jestem biedna i bez przyszłości, a więc nie stanowię dobrego towarzystwa dla dziewczyny z wyższych sfer. Chciał mi powiedzieć, że jestem wyrzutkiem. Nie pozostawił mi wątpliwości, że przyjaźń jego córki jest dla mnie łaską, nie prawem. I ta łaska teraz się skończyła.

Poczułam kwaśny smak w gardle i sól łez w oczach.

– Tak, *monsieur l'avocat* – powiedziałam – oczywiście.

Potem odeszłam, nie oglądając się za siebie. Nigdy więcej nie zapukałam do drzwi Siham.

Ze spuszczoną głową powlokłam się do ławki przy ulicy za naszym domem. Zawsze tam siadałam, gdy byłam smutna. Głowę podparłam rękami. Oczyma duszy widziałam siebie jak w lustrze: mała, twarda, ciemna twarz z krótko obciętymi włosami i wielkimi oczami, w których było nieszczęście całego świata.

Zwróciła mi na to uwagę pewna stara kobieta. Zajmowała się czytaniem z ręki na ulicy, przy której mieszkała moja przyjaciółka Karima. Karima była jasną, wesołą dziewczynką z dołkami w policzkach, gdy się śmiała.

Wyciągnęłam rękę:

– A co powiesz mnie, stara kobieto?

Kobieta wzięła moją rękę, ale nie przyglądała się liniom, tylko patrzyła mi w oczy.

– Twoje oczy są pełne nieszczęścia – powiedziała i odepchnęła moją rękę. – Nie mogę ci nic powiedzieć.

Byłam wstrząśnięta, ale nie dałam nic po sobie poznać. Potem przyjrzałam się sobie w zewnętrznym lusterku jakiegoś samochodu. Musiałam się wyginać, żeby zobaczyć swoje oczy. Długo się sobie przypatrywałam. I zrozumiałam: ta stara kobieta miała rację. W lusterku widziałam stare oczy pełne cierpienia i żałości. Moje oczy.

Potrafiłam zrozumieć ojca Siham. Jego córka była niewinną dziewczyną, otoczoną troskliwą opieką. Nigdy nie musiała tak cierpieć jak ja. Nie chciał, żeby moje nieszczęście przeszło na nią. Rozumiałam go, chciał ochronić swoją córkę przed złem, które mnie spotkało. Ale raniło to moje serce.

Gimnazjum mieściło się dokładnie na wprost cmentarza, na którym została pochowana moja matka. Jej grób już nie istniał, został zlikwidowany. Ale często po szkole siadałam w najwyższym miejscu terenu i patrzyłam na cmentarz. Wyobrażałam sobie, że dusza matki jest blisko mnie, gdy tak siedzę. Często z nią rozmawiałam.

– Mamo, muszę ci opowiedzieć, co się dzisiaj zdarzyło...

I opowiadałam jej o codziennej biedzie, w jakiej żyliśmy. Niemo poruszałam ustami, niemo moje oczy napełniały się łzami. Nigdy nie miałam uczucia, że matka mi odpowie. Ale wiedziałam, że mnie słyszy. To mnie uspokajało. Wiedziałam, że tu jest. Zwłaszcza gdy odchylałam głowę w tył i patrzyłam w przymglone niebo nad miastem, czułam, że jest blisko.

W wolnych godzinach wystawałam koło przystanku autobusowego. Była tam budka ze słodyczami. Należała do młodego człowieka, który miał rower. Rozmawiałam z nim.

Mówił:

– Wiesz co, dziewczyno, mam maturę. Ale w tej zasranej demokracji nie ma dla mnie dobrej pracy. Dlatego każdego przeklętego dnia, który stworzył Allah, stoję tutaj w tej zakurzonej budzie.

Odpowiadałam:

– OK, to nie jest dobrze. Mogę się przejechać na twoim rowerze?

Był to stary, rozklekotany męski rower, o wiele za duży dla mnie. Ledwo sięgałam do pedałów i nie mogłam hamować.

– Uważaj – wołał młody człowiek – i nie jedź na plażę!

Ale ja siedziałam już na siodełku i toczyłam się z góry rowerem w dół w kierunku plaży. Wiatr rozwiewał mi krótkie włosy i napędzał łzy do oczu. Koło obracało się coraz szybciej. Trochę się bałam. Ale uczucie wolności i prędkości przeważało. Zjeżdżałam pędem z góry w dół, krzycząc z radości i starając się nie myśleć, że potem będę musiała pchać ciężki rower całą tę drogę pod górę.

W tamtym okresie źle się uczyłam. Rzadko odrabiałam zadania domowe, na lekcjach często zasypiałam. Wszystko dlatego, że w domu musiałam ciężko pracować. Moim obowiązkiem było pranie ubrań całej naszej wielkiej rodziny, namoczonych w cebrze na podwórku. Każdą rzecz musiałam prać na tarze, aż wyrobiły mi się mięśnie na prawym ramieniu, skóra na ręce zgrubiała, a plecy się całkiem wykrzywiły. W weekend ciotka brała mnie z sobą na suk. Sama nosiła małą portmonetkę, ja na plecach dźwigałam sprawunki do taksówki. Kiedyś byłam tak wyczerpana, że zasnęłam stojąc, gdy ciotka targowała się z handlarzem o cenę ziemniaków.

Stryj Hasan, który namiętnie grał w totolotka, zatrudniał mnie w charakterze dobrej wróżki. Starannie wypisywał liczby na skrawkach papieru, a ja z zamkniętymi oczami miałam je wyciągać. Potem wypisywał moje liczby na kartce papieru i posyłał mnie do Cinéma Sahara na głównej ulicy, gdzie był punkt totalizatora. Przepisywałam liczby stryja na kupon, płaciłam, a potem musiałam sprawdzać wyniki losowania. Biegłam do punktu totalizatora, zapamiętywałam wyniki i pędziłam z powrotem do domu, cały czas je sobie przepowiadając. Miałam nadzieję, że nikt się do mnie po drodze nie odezwie. Bo wtedy zapominałam liczb, musiałam więc wracać do punktu i znowu pytać o wyniki.

Większość nauczycieli przestała mnie lubić, bo uczyłam się coraz gorzej, a w miarę dojrzewania coraz trudniej mi przychodziło udawanie miłej, małej dziewczynki. Nie chciałam się już podlizywać, ustępować, być miła. Chciałam szacunku!

Szacunek stawał się dla mnie coraz ważniejszy. Chciałam być szanowana jako człowiek i nie godziłam się już na żadne przyjaźnie z litości. Dlatego zrobiłam się zuchwała, arogancka i bezczelna. Nie pozwalałam już sobie w kaszę dmuchać. Pożądliwe spojrzenia mężczyzn na mój pączkujący biust budziły we mnie agresję. Postawa nauczycieli wywoływała złość. Atmosfera w domu stała się dla mnie nie do zniesienia.

Postanowiłam zostać wojowniczką i nie ustępować, tylko atakować. Uderzałam, nim ktoś mnie uderzył. Nabrałam mentalności dziecka ulicy. To nie pasowało do tej szkoły.

Musiałam powtarzać ósmą klasę. Potem zrezygnowałam i porzuciłam gimnazjum, nie kończąc go.

Moje ciało się zmieniało. Gdy patrzyłam w lustro, nagle widziałam przed sobą kobietę. Miałam nadzieję, że biust mi nie urośnie, bo będę musiała pościć w ramadanie tak jak dorośli. Ukrywałam go, jak długo mogłam, ale pewnego dnia moja siostra Rabi'a nie dała się dłużej zwodzić.

– A co to? – zapytała, gdy miałam czternaście lat.

– Co? – odpowiedziałam niewinnie.

– Tu, z przodu, to przecież biust!

– Nie – powiedziałam – to w ogóle nic nie jest.

W kwestiach religijnych jednak z Rabi'ą nie było żartów. Brutalnie złapała mnie za mój mały biust i uszczypnęła.

– No i proszę – zawołała – biust. A to znaczy, że masz pościć.

– Ale ja przecież nie mam jeszcze okresu – rzuciłam atutową kartę.

– Nieważne – powiedziała Rabi'a. – Biust to biust. Będziesz razem z nami obchodzić ramadan.

W tym czasie nie lubiłam swojego ciała. To ono było winne, że przez cały miesiąc nie dostawałam w ciągu dnia nic do jedzenia. A przecież ciągle byłam głodna. W końcu Rabi'a uległa i musiałam pościć tylko przez czternaście dni.

Powoli przyzwyczajałam się do tego, że staję się dorosła.

Gdy się przeglądałam w odłamkach, które służyły nam w domu za lustra, zaczęłam się sobie podobać. Zapuściłam włosy i podkradałam szminkę kuzynkom. Musiałam uważać, żeby Rabi'a mnie nie przyłapała, bo była przeciwna malowaniu się.

Jednego problemu nie mogłam jednak tak szybko rozwiązać: nie miałam w co się ubrać. Ubrania z Terre des Hommes były wprawdzie w dobrym stanie i do tego z Europy, ale nie były najnowszym krzykiem mody w Maroku.

Moje kuzynki miały ładne ciuchy, ale moje rodzeństwo i ja nadal chodziliśmy w rzeczach, które ludzie w Niemczech, Francji czy Austrii wyrzucili do kontenerów na ubrania.

Nie miałam innego wyboru, tylko wypożyczać sobie od czasu do czasu piękne łaszki moich kuzynek. Zakładałam ich rzeczy, żeby się spotkać z przyjaciółkami na głównej ulicy albo na promenadzie przy plaży.

Pewnego dnia znikła ulubiona spódnica Habiby.

– Ouarda – napadła mnie Habiba – wzięłaś moją spódnicę?

– Nie. – To była moja standardowa odpowiedź na takie pytania.

– Tę brązową, krótką, z jedwabiu.

– Tę to już na pewno nie, jest dla mnie o wiele za szeroka.

Trzask! Habiba po raz pierwszy uderzyła mnie w twarz. Jej grube złote pierścionki rozcięły mi policzek.

Naprawdę nie miałam tej brązowej spódnicy. Ale to mi nic nie pomogło, bo spódnica się nie znalazła i Habiba codziennie się na mnie rzucała, podejrzewała bowiem, że to ja ją mam. Przeszukiwała moje rzeczy, a jak niczego nie znajdowała, rozdrapywała mi twarz.

Rabi'a bardzo cierpiała z powodu tych napaści i próbowała mnie chronić. Ale trwało chyba ze dwa tygodnie, zanim znalazła rozwiązanie.

Habiba pracowała w tym czasie w sklepie dla turystów. Każdego dnia kradła małe, kolorowe aksamitne poszewki na poduszki z marokańskimi motywami. Nienawidziłam tych poszewek, bo Habiba przynosiła je zwinięte w rulon w majtkach, żeby nie wpaść podczas kontroli przy przejściu dla personelu. Moim zadaniem było pranie tych poszewek. Niestety, Habiba nie była specjalną czyścioszką i prowadziła życie, które nie wychodziło na dobre poszewkom schowanym w jej majtkach.

Ciotka Zajna uważała, że te poszewki są piękne, wypychała je szmatami i starymi ubraniami i rozkładała na kanapach w pokoju, w którym w nocy spali chłopcy. W końcu mieliśmy pewnie ze trzydzieści sztywno wypchanych aksamitnych poszewek wyszywanych w motywy marokańskie, przeszmuglowanych przez Habibę jako wkładki w majtkach i upranych przeze mnie ręcznie.

Jednej z owych nocy, które były tak upalne i parne, że prawie nie mogliśmy spać, nagle Rabi'a zerwała się z posłania.

– Mam – wymamrotała i poszła do pokoju obok. Widziałam, jak nerwowo zaczyna rozpinać poduszki i wywlekać kawałki materiałów.

– No i proszę – powiedziała w końcu sama do siebie, triumfalnie trzymając w górze brązową spódnicę Habiby. – Jest.

Miała sen, że spódnica omyłkowo trafiła do jednej z poduszek. Od tamtej chwili byłam jeszcze bardziej pewna niż kiedykolwiek, że Allah zesłał mi Rabi'ę jako osobistego anioła stróża.

Od czasu krótkiej i pozbawionej pocałunków przygody z kędzierzawym Muhsinem zaczęłam interesować się chłopcami. Najfajniejszym typem w naszej dzielnicy był Hiszam, którego rodzice mieli tyle pieniędzy, że mogli go posyłać do prywatnej szkoły i kupić mu vespę. Hiszam nosił czapki bejsbolówki z perfekcyjnie wygiętym na okrągło daszkiem, najszersze dżinsy i nawet prawdziwe adidasy, a nie tanie imitacje z suku. Na swojej vespie szalał po naszych pylistych ulicach, robiąc straszliwy hałas. Sa'ida, dziewczyna o „nogach jak kłody cukru", zakochała się w Hiszamie.

Kiedyś nawet wypożyczyła sobie vespę i pojechała za nim aż na plażę do salonu gier, gdzie chłopcy mieli we włosach tyle żelu, że w upał spływał im na ramiona, a dziewczyny miały włosy blond i tak gładkie jak na okładkach zagranicznych czasopism w kiosku z gazetami. Mimo że Sa'ida powiedziała fryzjerowi, żeby też utlenił jej włosy na blond, wyszedł z tego jedynie jasny brąz i Hiszam wcale nie zwracał na nią uwagi. Był nie tylko bogaty, ale i arogancki.

Jakoś udało się Sa'idzie zdobyć jego numer telefonu. Postanowiła zadzwonić do niego. To znaczy – postanowiła, że ja mam do niego zadzwonić. Nie miałam nic przeciwko temu, liczyłam bowiem, że między Sa'idą a Hiszamem się ułoży, a wtedy może odzyskam Muhsina.

Przygotowałyśmy akcję niczym w sztabie generalnym. Całymi dniami pracowałyśmy nad tekstem, który miałam odczytać Hiszamowi. Potem postarałyśmy się o monety do publicznego telefonu przy sklepiku na rogu. Z domu Sa'ida nie mogła zadzwonić, bo jej matka zamontowała zamek przy tarczy telefonicznej.

Byłam bardzo zdenerwowana, kiedy trzymałam w lewej ręce słuchawkę, a w prawej kartkę z tekstem, który miał przekonać Hiszama, żeby się spotkał z najfajniejszą dziewczyną w całym mieście. Za mną stała Sa'ida i przynaglała mnie kuksańcami w nerki. Przy półkach kręcił się właściciel sklepu, a mnie się zaczęło nagle wydawać, że ma uszy większe niż osioł.

W końcu wykręciłam numer i na drugim końcu odezwał się dzwonek. Jakaś kobieta powiedziała:

– Tak, słucham.

To była jego matka.

Powiedziałam niewyraźnie:

– *Bonjour madame*, mówi Nadja.

Zawsze mówiłam, że mam na imię Nadja, kiedy nie chciałam wyjawić mojego prawdziwego imienia.

– Czy mogę rozmawiać z Hiszamem?

Miałam gorącą nadzieję, że nie będzie go w domu. Moje ręce były mokre od potu. Sa'ida też przycisnęła ucho do słuchawki, a jej włosy mnie łaskotały.

– Chwileczkę – powiedziała matka Hiszama – poproszę syna.

Nogi zrobiły mi się miękkie jak z waty. Próbowałam się lekko oprzeć o Sa'idę, ale niewiele miałam z niej pożytku, bo sama drżała ze zdenerwowania. Właściciel sklepu podszedł krok bliżej.

– Halo, tu Hiszam. – To był jego głos. – Kto mówi?

Spojrzałam na kartkę, ale słowa wydały mi się nagle takie małe i niewyraźne. Potem błyskawicznie wytrajkotałam cały tekst, bez kropek i przecinków, jak najciszej, żeby właściciel sklepu nie usłyszał. Opuszczałam całe linijki i, jąkając się, musiałam je powtarzać. Gdy skończyłam, odłożyłam słuchawkę.

Sa'ida stała jak skamieniała:

– Dlaczego odłożyłaś słuchawkę?

– Sama nie wiem – powiedziałam i pociągnęłam ją za sobą na ulicę.

– Przecież miał się z nami umówić! – zawołała Sa'ida.

– Wiem – powiedziałam. – Cholera.

– Wszystko na nic – powiedziała Sa'ida zrezygnowana. – Następnym razem zrobię to sama.

To lato spędzaliśmy na plaży w Tamrhachcie. Stryj Hasan rozbił nam namioty w zatoce oddalonej o kilkaset metrów od jego warsztatu. Po lewej stronie zatoki wchodziły w morze skały, na których o wschodzie słońca modlili się pobożni muzułmanie. Z prawej strony zatoki otwierała się plaża szerokim łukiem w kierunku północnym, gdzie stały luksusowe przyczepy kampingowe turystów.

W jednej z tych przyczep spędzał urlop z rodzicami Chalil. Chalil był Marokańczykiem, ale mieszkał we Francji. Miał siedemnaście lat, był bardzo wysoki i nosił aparat na zębach. Gdy się w nim zakochałam, zaczęłam się nad tym trochę zastanawiać. Zaplanowałam sobie, że tego lata będę się całować. W końcu miałam już osiemnaście lat. Ale czy z tymi drutami w jego ustach da się to zrobić?

Jak się okazało, martwiłam się niepotrzebnie. Druty wcale nam nie przeszkadzały, gdy siedzieliśmy wieczorami blisko siebie na plaży i patrzyliśmy, jak ogromna czerwona tarcza słoneczna tonie w morzu. Chalil trzymał mnie za rękę i byłam pewna, że teraz to się stanie. Ale jak?

Zaczęłam już się zastanawiać, co mam zrobić, żeby mnie w końcu pocałował. Nagle Chalil położył mnie po prostu na plecach, pochylił się nade mną, rozchylił usta i przycisnął swoje duże, miękkie wargi do moich. Przestałam oddychać i szybko zamknęłam oczy. A wtedy poczułam coś ciepłego, wilgotnego między zębami, tak ciepłego i wilgotnego jak piasek pod moimi plecami.

Na początku było to dość niesamowite – poczuć we własnych ustach język obcego człowieka, ale też bardzo piękne. Próbowałam jeszcze chwilę wytrzymać, żeby nie zniszczyć czaru chwili, ale potem musiałam jednak zaczerpnąć powietrza. W brzuchu czułam straszne łaskotki, w ustach też, bo Chalil teraz poruszał w nich językiem.

Otworzyłam oczy i popatrzyłam ponad jego głową w niebo, które tymczasem pociemniało. Widziałam więcej gwiazd na firmamencie niż kiedykolwiek przedtem. Przypuszczam, że widziałam nawet gwiazdy, których nie było.

Miałam wrażenie, że Chalil ma sporą wprawę w całowaniu. A przynajmniej to, co robił w moich ustach, było bardzo przyjemne. Bałam się tylko, że zemdleję z rozkoszy.

Jednak ostrożnie oddałam mu pocałunek, potem już trochę mniej ostrożnie, a na koniec wcale już nie byłam ostrożna, ale też nie zemdlałam.

Od tego wieczoru całowaliśmy się regularnie, podczas gdy gwiazdy na nocnym niebie świeciły tak jasno, jak nigdy dotąd, a kiedyś Chalil dotknął moich piersi. Potem lato się skończyło i musiał wracać do Francji.

– Chciałbym zabrać ze sobą twoje zdjęcie, ukochana Ouardo – powiedział Chalil – żebym zawsze mógł na ciebie patrzeć. Inaczej serce mi pęknie.

– Nie mam żadnego – powiedziałam. – Ale jeśli chcesz, pojadę rano do Agadiru i zrobię.

Nazajutrz wsiadłam do autobusu, pojechałam do miasta, poszłam do fotografa, poczekałam, aż zdjęcia zostaną wywołane i ruszyłam w powrotną drogę do Tamrhachtu. Szybko pobiegłam przez plażę do przyczep kempingowych. Ale Chalila już nie było, wyjechał.

Nigdy więcej go nie zobaczyłam.

Rozczarowanie w Safi

Ojca przeniesiono tymczasem do więzienia w Safi, brzydkiego portowego miasteczka, położonego w połowie drogi między Agadirem a Casablanką. Byłam tam tylko dwa razy w życiu i za każdym razem z tego samego powodu – żeby odwiedzić ojca w więzieniu. Może właśnie to przesłoniło mi spojrzenie na uroki tej miejscowości.

Mój dziadek był tak zajęty przepuszczaniem swojego ogromnego majątku w karty i na chętnych młodych chłopców, od których zaznawał szybkich przyjemności w pluszowych pokojach na zapleczu podejrzanych lokali, że nie mógł się troszczyć o swoje wnuki.

Jeszcze dzisiaj mam mu to za złe. Dziadek dobrze wiedział, jak nam się powodzi u jego syna Hasana i w jakiej nędzy żyjemy. Ale miał to gdzieś. Albo był bardzo głupi, albo był skrajnym egoistą. Raz w roku obchodził razem z nami wielkie Święto Ofiarowania i zarzynał jagnię. W końcu był z zawodu rzeźnikiem. Ale to wszystko, co dla nas robił.

Jeśli o mnie chodzi, mogliśmy spokojnie z tego zrezygnować. Bo to ja musiałam później sprzątać krew z podwórza. A lepiła się wszędzie i śmierdziała z każdego kąta tak, że co chwila robiło mi się niedobrze. Na szczęście od czasu do czasu król wydawał zarządzenie zakazujące szlachtowania jagniąt – przypuszczalnie ze względów gospodarczych, a może dlatego, że akurat było mało jagniąt w danym roku. Powody były mi obojętne, najważniejsze, że nie musiałam zmywać krwi i ocierać sobie twarzy obrzydliwą śliską wewnętrzną stroną futra. Stryj Hasan obstawał przy tym rytuale, bo podobno likwidował pryszcze i oczyszczał skórę.

Dopiero gdy miałam piętnaście lat, dziadek jakby sobie przypomniał, że istniejemy. Zafundował Dżabirowi i mnie podróż do Safi, do naszego ojca.

Wyprawa na północ skończyła się fiaskiem. Wsiedliśmy z dziadkiem przy dużej ulicy za naszym domem do autobusu, który miał nas zawieźć do Safi. Była zima i dziadek miał na sobie jak zwykle czarną dżellabę z grubej wełny w jodełkę. Na głowie, ogolonej zwyczajem Berberów, nosił takiję – małą białą czapeczkę. Pod dżellabą chował płaską skórzaną torbę z dokumentami i pieniędzmi, przewieszoną na rzemieniu przez ramię. Arabowie z królewskiego miasta Marrakesz noszą torby zawsze na dżellabie. Pokazują, co mają. Natomiast my, Berberowie, jesteśmy jak Szwabi, których poznałam dopiero w Niemczech: kryjemy się z naszym dobrobytem, wykształceniem, naszą inteligencją i dumą.

Tymczasem poważni naukowcy twierdzą, że Berberowie są być może potomkami Germanów, którzy podczas wędrówki ludów przeszli przez Italię i dotarli do Afryki Północnej. Nie wiem, czy to prawda, ale gdy porównuję Berberów ze Szwabami, nie wydaje mi się to nieprawdopodobne.

Autobus wyjechał z Agadiru przed świtem, tak że o dziesiątej rano byliśmy w Safi. Szybko poszliśmy pod więzienie, otoczone wysokim, nieprzyjaznym murem. Przed bramą stali już krewni, czekając na wejście. Dziadek miał w plastikowej torbie świeży chleb i smażoną rybę dla ojca, ale nie mogliśmy mu tego dać. Więzienie było zamknięte.

– Proszę przyjść jutro – powiedzieli strażnicy.

Dziadek się zdenerwował.

– Mam ze sobą rybę dla syna – wołał, wymachując martwą rybą – i chleb. Wszystko się zepsuje.

Strażnicy nie dali się zmiękczyć. Poszliśmy więc na plażę i sami zjedliśmy te smakołyki. Potem dziadek zaczął szukać taniego hotelu. I znalazł taki tani, że nawet łóżek w nim nie było. Spaliśmy na podłodze. Ale przynajmniej mieliśmy w pokoju toaletę.

Byłam zadowolona, kiedy w końcu położyliśmy się spać na słomianych matach. Nigdy nie wiedziałam, o czym z dziadkiem rozmawiać.

Wciąż powtarzał jedno zdanie: „Bardzo mi przykro, że tyle musicie znosić od swojej ciotki Zajny. Wiecie jednak, że nic nie mogę na to poradzić".

Głupie gadanie. Oczywiście dziadek mógł coś na to poradzić! Był zamożny, a stryj Hasan był jego synem. Najwyraźniej jednak nie chciał nic zrobić, uważałam więc, że nie powinien też o tym mówić. Nie ośmieliłam się mu tego powiedzieć. W końcu był dziadkiem, osobą zasługującą na szacunek, nawet jeśli wszystko robił źle.

Poza tym dziadek nie dosłyszał. Rozmawiając z nim, trzeba było zawsze krzyczeć, inaczej nie reagował. Z drugiej strony rozumiał wszystko, czego nie powinien był usłyszeć.

Po jednej z naszych głośnych rozmów powiedziałam do Dżabira:

– Ten typ jest tak bogaty, że mógłby pójść do laryngologa.

Dziadek roześmiał się głupio:

– No, no, no. Wszystko słyszałem.

Może dlatego, że z Dżabirem trudno było porozumiewać się szeptem. W dzieciństwie często przechodził zapalenie ucha środkowego i teraz jest prawie głuchy na jedno ucho.

Dziadek był denerwujący. Pomijając to, że przehulał nasz spadek, to wchodzących do jego domu gości uwielbiał spryskiwać tanimi perfumami. Dziś robią to już tylko starzy ludzie na wsi – na znak gościnności – albo szczególnie uprzejmi sprzedawcy na stacjach benzynowych. Ledwo człowiek zapłaci, pszt! – już trafia go chmura taniego Rêve d'Or, „Złotego snu".

Ostatnio zdarzyło mi się to latem 2003 roku, kiedy odwiedziłam dalekiego wuja w Fasku, rodzinnej miejscowości dziadka, i mimo protestów zostałam spryskana.

Teraz dziadek mieszkał w mieście. Nie ufał bankom, a cały majątek trzymał w poszewkach na poduszki i pod tapicerką. Było to głupie, bo wciąż zapraszał do domu gibkich chłopców, a ci, gdy dziadek zaspokojony zasypiał, wychodzili, zabierając jego poduszki wypchane pieniędzmi. Najbardziej mi jednak przeszkadzało, że ciągle mi powtarzał, jak to dobrze trafiłam.

– Masz tyle szczęścia – zwykł mawiać, gdy go czasami odwiedzałam.

A ja myślałam sobie: dziadku, powinieneś wiedzieć, że moje szczęście umarło razem z moją matką, a twoją synową.

Nazajutrz dziadek tuż przed wschodem słońca nas obudził i pognał do więzienia. Poszliśmy na suk i znów kupiliśmy smażoną rybę dla ojca. Było jeszcze wcześnie, ale pod więzieniem czekał już tłum krewnych. Strażnicy kazali sobie podać nazwiska. Potem zniknęli za bramą.

Stałam między kobietami obładowanymi torbami z żywnością dla krewnych, między chudymi mężczyznami w dżellabach z kartonami papierosów „Casa" i między marudzącymi dziećmi, które przyszły odwiedzić ojca czy wuja.

Długo to trwało, zanim strażnicy wrócili.

– Saillo, Muhammad! – zawołali.

Dziadek, Dżabir i ja wystąpiliśmy.

– Kto to jest? – zapytał szorstko strażnik.

– To moje wnuki, *sidi* – odpowiedział dziadek – więzień Saillo jest ich ojcem.

Powiedział słowo „więzień”, jakby to było oczywiste, że tak się mówi o własnym synu. Mnie to słowo zabolało. Mój ojciec był więźniem, ale nie chciałam tak go nazywać.

– Gdzie są dowody dzieci? – warknął strażnik.

– Nie mają – odparł dziadek – to jeszcze dzieci.

W Maroku wydaje się dowody dopiero od osiemnastego roku życia.

– Świadectwa urodzenia! – zażądał strażnik.

Nie mieliśmy ze sobą. Dziadek próbował jeszcze dyskutować, ale dozorca więzienny nie miał na to ochoty.

– Albo pan teraz wejdzie i zostawi dzieci na zewnątrz – warknął – albo wywołam następną rodzinę.

Dziadek zdecydował się zostawić nas pod murem. Poczłapał przez bramę. Szukaliśmy w cieniu ochrony przed palącym słońcem. Wyobrażałam sobie, jak dziadek rozmawia z ojcem. Miałam nadzieję, że ojciec o mnie zapyta, ale nie byłam pewna. Złościłam się, że po trudach długiej podróży muszę zrezygnować tuż przed osiągnięciem celu. Cieszyłam się, że po latach zobaczę ojca. Chyba kiedyś w przeszłości postanowiłam, że nie będę patrzeć wstecz w mrok mojego dzieciństwa. Chciałam patrzeć przed siebie, w przyszłość, w światło.

Człowiek po drugiej stronie muru nie był już mordercą mojej matki, lecz moim ojcem, który potrzebował naszej pomocy. Czułam się odpowiedzialna za kogoś, którego wcale nie znałam.

Ale nie mogłam mu spojrzeć w oczy. Jakieś niezrozumiałe przepisy przeszkodziły nam w widzeniu, chociaż teraz byłam do niego gotowa.

Dziadek nie zabawił długo.

– Ach, jemu jest dobrze – powiedział z wesołym śmiechem, zupełnie niestosownym. – Dobrze mu się wiedzie, całkiem dobrze.

Dziadek lubił, chichocząc, powtarzać zdania, chociaż nie było żadnego powodu do chichotu. Wszystkich nas to denerwowało. Nigdy nie mogłam traktować poważnie tego starca. Za swoim chichotem i dziwactwami ukrywał uczucia. Gdy dzisiaj o tym myślę, zdaję sobie sprawę, że nic nie wiem o odczuciach dziadka. Ukrył je przed nami.

– Wyprawa super – powiedziałam do Dżabira, mojego brata – kapitalna. No to chodźmy teraz do autobusu i wracajmy.

Próbowałam być impertynencka, bo Dżabir, tak jak dziadek, nigdy się nie palił do okazywania uczuć. Ale chciało mi się wyć, gdy wsiedliśmy do autobusu i wyruszyliśmy w długą drogę z powrotem do Agadiru.

Dopiero rok później zobaczyłam ojca. Dżabir skończył już osiemnaście lat i miał dowód. Ja wzięłam metrykę. Dziadek był dokładnie tak samo ubrany jak dwanaście miesięcy wcześniej. Znowu miał ze sobą rybę i chleb. Znowu siedzieliśmy w rozklekotanym autobusie, który z karkołomną szybkością gnał po serpentynach nadbrzeżnej szosy prowadzącej na północ.

Tym razem wpuszczono nas do więzienia. Zgromadziliśmy się razem z innymi odwiedzającymi na podwórzu wewnętrznym przed ogrodzeniem z drucianej siatki. Po drugiej stronie płotu był pas pylistej ziemi. Za nim biegł inny płot, za którym tłoczyli się więźniowie.

Wypatrywałam ojca, ale w tłumie mężczyzn nie mogłam go dostrzec. Nagle wydało mi się, że go widzę.

– Tutaj jestem! – wołałam wśród plątaniny głosów innych ludzi.

Mężczyzna jednak nie zareagował. To nie był mój ojciec. Pomyliłam się. Stwierdziłam, że nie znam już własnego ojca.

Wreszcie po drugiej stronie płotu odezwał się stary, wychudzony człowiek ze spuszczoną głową. Miał na sobie rozwleczony dres.

– Ty jesteś Wafa, moja mała córeczka? – zawołał przez płot. Ledwo można było usłyszeć jego cienki głos pośród wszystkich tych pytań i odpowiedzi innych ludzi.

– Nie – krzyknęłam – jestem Ouarda!

– Wafa – odpowiedział ojciec – to ładnie, że o mnie pomyślałaś. Dlaczego nie odwiedziłaś mnie wcześniej? – Ojciec mnie nie zrozumiał.

– Nie jestem Wafa – krzyczałam wściekła – jestem Ouarda!

Ojciec, krzycząc, rozmawiał z dziadkiem i Dżabirem. Ja nic już nie powiedziałam.

Potem musieliśmy opuścić więzienie. Kątem oka widziałam, jak człowiek, który był moim ojcem, odchodzi powłócząc nogami po piasku podwórza. Strażnicy popędzali go szorstkimi słowami.

– Wracać do cel – krzyczeli – widzenie skończone. Szybciej!

Ojciec stracił wszelką godność. Byłam przerażona i rozczarowana. Brama zatrzasnęła się za mną.

Widziałam ojca, ale on mnie nie poznał. Nie rozmawiałam z nim, nie dotknęłam go. Nasze serca się nie spotkały. Nie miały szans, schwytane w żelazną siatkę.

Równie dobrze mogłam zostać w domu. Łzy napłynęły mi do oczu. Odnalazłam ojca. Lecz teraz był mi dalszy niż kiedykolwiek przedtem.

Koniec nauki

Wiosną 1991 roku przestałam chodzić do szkoły. Miałam siedemnaście lat i minęła mi ochota. Przez dziewięć lat codziennie walczyłam o to, by móc się uczyć, gromadzić wiedzę, dowiadywać się więcej o świecie, bo wydawało mi się, że to dla mnie jedyne wyjście z nieznośnej sytuacji. Postanowiłam, że nie będę się prostytuować dla łatwego zarobku – jak wiele dziewcząt z mojego otoczenia. Chciałam kroczyć ku przyszłości poważną drogą.

I nagle, w dziewiątej klasie, przestałam się starać. Sama byłam zaszokowana, jak szybko rozwiały się moje motywacje, jak szybko zrezygnowałam.

Rok wcześniej zmieniłam szkołę, bo tak zaczęły mnie boleć plecy, że z najwyższym trudem pokonywałam długą drogę do Lycée Lala Miriam, mieszczącego się koło cmentarza. Nocami nie mogłam spać, kręgosłup mi pękał. Mięśnie miałam całkiem zesztywniałe i tak twarde, że prawie nie mogłam oddychać. Całymi miesiącami kasłałam, plując krwią, i ciągle wymiotowałam. Było ze mną niedobrze.

Te kłopoty zaczęły się wtedy, gdy jeden z kuzynów z taką siłą pchnął mnie na ścianę, że padłam jak długa. Miałam wówczas piętnaście lat. Wydaje mi się, że złamałam sobie kość ogonową. Jeszcze dzisiaj czuję w tym miejscu zgrubienie.

Rabi'a zaprowadziła mnie do szpitala, gdzie mnie prześwietlili, ale lekarz zapisał mi tylko jakąś maść, którą Rabi'a albo Muna smarowały mi bolące miejsce. Długo trwało, nim bóle ustąpiły. Tyle dni byłam nieobecna w szkole, że musiałam powtarzać ósmą klasę.

W nowej klasie nie miałam już przyjaciółek, znalazłam się nagle poza środowiskiem, które dawało mi choć trochę tego poczucia bezpieczeństwa, jakiego nie miałam w domu. Moje dawniejsze przyjaciółki stały mi się obce. Sa'ida odbiła mi przyjaciela; Hajat włóczyła się nocami, tańczyła w dyskotekach i zachowywała się jak Europejka; Karima zrobiła się pobożna, nosiła chustkę i skarpetki, by nie pokazywać skóry, a mężczyznom nie podawała nawet ręki; Siham nie mogłam już odwiedzać, bo jej ojciec sobie tego nie życzył.

Byłam sama.

Z perspektywy czasu myślę, że to nagromadzenie problemów złamało mi wolę, by być dobrą uczennicą. Nie miałam już siły, by znosić przytłaczającą codzienność przy rue el Ghazoua i jednocześnie zabiegać o dobre stopnie w szkole. Uczyłam się coraz gorzej i zaczęłam wagarować. Zamiast do gimnazjum chodziłam na plażę. Czytałam książki i marzyłam o innym świecie, świecie bez sprawców i ofiar, świecie bez przemocy, bez bicia i gwałtów, świecie, w którym kobiety i mężczyźni są równi i odnoszą się do siebie z szacunkiem.

Ledwo jednak wracałam z plaży, rzeczywistość mnie dopadała. W szkole mnie tępiono, bo rzadko bywałam obecna. W domu presja, by wreszcie zarabiać i przynosić pieniądze, przybierała na sile.

Wydaje mi się, że właśnie w tym czasie groziło mi największe niebezpieczeństwo, że stracę nad sobą kontrolę i zniesie mnie w życie spraw powierzchownych, rozrywek i szybkich radości, jak to się zdarzyło wielu dziewczynom. Ale aniołowie albo dżinny chyba nade mną czuwały. Wprawdzie zboczyłam z drogi, ale jeszcze nie wylądowałam w rynsztoku.

W 1990 roku zmieniłam szkołę i zaczęłam uczęszczać do college'u Ouliau-al-ahid, w którego pobliżu znajduje się dzisiaj słynna restauracja, specjalizująca się w przyrządzaniu kurzych udek, tadżinu i baranich głów. Przechodząc obok, zawsze się staram iść drugą stroną ulicy, bo na widok martwych oczu baranich głów na talerzach gości robi mi się niedobrze.

Usiłowałam pozbyć się wizerunku sieroty. Zaczepiłam na ulicy jakąś poważnie wyglądającą kobietę i poprosiłam, by odegrała rolę mojej matki.

– Przepraszam, *lala* – powiedziałam – czy mogłaby mnie pani odprowadzić do szkoły?

– Słucham? – zapytała kobieta, nic nie rozumiejąc.

– Spóźniłam się i jeśli matka nie przyprowadzi mnie do bramy i nie przeprosi za spóźnienie, nie wpuszczą mnie.

Specjalnie się spóźniłam, żeby dać to przedstawienie. Miałam nadzieję, że w ten sposób uwolnię się od stygmatu córki mordercy.

Obca kobieta mnie nie rozumiała:

– Ale ja przecież nie jestem twoją matką!

– Wiem – powiedziałam. – Moja matka jest bardzo chora i nie może mnie odprowadzić do szkoły. A ojciec mnie zbije, jak się dowie, że się spóźniłam.

Kobieta wahała się, ale czułam, że wzbudziłam jej zainteresowanie.

– Co mam zrobić?

– Musi mnie pani tylko odprowadzić do bramy szkolnej. Jeśli pani chce, może pani na mnie nakrzyczeć i dać mi po buzi.

Kobieta była przerażona:

– Po buzi?

– Tak – powiedziałam – matki przecież tak robią, jak ich dzieci spóźniają się do szkoły.

Musiałam być bardzo przekonywająca, bo kobieta faktycznie zaprowadziła mnie pod bramę. Wprawdzie na mnie nakrzyczała, ale trochę słabo, a na wymierzenie mi policzka w ogóle się nie zdobyła, całe przedstawienie wywarło więc wrażenie tak nieprzekonywające, że zrezygnowałam z tej strategii.

Znalazłam nowy sposób na to, żeby nie być w szkole tym, kim byłam: po prostu przestałam tam chodzić. Na koniec roku szkolnego nauczyciele nie chcieli mi wystawić świadectwa, bo prawie mnie nie znali. Zaproponowali, żebym i tę klasę powtórzyła.

Odrzuciłam propozycję. Chciałam, żeby mnie w końcu zaczęto szanować w domu, i wydawało mi się, że najszybciej to osiągnę, jeśli sama będę zarabiała pieniądze i wnosiła swój wkład do utrzymania rodziny.

Jako uczennica nie byłam traktowana poważnie przez ciotkę Zajnę. Ciotka zmuszała mnie, bym przez cały dzień wykonywała prace domowe, podczas gdy moje starsze rodzeństwo już chodziło do pracy. Dżabir uczył się na ślusarza, Muna pracowała w Terre des Hommes, Dżamila wyszła za mąż i urodziła synka, Rabi'a wyuczyła się na sekretarkę, ale nie znalazła pracy. Teraz sprzątała u pewnej francuskiej rodziny i mogła tam też mieszkać.

Oddaliła się ode mnie w tym czasie. Rozumiałam to, ale bolała mnie strata najważniejszej osoby, do której miałam zaufanie. Rabi'a stała się damą, bardzo zadbaną, bardzo elegancką, zupełnie inną niż my na rue el Ghazoua.

Zabrała ze sobą nawet swoją książkę, z której zawsze czerpałam pociechę i zachętę, gdy Rabi'i nie było przy mnie. Krąg jej przyjaciół składał się ze studentów i filozofów. Dyskutowała z mądrymi ludźmi i miała też przyjaciela, który ją tak uszczęśliwiał, że zapomniała nawet o moich urodzinach.

To był cios w samo serce. Przypadkiem spotkałam ją na ulicy. Było to 25 stycznia 1991, dzień po moich siedemnastych urodzinach.

– Siostro, wiesz, jaki dzień był wczoraj?

Rabi'a patrzyła zaskoczona.

– Tak. Czwartek.

– A jaki czwartek?

Rabi'a zastanawiała się, ale właściwa odpowiedź nie przyszła jej do głowy! Czułam, jak mnie coś coraz mocniej ściska w gardle. Z trudem mogłam mówić.

– Moje urodziny – powiedziałam i nie mogłam już dłużej powstrzymywać łez. – Zapomniałaś o moich urodzinach.

Rabi'a zaniemówiła.

– Zmieniłaś się – powiedziałam – nie jesteś taka jak dawniej.

– Masz rację – odpowiedziała Rabi'a – żyję teraz własnym życiem. Mam przyjaciela i mam zawód. Ale to nie usprawiedliwia mojego zaniedbania. Jesteś moją małą, kochaną siostrzyczką. I będziesz nią zawsze.

Objęła mnie na środku ulicy. Oczy jej zwilgotniały. Płakałam, ale byłam udobruchana.

Też chciałam zostać damą jak Rabi'a – mającą pracę, własne pieniądze i przyjaciela. Miałam nadzieję, że mój przyszły przyjaciel będzie tak mądry jak ten mężczyzna, który pożądał Rabi'i. Najpierw jednak muszę się postarać o płatną pracę, żeby przestać zależeć od stryja i ciotki i wyrwać się spod ich kurateli.

Przeszłam się po lepszych ulicach Agadiru, dzwoniąc do ciężkich drzwi pięknych domów. Już pierwszego dnia mi się powiodło. Zatrudniła mnie lekarka, która miała malutkie dziecko. Dumna wróciłam wieczorem, licząc na pochwały. Ale pochwaliła mnie tylko ciotka Zajna, przypuszczalnie dlatego, że ujrzała we mnie kolejne źródło pieniędzy. Moje rodzeństwo wystąpiło natomiast przeciwko mnie, zwłaszcza Muna się oburzała:

– Chyba nie chcesz przez całe życie być sprzątaczką – krzyczała. – Skończ z tym idiotyzmem, idź do szkoły i naucz się czegoś porządnego.

– Ale ja nie chcę już chodzić do szkoły. Chcę pracować i zarabiać pieniądze, jak ty i Rabi'a.

– Bzdura. – Muna miała na tę sprawę pogląd tak jednoznaczny jak rzadko. – Jutro wymówisz. To nie jest zajęcie dla ciebie.

Wypowiedziałam dopiero pojutrze. W cichości ducha wiedziałam, że Muna ma rację. Nie nadawałam się na sprzątaczkę. Allah czy inna siła decydująca o moim losie przewidziała dla mnie co innego. Tylko co?

Pracowałam dorywczo w piekarni jako dziewczyna do wszystkiego, sprzątałam, nosiłam torty, myłam podłogę i sprzedawałam rogaliki. Przez jeden dzień byłam kelnerką w kawiarni w naszej dzielnicy. Ale już następnego dnia mnie zwolnili, bo po pracy nie złożyłam fartuszka porządnie do szuflady, tylko go wrzuciłam byle jak.

Piętnaście godzin harowałam w tej kawiarni, a kiedy zostałam zwolniona, szefowa nie chciała mi wypłacić pieniędzy.

– W porządku – powiedziałam – jestem wprawdzie mała. Ale nie pozwolę się oszukiwać. Ciężko pracowałam i na tę marną zapłatę, którą mi pani obiecała, uczciwie zarobiłam. Jeśli nie dostanę moich pieniędzy, będę codziennie stała pod pani kawiarnią i opowiadała każdemu, kto będzie przechodził, jaki jest z pani zły człowiek.

Szefowa nie uwierzyła. Ale już następnego dnia stałam pod jej tarasem. Nazajutrz znowu. Trzeciego dnia dostałam swoją zapłatę. Pięćdziesiąt dirhamów, pięć euro. Niewiele pieniędzy, ale uważałam, że opłaciło się walczyć o tę małą sumę. Dla zasady.

Już dawno postanowiłam, że nie dam sobie w kaszę dmuchać. Serce mi stwardniało i nie byłam gotowa chodzić na kompromisy. Bo i dlaczego? Czy byłam twarda, czy miękka, duża czy mała – bito mnie, znęcano się nade mną, upokarzano mnie i oszukiwano. Zrozumiałam, że gorzej już być nie może, wszystko jedno, jak się będę zachowywać. Mały sukces w kawiarni uznałam za dobry początek nowego etapu w moim życiu.

Dzięki następnej pracy nawiązałam po raz pierwszy bliższy kontakt z Niemcami. Do małżeństwa z dalekiego kraju po drugiej stronie Morza Śródziemnego należała najlepsza lodziarnia w Agadirze.

Dostałam mundurek, złożony z czarnych spodni i czerwonego t-shirtu, oraz pensję wynoszącą w przeliczeniu sto dwadzieścia euro miesięcznie. Za te pieniądze musiałam dzień w dzień piec wafle i sprzedawać lody. Sprzedawanie lodów sprawiało mi frajdę, ale pieczenie wafli było torturą. Chochlą nalewałam płynne ciasto do waflownicy, zamykałam ją, potem otwierałam i na rozgrzanej płycie zwijałam zbrązowiałą masę w tutkę.

Liczyły się sekundy. Kilka sekund za wcześnie – i ciasto było jeszcze surowe. Kilka sekund za późno – i było tak twarde, że nie dało się zrolować.

Jeszcze dzisiaj mam na wewnętrznych stronach przedramion blizny po oparzeniach od nerwowego manipulowania przy rozgrzanej waflownicy.

Niemcy byli dziwni. W ich lodziarni grała przez cały dzień rubaszna muzyka, a mężczyźni chrypliwymi głosami śpiewali: *Verdamm, ich lieb' dich* – Kocham cię, do cholery. Moja szefowa nosiła kombinezony i używała ciężkich perfum, od których kręciło mi się w głowie. Szef nieprzyjemnie śmierdział potem.

– Czujesz to? – szepnęła do mnie koleżanka.

– Oczywiście.

– I wiesz, skąd się to bierze?
– Nie.
– Wieprzowina – powiedziała koleżanka i zachichotała. – Tak śmierdzą świniożercy. Wszyscy Niemcy to świniożercy.
Pomyślałam, że trudno żyć w kraju, w którym wszyscy ludzie jedzą wieprzowinę i śmierdzą jak mój szef.
W lodziarni po raz pierwszy zobaczyłam transwestytę. Pedałów oczywiście znałam; mój kuzyn Ali wciąż ich przecież przyprowadzał do domu. Zza ściany dobiegało wtedy stłumione stękanie, potem mężczyźni wychodzili czerwoni na twarzy. A Ali miał parę banknotów w kieszeni.
Ten pedał był jednak całkiem inny. Nosił blond perukę, miał długie paznokcie, sztuczne rzęsy i usta pomalowane jaskrawoczerwoną szminką. Wcale bym na to nie wpadła, że jest mężczyzną, gdyby mi koledzy nie powiedzieli.
– Naprawdę? – szepnęłam. – Ta brzydka kobieta jest w rzeczywistości brzydkim mężczyzną?
– Tak – odpowiedział starszy kelner – przysięgam na Allaha.
Nie dawało mi to spokoju. Przysunęłam się niepostrzeżenie do kobiety, która była mężczyzną. Tak, z bliska mogłam zobaczyć, że spod make-up'u sterczały włoski zarostu. Uważałam, że to fascynujące i zarazem odpychające. Tak otwarcie gapiłam się na kobietę, która była mężczyzną, że starszy kelner zaprowadził mnie za uszy z powrotem do waflownicy.
– Zwariowałaś – złościł się – żeby się tak gapić bez żenady. Przecież to nie wypada.
– Ale dlaczego on to robi? – zapytałam. – Czy nie jest o wiele lepiej być mężczyzną? To przecież idiotyczne przebierać się za kobietę.
– Tak, u nas – przyznał starszy kelner – ale w Europie jest całkiem inaczej. Tam kobiety są szefami.

Z obrzydzeniem wydął górną wargę.
– Kobiety! – powiedział. – Szefami! Śmieszne!
Z końcem lata właściciel mi powiedział:
– Przykro mi, sezon się skończył. Zwalniam cię. Jeśli będę cię potrzebował, zadzwonię.
To mi odpowiadało, bo po raz pierwszy w życiu byłam poważnie zakochana. Potrzebowałam na to czasu i sił.
Młody człowiek miał na imię Raszid i uczył się w szkole marynarki. Był pięć lat starszy ode mnie i zamierzał zostać kapitanem królewskiej floty handlowej. Raszid miał jasną skórę i brązowe oczy. Podobała mi się jego figura, zwłaszcza gdy nosił dżinsy.
Spotkałam go w dyskotece dla nastolatków „Rendez-vous". Tańczyłam tam pewnego popołudnia i gdy zapadł zmierzch, ruszyłam w drogę do domu. Musiałam się spieszyć, żeby dotrzeć tam wcześniej niż stryj Hasan. Łatwo wpadał w gniew, jeśli się przychodziło po nim.
Biegnąc w stronę Nouveau Talborjt, zauważyłam, że ktoś za mną idzie. Zwykle byłam szybsza od moich wielbicieli. Ale ów młody człowiek nagle stanął przede mną. Nawet nie był zdyszany, gdy spytał:
– I co, fajnie było w „Rendez-vous"?
– Nie chodzę do „Rendez-vous" – skłamałam. „Rendez-vous" było bezalkoholową dyskoteką dla nastolatków. Trochę czułam się zażenowana, że akurat tam mnie zobaczył ten przystojny facet.
– Ach tak – powiedział – pewnie się pomyliłem. Jesteś piękną kobietą. Więc gdzie byłaś?
Podobało mi się, że nie nazwał mnie „piękną dziewczyną", tylko „piękną kobietą". I tak już wiedziałam, że stałam się kobietą. Tylko moje otoczenie zdawało się tego nie zauważać. A tu był jeden taki, który się poznał.
Mimo to odpowiedziałam z dystansem:
– Na spacerze. Byłam na spacerze.

– Zdrowo jest spacerować – stwierdził młody człowiek. – Czy mogę cię odprowadzić kawałek?

Szłam, jak zwykle, przez ciemne uliczki mojej dzielnicy, najkrótszą drogą do domu.

– Nie boisz się tutaj po ciemku?

– Nie – odpowiedziałam. – Dlaczego?

– Jesteś odważna, piękna kobieto – powiedział Raszid. Zanim skręciłam w moją ulicę, pożegnałam się z nim.

Od tego dnia spotykaliśmy się co środę i piątek, ponieważ Raszid podobno tylko w te dni mógł schodzić na ląd. Albo umawialiśmy się na szóstą rano na plaży, zanim musiał wrócić na statek albo iść do szkoły.

Chodziliśmy po plaży, trzymając się za ręce, rozmawialiśmy i całowaliśmy się.

Pewnego dnia przyłapał mnie z Raszidem mój kuzyn Aziz. Aziz był dwa lata starszy ode mnie i też się we mnie zakochał. Ciągle za mną łaził. Wszędzie, gdzie byłam ja, był i on. Stał się moim cieniem. Nie był agresywny, raczej pokorny. Naprawdę walczył o moją miłość. Wolałam to niż ciągłe napastowania ze strony jego brata Alego. Ale i tak mnie to denerwowało. Codziennie musiałam się zastanawiać, jak go zgubić.

Gdy się zorientował, że jest w moim życiu inny mężczyzna, popadł w depresję. Miało to związek z kłopotami miłosnymi, ale też z narkotykami. Martwiłam się o niego, ale mogłam być dla niego tylko miła, nic więcej.

Dla Aziza było to za mało. Popadł w prawdziwy obłęd. Codziennie pisał do mnie listy miłosne i wręczał mi je, patrząc błędnie oczami czerwonymi od narkotyków. Potem zaczął się okaleczać. Walił głową w mur na podwórku, gdy próbowałam zasnąć, i wył jak wilk. Bardzo mi to ciążyło. W końcu próbował sobie przeciąć żyły.

Nacisk na mnie rósł. Ciotka Zajna uważała, że jestem odpowiedzialna za cierpienie Aziza.

– Ouardo – mówiła – zaręcz się z Azizem. Inaczej zmarnujesz mu życie.

Miałam wrażenie, że ciotka oczekuje ode mnie, żebym oddała swoje ciało jej synowi, aby go uleczyć. Uważałam to za niemoralne. Cóż ja miałam wspólnego z problemami psychicznymi mojego kuzyna? Moja ciotka źle wychowała swoje dzieci, nie dała im dosyć miłości. To nie moje zadanie odrabiać skutki tego zaniedbania.

Nie, ciotko, myślałam. Nie mogę pomóc Azizowi. Ty go zmarnowałaś, nie ja. Postaraj się sama to naprawić.

Od kiedy miałam pracę i dodawałam swoją część do finansowania rodziny, czułam się wolna i dostatecznie silna, żeby stawić opór ciągłemu terrorowi psychicznemu ze strony krewnych.

Kilka tygodni wcześniej pokazałam kuzynce Habibie, która mnie codziennie biła, że dłużej na to nie pozwolę.

Habiba uderzyła mnie w twarz, bo nie mogła znaleźć swoich majtek. Natychmiast jej oddałam. Kopnęłam ją, Habiba upadła, a ja jak szalona zaczęłam ją bić. Wszyscy byli przerażeni, ja też. Jeszcze nigdy aż tak nie straciłam panowania nad sobą. Ale podziałało – Habiba już nigdy mnie nie zaatakowała.

Od tego wieczoru nosiłam przezwisko „mistrzyni świata w karate".

W końcu Aziz zrezygnował. Zrozumiał, że nie ma u mnie najmniejszych szans. Odstraszył go wewnętrzny chłód, jaki w sobie wyrobiłam, żeby się chronić.

Raszid i ja pozbyliśmy się wprawdzie Aziza, ale nadal nie mieliśmy spokoju. Teraz łazili za nami policjanci. Często nas kontrolowali, bo Raszid miał bardzo europejski wygląd. W Maroku niechętnie patrzy się na dziewczęta chodzące z obcokrajowcami.

Wówczas Raszid pokazywał swoją legitymację kadeta, a policjanci salutowali:

– Przepraszam, *sidi*, życzę panu i pańskiej towarzyszce miłego dnia.

To mi się podobało. Miałam przyjaciela, przed którym policjanci trzaskali obcasami! Takiego człowieka jeszcze dotąd w moim życiu nie było. Mężczyzn, których dotychczas poznałam, policjanci w najlepszym razie przeganiali, a w najgorszym – zabierali ze sobą.

A nie podobało mi się, że Raszid ciągle spacerował z innymi dziewczynami po nadbrzeżnej promenadzie. Chyba lubił blondynki, co mi przeszkadzało.

Raszid jednak tłumaczył:

– Wiesz – powiedział – ja tych kobiet nie kocham. Kocham ciebie. Ale ty jesteś dziewicą i powinnaś nią zostać aż do nocy poślubnej. Dlatego nie uprawiam seksu z tobą, tylko z tymi blondynkami. One są nieważne. Ty jesteś moim nietkniętym kwiatem.

Zaniemówiłam. Czy naprawdę chciałam być nietkniętym kwiatem? Zrozumiałam jednak, że nie mogę być niczym innym. Miłość, którą czułam, niczego tu nie zmieniła. Będę uprawiać seks dopiero wtedy, gdy wyjdę za mąż. Postanowiłam pogodzić się z sytuacją. Było mi przykro, że Raszid sypia z innymi kobietami. Ale pozostałam konsekwentna.

Wystarczało mi, że jego serce należało do mnie. To, że zawsze do mnie wracał, było dla mnie dowodem, że taka, jaka jestem, zasługuję na miłość.

Związek ten trwał rok. Pewnego dnia w drodze z Nouveau Talborjt na plażę Raszid objął mnie i powiedział:

– Postanowiłem z tobą zerwać.

Serce mi zamarło, ktoś zgasił słońce, powietrze było lepkie jak guma do żucia. Jak przez watę usłyszałam słowa Raszida:

– Jesteś cudowną kobietą. Ale nie mogę być z tobą. Pływam po morzu, spotykam się z kobietami w innych portach, chcę korzystać z życia i nie jestem jeszcze gotów się żenić.

– Jak to się żenić? – wyjąkałam. – Wcale nie chciałam wychodzić za mąż.

Miałam nadzieję, że powie: „No, jeśli tak, to...".

Ale odpowiedział:

– Mimo wszystko. Nie mogę ci dać tego, czego pragniesz. Tylko bym cię unieszczęśliwił.

Kolana się pode mną ugięły i potrzebowałam kilku minut, żeby się pozbierać.

– Pozostań czysta – powiedział Raszid. – Adieu, *bi-salama*.

I wypuścił mnie z objęć.

Usiłowałam nie okazać słabości, rozpaczy. Z wysoko podniesioną głową poszłam z powrotem w kierunku Nouveau Talborjt. Obejrzałam się ukradkiem: Raszid wlókł się z opuszczonymi ramionami na plażę.

Gdy znikł mi z oczu, moje ciało zaczęło dygotać, chociaż rozkazałam mu zachować spokój. Nogi odmówiły mi posłuszeństwa, chociaż kazałam im robić jeden krok za drugim. Oczy zrobiły mi się mokre. Osunęłam się na ziemię. Jak półtora nieszczęścia siedziałam na skraju ulicy, z głową wciśniętą w ramiona. Liczyłam na cud. Miałam nadzieję, że poczuję jego dłoń na ramieniu, usłyszę jego głos: „Kochanie, wróciłem. Nie potrafię być bez ciebie".

Gdy w końcu jakaś ręka dotknęła mojego ramienia, była to ręka starego człowieka.

– Co się stało, dziewczyno? – zapytał. – Potrzebujesz pomocy?

Potrząsnęłam głową i uciekłam.

Praca

Gdy miałam siedemnaście lat, po raz pierwszy dostałam okres. Myślę, że należałam do spóźnialskich. Ale w następnych miesiącach moje ciało tak szybko się zmieniało z dziewczęcego na kobiece, jakby chciało nadrobić zapóźnienie w stosunku do rozwoju umysłowego. Od dawna przecież wiedziałam, że moje dzieciństwo minęło.

Biust urósł mi tak, że mężczyźni patrzyli tylko na niego, chociaż miałam ogromne, pełne wyrazu oczy, moim zdaniem o wiele atrakcyjniejsze niż dekolt.

Częściej teraz przeglądałam się w lustrze i byłam z siebie zadowolona, chociaż nie odpowiadałam marokańskiemu ideałowi urody. Marokańczycy wolą wysokie, jasno umalowane dziewczyny o dużych pupach w obcisłych dżinsach, pod którymi nawet majtki się nie mieszczą. Ponadto włosy w żadnym razie nie mogą być ciemne i kręcone. Większość dziewczyn tleni je sobie na blond i poddaje u fryzjera skomplikowanej operacji prostowania.

Ja miałam czarne, kręcone włosy do ramion, nie malowałam się, pod spodniami nosiłam majtki i chyba byłam typem raczej naturalnym. Miałam sportową sylwetkę z kobiecymi krągłościami. Moja twarz o pełnych ustach była przyjazna i otwarta. Blizny po paznokciach ciotki jeszcze było widać. Zęby miałam zepsute i brzydkie. Później jakiś dentysta mi powiedział, że w wypadku ludzi, którzy w dzieciństwie musieli głodować, to nic dziwnego.

Zaczęłam zwracać uwagę na zdrowie. Codziennie rano wstawałam o szóstej i szłam na plażę, mimo że Raszid już tam na mnie nie czekał. Zakładałam tenisówki i prawie przez godzinę biegałam wzdłuż brzegu, potem wskakiwałam do wody i wypływałam daleko w morze. Później brałam prysznic i o dziewiątej rano stawałam odświeżona do pracy.

Pracowałam teraz w restauracji o nazwie „Golden Gate". Jest to jedna z największych i najbardziej znanych restauracji w Agadirze, a prowadzi ją Marokańczyk Kasim, który przez długi czas mieszkał w Niemczech.

Kasim zatrudnił mnie niejako *en passant*. Pewnego dnia przebiegłam w spodniach-ogrodniczkach i adidasach obok jego restauracji. Szłam właśnie do Rabi'i, która pracowała wtedy w pralni klubu „Valtur", z nadzieją, że znajdzie się tam dla mnie jakaś praca.

Kasim patrzył za mną. Znany był z tego, że ma dobre oko do ładnych dziewcząt. Na początku pomyślałam, że nie o mnie mu chodzi, ale o jedną z tlenionych panienek po drugiej stronie ulicy, tylko że tam żadnej nie było. A więc Kasim, jeden z najbogatszych restauratorów w Agadirze, patrzył za mną.

Pomyślałam: Ouardo, to twoja szansa. Teraz zawrócisz i porozmawiasz z tym człowiekiem. Może będziesz miała znów pracę.

Zawróciłam i podeszłam do Kasima. Był trochę zaskoczony, że tak szybko wyhamowałam i zawróciłam.

– Skąd jesteś? – zapytał.

Nie znał mnie, bo nie należałam do dziewcząt kręcących się w turystycznej okolicy Agadiru. Dlatego jeszcze nikt mnie do tej pory nie zaprosił do „Golden Gate". A sama nie mogłam sobie pozwolić na to, żeby coś tam zjeść albo wypić.

– Z Nouveau Talborjt – odpowiedziałam.

– Ach, tak – powiedział Kasim. – Nigdy cię tu jeszcze nie widziałem.

– Pracowałam obok w lodziarni – powiedziałam.

– To dobrze. – Kasim nie znosił właścicieli lodziarni, bo go złościło, że Niemcy mieli jakiś sekretny przepis na wafle i kiedy je piekli, po ulicach rozchodził się taki zapach, że ludziom ślinka ciekła do ust. Kasim też robił wafle do lodów, ale ani w połowie tak smakowicie nie pachniały jak tamte.

– Umiesz piec wafle? – zapytał Kasim.

– Jasne – powiedziałam i pokazałam mu na dowód moje poprzypiekane ręce.

Kasim uśmiechnął się:

– Jeśli chcesz, możesz jutro o dziewiątej zacząć u mnie. Tylko punktualnie, proszę. Na tarasie.

Zatkało mnie, bo tak szybkiego sukcesu się nie spodziewałam.

– W co mam się ubrać?

– W białą bluzkę, czarną minispódniczkę.

Miałam krótką czarną spódniczkę, ale nie miałam białej bluzki. Popędziłam do domu i popytałam wśród sąsiadek. Jedna z nich, Fatima, miała elegancką białą bluzkę – z grubego materiału, z wysokimi poduszkami – i mogła mi ją pożyczyć.

Dumna stawiłam się następnego dnia rano do pracy. Kasim był jednak niezadowolony.

– Co to jest? – zapytał, wskazując na białą, bufiastą bluzkę. – Zbroja rycerska?

Nic nie powiedziałam.

– Myślisz, że cię tu zatrudniam, żebyś paradowała w najobszerniejszej bluzce w Agadirze? Zaczekaj tu!

Kasim znikł w swoim biurze. Za chwilę wrócił z dwustu dirhamami i pokwitowaniem, na którym było napisane „zaliczka".

– Weź pieniądze – powiedział – podpisz tutaj i wróć jutro w bluzce, w której będziesz wyglądała seksownie. Okay?

– Okay – wymamrotałam i poczułam się trochę głupio w bufiastej bluzce Fatimy. Wieczorem kupiłam sobie bluzkę z materiału tak cienkiego, że niemal przezroczystego. Wydawałam się sobie w tej bluzce bardzo kobieca. Długo obracałam się przed lustrem w sklepie. Pomyślałam, że to trochę zbyt odważne, żeby tak chodzić, ale cel był przecież słuszny.

Najwyraźniej dokonałam właściwego wyboru, gdyż Kasim aż mlasnął, gdy następnego dnia rano zjawiłam się w pracy.

– Bardzo dobrze – powiedział.

Nie byłam pewna, czy to rzeczywiście dobrze. Oczy Kasima wydawały mi się nieco zbyt pożądliwe. Był znanym podrywaczem. A ja nie chciałam się znaleźć w sytuacji, w której musiałabym odtrącić jego awanse i może stracić pracę.

Faktycznie niedługo zaczęły się problemy. Moja koleżanka Hajat wręczyła mi któregoś dnia kopertę z trzystoma dirhamami i kartką: „Dziś wieczorem, po pracy, przed hotelem takim a takim". Zapomniałam, jak się ten hotel nazywał, mieścił się przy cichej ulicy, dziś jednak już nie istnieje.

– Cholera – wymamrotałam.

– Przykro mi – powiedziała Hajat – ale wpadłaś mu w oko. Teraz twoja kolej, mała.

Przez cały dzień schodziłam mojemu szefowi z drogi i myślałam, co mam zrobić. Miałam wrażenie, że wszyscy koledzy mnie obserwują. A mnie chodziło o to, czy będę miała dalej pracę, czy znowu znajdę się na ulicy.

Zdecydowałam jednak, że nie pójdę na żadne kompromisy i zostanę sobie wierna. Gdybym spotkała się z Kasimem pod hotelem, niezbyt bym się różniła od moich kuzynek, którymi pogardzałam. Oddałam trzysta dirhamów, a wracając wieczorem do domu, obeszłam długim łukiem dzielnicę, w której mieścił się ten hotel.

Nazajutrz atmosfera w „Golden Gate" się zmieniła. Kasim nie zagadnął mnie o miniony wieczór, ale stał się bardziej wymagający. Nie mogłam sobie pozwolić na żaden błąd, bo od razu była awantura. Myślę, że Kasim tylko czekał, żeby mnie wyrzucić.

Tyle jednak było ładnych dziewcząt w „Golden Gate", że mój szef wkrótce zainteresował się inną i przestał zwracać na mnie uwagę. Może nawet uszanował moją dumną odmowę. W każdym razie już mnie nie podrywał i mogłam spokojnie pracować.

To była dobra praca. Wynagrodzenie nie było specjalnie imponujące. Na początek dostałam tysiąc dirhamów miesięcznie. Potem, gdy przeszłam od lady z lodami do pizzerii, otrzymywałam tysiąc pięćset dirhamów plus napiwki. Niewiele miałam z tych pieniędzy, bo większą część musiałam oddawać ciotce Zajnie.

Ale odkryłam, że jestem dobra w pracy. Koledzy mnie szanowali, a goście lubili. Miałam kontakt z Europejczykami, którzy głównie latem wypełniali lokal, i chociaż ich zachowanie często wydawało mi się dziwne, to jednak podziwiałam ich za pewność siebie i za to, że mężczyźni i kobiety zdawali się odnosić do siebie fair.

Czułam, jak moja własna świadomość rośnie, zwłaszcza gdy Kasim zatrudnił Marokankę z Düsseldorfu, która kierowała restauracją. Ta kobieta miała tyle energii i odwagi, że wkrótce żaden z kolegów nie odważał się jej przeciwstawić.

Na początku rzecznik pracowników, wyrośnięty Arab, bezczelnie jej powiedział w twarz:

– Słuchaj no, nie mam ochoty, żeby mną baby komenderowały. Wracaj do Niemiec, jeśli chcesz grać szefa. Tutaj rządzą mężczyźni.

Zanim dokończył, nowa z Düsseldorfu stanęła na palcach i trzasnęła go w twarz, tak że ze zdziwienia nie mógł zamknąć ust.

Czekaliśmy, co będzie. Co on teraz zrobi? Dla mnie było jasne, że to walka o władzę, w której nie chodzi tylko o dwie osoby, ale o zasadę. Czy ta kobieta zdoła się przebić przeciwko mężczyznom? Czy przegra, tak jak wiele jej poprzedniczek?

Odpowiedź przyszła szybko. Kelner ciągle stał z rozdziawionymi ustami. Z głupawym wyrazem twarzy i śladem ręki na policzku wycofał się. Chyba nawet przeprosił. Teraz stało się jasne, kto tu wygra: kobieta z Niemiec.

Dla mnie to był prawie cud, jak szybko ta nowa zdobyła sobie szacunek. Nie ustąpiła, lecz broniła swojego stanowiska – i to skutecznie. Postanowiłam być taka jak ona.

Lubiłam moje koleżanki. Wszystkie zmagały się ze swoim losem. Na przykład nasza babka klozetowa, Hadda, od śmierci męża sama pracowała na siebie i trójkę dzieci. Miała najgorsze zajęcie w naszej restauracji, bo od popołudnia do piątej nad ranem, kiedy zamykaliśmy, musiała dbać o czystość toalet. Nasi goście bardzo dużo pili i wymiotowali w umywalniach. Hadda całe noce spędzała na sprzątaniu brudów pozostawionych przez gości. Ale nigdy nie traciła swojej godności. Dumna i wyprostowana przychodziła do pracy. Dumna i wyprostowana szła do domu. Podziwiałam Haddę bardzo.

Moja koleżanka Rheno miała inny kłopot. Mieszkała poza miastem i codziennie rano przyjeżdżała autobusem do Agadiru. Mieszkała z matką i braćmi, którzy byli nieudani i bezrobotni. Pili, palili haszysz, a na rauszu bili matkę i siostrę.

Rheno była jednak mimo to człowiekiem pełnym radości życia. Gdy rano przygotowywałyśmy restaurację na przyjęcie gości, śpiewałyśmy razem piosenki Najat Atabou, słynnej berberyjskiej artystki. Najbardziej lubiłyśmy przebój *J'en ai marre!* – „Mam dość!", w którym Atabou pomstuje na zdominowane przez mężczyzn społeczeństwo naszego kraju. Wpływ Najat można porównać na przykład z tym, jaki ma Alice Schwarzer w Niemczech. Zrzuciła zasłonę i swoim niezrównanym głosem nawoływała kobiety, by nie godziły się na wszystko. Radio państwowe bojkotowało jej piosenki, ale kasety z nagraniami rozchodziły się w milionowych nakładach na sukach w całym kraju.

Rheno zakochała się później w chłopcu z Casablanki, który chciał się z nią ożenić. Jej matka jednak nie wyraziła zgody.

– Jeśli zostawisz mnie samą ze swoimi nieudanymi braćmi, przeklnę cię na zawsze – groziła.

Rheno jednak spotykała się nadal ze swoim przyjacielem, ale brzemię klątwy na niej zaciążyło, gdy go w końcu potajemnie poślubiła. Kilka miesięcy później stwierdzono u niej raka piersi.

Już dawno zauważyłam, że moja koleżanka ciągle jedną ręką trzymała się za pierś, gdy biegła rano od przystanku autobusowego do pracy.

– Rheno – mówiłam – coś tu jest nie w porządku. Idź do lekarza.

– Gdzie tam – odpowiadała – nic mi nie jest. Życie jest o wiele za krótkie, żeby je obciążać troskami.

W rzeczywistości nie stać jej było na wizytę u lekarza, tak jak wielu ubogich Marokańczyków. Poszła do szpitala dopiero wtedy, gdy na leczenie było już za późno.

Niedługo po tym umarła. Myślę, że nie mogła znieść presji swojej rodziny.

Szejk

W grudniu mieliśmy gościa z Kuwejtu. Przez kilka dni mi się przyglądał, a potem zwrócił się do mnie bezpośrednio:

– Przepraszam – powiedział – nie chciałbym długo kluczyć, powiem więc wprost. Pani tak mi się podoba, że chcę poprosić o pani rękę.

– Słucham? – zapytałam. – Mówił po arabsku z dziwnym akcentem. Może się przesłyszałam.

– Chciałbym się z panią ożenić – powtórzył.

Przyjrzałam mu się uważniej. Był młody, może miał dwadzieścia sześć lat, i niewątpliwie pochodził z Bliskiego Wschodu, chociaż nosił dżinsy i koszulę zamiast kaftana i chusty. Nie byłam dobrego zdania o mężczyznach ze Wschodu, bo wspierali swoimi pieniędzmi prostytucję w Maroku. Wszystko, co u nich było zabronione, robili w naszym kraju. Kupowali sobie najładniejsze dziewczyny i serce mi się ściskało, gdy widziałam, jak ci obrzydliwi starcy je obmacywali i brali do swoich mercedesów-limuzyn, by je zawieźć do jakichś ukrytych will i tam się z nimi zabawiać.

Młody człowiek, który przede mną siedział, miał jednak sympatyczny uśmiech. Wdałam się z nim w rozmowę. Okazało się, że był w swoim kraju policjantem. W Maroku spędzał urlop. Najwyraźniej szukał żony. W świecie arabskim mówi się, że najładniejsze kobiety są w Maroku.

Mężczyzna przerwał jednak rozmowę, zanim na dobre się rozwinęła.

– Nie chciałbym jednak dłużej z panią rozmawiać, dopóki oficjalnie nie poproszę o pani rękę. Taki jest zwyczaj w moim kraju. Kiedy mógłbym się spotkać z pani rodzicami?

Facet wydał mi się trochę dziwaczny. Z drugiej strony, gdybym była zaręczona, miałabym spokój od zalotów moich marokańskich wielbicieli. Poprosiłam go, żeby jeszcze wpadł nazajutrz.

Wychodząc rano z domu, powiedziałam:

– Stryju Hasanie, być może dzisiaj wieczór przyjdzie tu człowiek, który chce prosić o moją rękę.

– O twoją rękę? – parsknęła ciotka Zajna. – Nie nabieraj nas.

– Nie nabieram was. Możliwe, że przyjdzie dziś wieczór.

– A co to za jeden? – zapytał stryj Hasan nieufnie. – Murzyn?

Stryj Hasan nie wyobrażał sobie, żeby ktoś inny mógł się zainteresować taką ciemnoskórą dziewczyną jak ja. W gruncie rzeczy stryj był rasistą. Gdy byłam mała, bił mnie, jeśli się bawiłam z dziećmi mającymi ciemniejszy kolor skóry niż mój.

– Nie baw się z czarnymi oliwkami – krzyczał – bo jeszcze się staniesz jak one!

Żydów stryj Hasan też nie znosił. Niektórzy z nich mieszkają w Maroku. Zawsze nam powtarzano, że nie są to dobrzy ludzie. I że trzeba się całkiem nago wykąpać w oliwie, jeśli przez nieuwagę podało się rękę Żydowi. W przeciwnym razie Allah nie przebaczy grzechu. Mieliśmy nawet zabronione rozmawiać z Żydami.

Znałam tylko jednego Żyda, właściciela supermarketu obok „Golden Gate". Uważałam, że jest bardzo miły, i nie mogłam zrozumieć, co cały świat miał mu do zarzucenia.

– Nie – powiedziałam – człowiek, który chce przyjść do nas dzisiaj wieczorem, to Kuwejtczyk.

Stryja Hasana zatkało.

– Jakiś szejk?

W oczach kuzynek rozbłysły dolary, gdy wspomniałam o Kuwejcie.

– Nie, myślę, że jest policjantem. Czy policjanci też są szejkami?

Nikt nie wiedział. Ale napięcie na rue el Ghazoua było tego dnia ogromne.

Miałam tyle roboty w „Golden Gate", że prawie zapomniałam o Kuwejtczyku. Ale przyszedł, usiadł i grzecznie zapytał:

– Przepraszam, panienko, czy rozmawiała pani ze swoim ojcem?

– Nie, mojego ojca nie ma – odpowiedziałam – ale może pan porozmawiać ze stryjem. On jest panem domu i oczekuje pana dziś wieczorem.

Miałam nadzieję, że stryj rzeczywiście będzie w domu.

– Znakomicie – powiedział Kuwejtczyk – przyjadę po panią o dziewiątej do restauracji.

Nie wiedziałam, czy mam się śmiać, czy płakać. Cała ta sprawa jakoś wymykała mi się spod kontroli. Czego naprawdę chce ode mnie ten człowiek? Czy naprawdę chce się ze mną ożenić? Albo ktoś tu sobie pozwala na paskudny żart wobec mnie? Zaczęło mi się robić z wolna nieswojo.

Punktualnie o dziewiątej pod „Golden Gate" podjechała taksówka. Kuwejtczyk otworzył tylne drzwi i zaprosił mnie do środka.

– Proszę wybaczyć, jeśli kupię jeszcze ciastka dla pani rodziny – powiedział. – Dla pani nabyłem już piękne perfumy.

Wcisnął mi do ręki pakiecik przewiązany wstążką. Jeszcze nigdy w życiu nie spotkałam nikogo, kto by mówił w taki napuszony sposób. A może to była prawdziwa arabska uprzejmość?

Kuwejtczyk kupił keksy, a potem pojechaliśmy do domu. Moje kuzynki wyfiokowały się, jakby sam król Arabii Saudyjskiej miał przyjść z wizytą. A on był tylko policjantem na pustyni. Stryj Hasan włożył swoją najlepszą dżellabę, a ciotka Zajna elegancki odświętny kaftan. Mieszkanie lśniło czystością, pewnie rodzina przez cały dzień sprzątała.

Kuwejtczyk się przedstawił i powiedział:

– Uważam, że pańska bratanica jest czarująca i chciałbym ją pojąć za żonę, jeśli nie ma pan nic przeciwko temu.

Stryj Hasan skinął majestatycznie głową. Ale widać było po nim, jaki jest rad, że się mnie tak elegancko pozbędzie. Rozmowa toczyła się jeszcze przez jakiś czas. Musiałam tłumaczyć stryjowi i ciotce, bo Kuwejtczyk mówił tylko arabskim językiem literackim, a nie po marokańsku. Potem nasz gość wyszukanie zapytał, czy mógłby się poczęstować jednym ze swoich keksów. Schrupał dwa, po czym się pożegnał, nie omieszkawszy przedtem wyrecytować tego czy innego wersetu z Koranu i uzgodnić ze stryjem Hasanem terminu oficjalnych pertraktacji weselnych.

Drzwi się zamknęły – i było tak, jakby jakieś dziwne widmo opuściło nasz dom. Kuzynki zasypały mnie pytaniami na temat mojego narzeczonego, a ja nie mogłam odpowiedzieć na żadne, bo przecież wcale tego człowieka nie znałam.

Tego wieczoru z trudem zasnęłam. W co ja się wdałam? Jeszcze był to dla mnie żart. Ale wyglądało na to, że Kuwejtczyk traktuje sprawę śmiertelnie poważnie.

W ciągu ostatnich dni przed odlotem do Kuwejtu chciał mnie regularnie widywać, ale nie w krótkiej spódnicy i prześwitującej bluzce, tylko w nieprzepuszczalnej dla spojrzeń dżellabie i jedwabnej chuście na głowie. Nie posiadałam, niestety, takich rzeczy. Stanął więc któregoś dnia przede mną z paczką, która zawierała odpowiednią, jego zdaniem, garderobę. Do tego szpilki, ponieważ uważał, że damy muszą nosić buty na wysokich obcasach.

Niczego innego nie spodziewałabym się po Arabie. I tak byłam zdziwiona, że oświadczył się kobiecie takiej jak ja. Minispódniczka, rozpuszczone włosy, bez rodziców. Nawet nie zapytał wprost, czy jestem jeszcze dziewicą. Dlatego sama z siebie odpowiedziałam mu na to niezadane pytanie.

– Jeśli się pan zastanawia, czy jestem jeszcze dziewicą – powiedziałam – mogę pana zapewnić, że odpowiedź jest pozytywna.

Pomyślałam sobie, że w literackim arabskim mogę w tej sytuacji też mówić stylem nieco napuszonym.

Włożyłam raz rzeczy od niego, ale chustki nie owinęłam wokół głowy, tylko położyłam ją sobie skromnie na ramionach. Potem podarowałam ją ciotce. Od tej pory uważała Kuwejtczyka za jeszcze sympatyczniejszego niż przedtem.

Nasze spotkania nie były bynajmniej podniecające. Ja pokazywałam Kuwejtczykowi suk, on zapraszał mnie na colę. Nosiłam, stosownie do okoliczności, sukienkę do kolan. On opowiadał o swoim życiu w Kuwejcie. Najwyraźniej po rozwodzie mieszkał jeszcze w dużej posiadłości swoich rodziców, zajmował jedno skrzydło domu i był pewien, że będę się dobrze rozumiała z jego matką.

Wciąż miałam nadzieję, że mnie kiedyś naprawdę pocałuje. To by mi dowiodło, że mnie chce. Ale pocałunki przed ślubem chyba nie były u niego przewidziane. Co najwyżej pełen dystansu całus w czoło. Też nieźle.

Wiedziałam, że nie jest on moją wielką miłością. Zbyt obce było dla mnie jego zachowanie. Ale był sympatycznym i interesującym młodym człowiekiem, który mógł się okazać moim wybawieniem. Wszystko było lepsze niż życie z ludźmi, którzy stanowili teraz moją rodzinę.

Zostało zaplanowane, że pobierzemy się za kilka miesięcy w Agadirze. Kuwejtczyk myślał o wielkim weselu i chciał przywieźć swoich krewnych, by ich przedstawić mojej rodzinie. Trochę mnie to martwiło. Opowiedziałam mu wprawdzie, że moja matka nie żyje, ale nie mówiłam, że mój ojciec jest winny jej śmierci i że siedzi za to w więzieniu.

Ulżyło mi, kiedy Kuwejtczyk wyjechał. Dało mi to czas do zastanowienia. Teraz jednak słał listy. Załączał fotografie, pisał dla mnie wiersze. W jednym z listów wspomniał, że amfiladę moich pokoi w posiadłości rodziców kazał już wymalować w kolorach lila i różowym; miałam tam żyć jak księżniczka. Do tej pory jeszcze nigdy się nie widziałam w pomieszczeniach lilaróż, ale się przyzwyczaję. Na wakacje chciał pojechać ze mną do Paryża i do Włoch, miejsc, o których do tej pory nie ośmieliłam się nawet pomarzyć. Lecz było też parę małych ale. Czy mogłabym może w przyszłości nosić spódnice zakrywające kolana, pytał na swój uprzejmy sposób. I jest bardzo ważne, bym do perfekcji opanowała kuchnię arabską, francuską i niemiecką. On chętnie sfinansuje odpowiednie kursy.

Wszystko to było trochę natarczywe, ale jednocześnie mi schlebiało. Cóż lepszego mogło mnie spotkać niż małżeństwo z wierzącym muzułmaninem, który do tego wydawał się w miarę zamożny i chciał mnie nosić na rękach. Z drugiej strony wiele się słyszy w Maroku o haremach Arabów na Wschodzie – żebym tylko nie skończyła jako trzecia czy czwarta żona na obczyźnie.

Szczególnie intensywnie takimi myślami jednak się nie trapiłam. Byłam tak zajęta nową pracą, że nie miałam czasu przemyśliwać nad moją przyszłością. Poza tym miałam kilku korespondencyjnych przyjaciół. Był Włoch, który z mojego powodu biegał pilnie na pocztę, był Francuz i Marokańczyk z Casablanki. Im więcej czasu upływało od wyjazdu Kuwejtczyka, tym bardziej słabło moje nim zafascynowanie.

Minęło definitywnie, gdy stałym bywalcem w „Golden Gate” został niejaki Walter z Monachium.

Człowiek z Niemiec

Walter mieszkał w hotelu „Safir-Europa" po drugiej stronie ulicy. Co rano punktualnie o dziesiątej siedział na tarasie w „Golden Gate" i zamawiał świeżo wyciśnięty sok z pomarańczy i espresso. Walter był moim gościem, chciał być obsługiwany tylko przeze mnie, bo podobno przyrządzałam najlepszy sok pomarańczowy. Nie brałam soku z karafki, tylko wyciskałam świeży i nie dolewałam wody.

Nasze rozmowy ograniczały się do niezbędnych słów:

– *Bonjour monsieur* – mówiłam.

– *Bonjour mademoiselle* – odpowiadał.

Potem składał zamówienie, a ja go obsługiwałam.

– *Merci, au revoir.*

I odchodził.

Tak było przez kilka dni, aż w lutym doszło do tego zajścia.

Policjanci wtargnęli do restauracji i zażądali od personelu okazania dowodów tożsamości. Chcieli sprawdzić, czy osoby poniżej dwudziestu dwóch lat nie mają kontaktu z alkoholem. W Maroku jest to zabronione.

Oczywiście wpadłam podczas tej obławy. Skończyłam dopiero dziewiętnaście lat, a podawałam na tarasie piwo.

– Pani nie wolno tu pracować – powiedzieli policjanci.

– Jak to – nie? – zapytałam.

– Bo ma pani dopiero dziewiętnaście lat, a w tym lokalu sprzedaje się alkohol.

– I co z tego – powiedziałam – może i podaję alkohol gościom. Ale sama jeszcze nigdy nie wypiłam ani kropli.

To było policjantom obojętne.

– Proszę zabrać swoje rzeczy i opuścić lokal.

Byłam przerażona.

– Co, proszę?

– Proszę zabrać swoje rzeczy i opuścić lokal – powtórzyli policjanci. – I to natychmiast, w przeciwnym razie pójdzie pani z nami.

Rozpłakałam się.

– Pozbawiają mnie panowie pracy. A potem się zastanawiają, dlaczego dziewczyny idą na ulicę. To jakiś obłęd.

Słowo „obłęd" nie spodobało się policjantom.

– Niech pani uważa, co pani mówi, bo będzie pani odpowiadać za obrazę urzędnika.

Cała sprawa wymykała się spod kontroli. Wszyscy goście na tarasie, między innymi Walter, przysłuchiwali się w napięciu.

Kelnerzy wciągnęli mnie do restauracji. Kasim się wtrącił, inne dziewczyny krzyczały. Byłam zrozpaczona. Bez bakszyszu stracę pracę. Ale czy Kasim zechce dać policjantom łapówkę. Nie byłam przekonana.

Nagle usłyszałam jakiś głos.

– Przepraszam panią, proszę się nie martwić. Mam dla pani pracę.

Podniosłam głowę. Przede mną stał Walter, gość z Niemiec.

– Czy zna pani „Oblubienicę Południa"? – zapytał.

– Oczywiście – powiedziałam. – To wielka fabryka włókiennicza niedaleko suku.

– Właściciele są moimi dobrymi przyjaciółmi – powiedział Walter – mogę z nimi porozmawiać. Jeśli jest pani zainteresowana, spotkajmy się jutro. O tej samej porze, w tym samym miejscu.

Po czym pan z Niemiec odszedł.

Policjanci rzeczywiście mnie zmusili do opuszczenia miejsca pracy. Nie odniosłam wrażenia, żeby Kasim jakoś szczególnie starał się mnie zatrzymać.

Znowu byłam bezrobotna.

Nazajutrz zabrałam Rabi'ę na spotkanie z Walterem. Cała ta sprawa wydawała mi się podejrzana. Moja siostra specjalnie wzięła sobie wolne, żeby mi towarzyszyć.

Walter wezwał taksówkę i pojechał z nami do „Oblubienicy Południa". Jej właścicielami byli dwaj młodzi bracia z długimi brodami, tak religijni, że nie chcieli mi podać ręki. Dziwiłam się, że ci mężczyźni mają kontakt z jakimś Niemcem. Byli niewątpliwie fundamentalistami, a Walter równie niewątpliwie nie był muzułmaninem.

Obaj brodaci mężczyźni mówili po niemiecku i tłumaczyli to, co Walter chciał mi powiedzieć.

– Siostro – powiedzieli – ten człowiek to dobry przyjaciel. Pomógł członkom naszej rodziny dostać się do Niemiec. Ma tak wielkie serce, że teraz chce pomóc tobie. Przyjmij jego pomoc, jest wprawdzie Niemcem, ale to brat. Oczywiście znajdziemy dla ciebie zajęcie, jeśli monsieur Walter sobie tego życzy.

Było to dla mnie jak sen, w którym znalazłam się przez przeoczenie. Właściwie byłam pewna, że zaraz się obudzę, a moja sytuacja będzie tak samo beznadziejna jak przedtem.

Niepostrzeżenie uszczypnęłam się w lewe ramię. I rzeczywiście: Walter znikł, ale zaraz wrócił – ze swatchem.

– Ten zegarek jest dla pani – powiedział.

– Dla mnie? Dlaczego pan to wszystko robi?

Znowu odpowiedzieli obaj bracia z „Oblubienicy Południa":

– On to robi, siostro, bo jest dobrym człowiekiem. Możesz mu zaufać, zapewniamy cię, że wszystko jest na poważnie. On ma dużo pieniędzy i wspiera dzieci w różnych krajach świata. Nie jesteś jedyna. On chciałby, żebyś uczyła się niemieckiego.

Niemieckiego? Nic już nie rozumiałam. Dlaczego ten zupełnie obcy człowiek miałby sobie życzyć, żebym uczyła się niemieckiego? Dlaczego w ogóle się mną interesuje? Coś mi się tutaj nie zgadza.

Szukając pomocy, spojrzałam na Rabi'ę. Wydawało się, że moja siostra uważa to wszystko za zupełnie normalne. Mrugnęła do mnie, dodając mi otuchy.

– Niemieckiego? – powiedziałam.

– Oczywiście – oznajmili dwaj brodaci mężczyźni. – Nasz brat Walter jest bardzo mądrym człowiekiem. Wie, że znasz *taszilhajt*, marokański, francuski, a nawet arabski język literacki. Jest przekonany, że potrafisz się nauczyć jeszcze jednego języka. A my uważamy to za dobry pomysł, siostro.

Rozmawiając ze mną, obaj mężczyźni patrzyli na swoje stopy. Unikali przyglądania mi się. Jak przystało na pobożnych muzułmanów, odwracali spojrzenie od obcej kobiety. Postanowiłam, że nie będę pracować w „Oblubienicy Południa". Wszystko to wydawało mi się trochę za bardzo fundamentalistyczne. Wszystkie kobiety, które widziałam w tej fabryce, nosiły chustki na głowie, a mężczyźni obsesyjnie omijali wzrokiem naszą grupę. Nie chciałam mieć z tym nic wspólnego.

– Wielkie dzięki, bracia – powiedziałam – wasza propozycja jest wspaniałomyślna. Ale wolałabym sama zatroszczyć się o pracę dla siebie. *Salam alajkum*, pokój z wami.

Walter odwiózł nas z powrotem do miasta. Wkrótce poleciał na kilka dni do Niemiec. Kontakt ze mną utrzymywał przez brodatych braci. Mieliśmy już w domu telefon. Co najmniej trzy razy w tygodniu dzwonili bracia z „Oblubienicy Południa" i przekazywali pozdrowienia od Waltera w Niemczech.

– Jak postępuje twój kurs niemieckiego, siostro? – wypytywali.

Nie miałam odwagi im powiedzieć, że tylko raz poszłam na lekcję, bo nauczycielem był Palestyńczyk, którego nawet po arabsku trudno było zrozumieć. Jak ktoś taki miałby mnie nauczyć obcego języka?

Odpowiedziałam:

– Nie jest tak łatwo z tym niemieckim, ale z pomocą Allaha jakoś dam radę.

– Walter proponuje, żebyś poszła na prostowanie zębów – powiedzieli bracia. – Przekazał już nam na to pieniądze. Czy mamy ci polecić dentystę, siostro?

Od razu poczułam, że mam co najmniej siedem dziur w zrujnowanej próchnicą szczęce. Mimo to uważałam, że ten Walter posuwa się trochę za daleko. Chciał chyba moje życie całkowicie wziąć w swoje ręce. O czym jeszcze mogę decydować sama?

Z drugiej strony ból zębów to przekonywający argument. Poszłam do dentysty wskazanego przez braci. Był bardzo młody, ledwie dwudziestoletni. Gabinet miał mały, ale czysty, narzędzia błyszczały. Potem się okazało, że to Walter przywiózł je z Niemiec. Dentysta zatrudniał technika, który nie miał zębów. Wyglądało to śmiesznie, ale był dobrym fachowcem i zrobił mi koronki, które prezentowały się lepiej niż moje własne zęby, zanim je zżarła próchnica.

Narzędziami Waltera młody dentysta zbadał mi zęby, dla Waltera sporządził kosztorys i dla Waltera doprowadził moje uzębienie do porządku. Przyszedł nawet do nas na rue el Ghazoua i w świetle słońca przed domem przykładał mi do zębów małe płytki, żeby ustalić kolor koronek, budząc wielką ciekawość sąsiedztwa. Byłam bardzo dumna, że jestem obiektem aż takiego zainteresowania.

Mojej rodzinie cała ta sprawa też się wydawała dziwna. Z jednej strony wyglądało to tak, jakby ten Walter mógł się stać dla nas kurą znoszącą złote jaja. Z drugiej strony byłam przecież zaręczona z Kuwejtczykiem, ten jednak nie płacił rachunków za dentystę, lecz przysyłał tylko listy. Przypuszczalnie Kuwejtczyk nawet nie zauważył, jak zrujnowane miałam uzębienie.

Stryj Hasan przeżywał prawdziwy konflikt sumienia. Jako głowa rodziny nie mógł aprobować tego, że jakiś obcy mężczyzna, a do tego Niemiec, płaci za leczenie moich zębów.

Wziął mnie na stronę i powiedział:

– Ouardo, jak ty się zachowujesz? Czego chce od ciebie ten *Almani*, człowiek z Niemiec? Już zapomniałaś, że jesteś zaręczona?

– To zupełnie co innego – stwierdziłam – ten człowiek jest bardzo stary i bogaty. Pomaga wielu dzieciom.

Walter miał niespełna czterdzieści osiem lat – ale dla dziewiętnastoletniej dziewczyny jak ja był to wiek wręcz matuzalemowy.

Stryj Hasan zmarszczył czoło:

– On rzeczywiście chce tylko pomagać biednym ludziom w Maroku?

– Myślę, że tak.

– To zaproś tego *Almani* do domu. Chciałbym poznać tego człowieka.

Gdy Walter kilka dni później znowu przyjechał do Agadiru i zapytałam go, czy nie przyszedłby nas odwiedzić, wyraził zgodę.

Ciotka Zajna przygotowała prawdziwie sutą kolację z baraniną i tadżinem. Wieczór upłynął bardzo przyjemnie na pogawędkach, aż *ammi* Hasan skierował rozmowę na określony temat, który mu widocznie bardzo leżał na sercu.

– Monsieur Walter – zaczął trochę oficjalnie – na pewno pan wie, że jestem mechanikiem samochodowym.

Walter skinął potakująco.

– A wie pan, co raz po raz stwierdzam?

Walter potrząsnął głową.

– Że brakuje części zamiennych. Chcę naprawić jakieś auto, ale nie mogę, bo brakuje części.

Nie wiedziałam, do czego zmierza ta rozmowa, ale niebawem miałam się dowiedzieć.

– Od pewnego czasu się zastanawiam – powiedział stryj – w jaki sposób mógłbym sprowadzić te części zamienne.

Walter nie reagował.

– Myślę, że powinienem części zamienne importować. Z Europy do Maroka.

Rozmowa robiła się dla mnie trochę nudna, bo części zamienne do samochodów niespecjalnie mnie interesowały.

Ale moje kuzynki nakręcały się coraz bardziej. Przez cały czas chichotały i szeptały po berberyjsku: „Taki stary to on znowu nie jest". – „W spodniach też ma jeszcze, ile trzeba".

Dość bezwstydnie gapiły się Walterowi między nogi. Miał na sobie cienkie beżowe spodnie i tak jak wielu obcokrajowców, nieprzyzwyczajonych do naszych płaskich kanapowych poduszek, siedział trochę niewygodnie i rozkraczony.

– Może wcale nie jest taki szlachetny i chce tylko pomóc – chichotały. – Albo chce pomóc, ale całkiem inaczej, niż Ouarda sobie wyobraża.

– Jeśli chce ci pomagać jako dziecku, Ouardo, to w porządku. Ale ja jestem kobietą.

– Che, che, che! On przecież leci na Ouardę. O, jak się na nią gapi!

Tymczasem stryj Hasan dalej omawiał problem części zamiennych:

– Wielce szanowy monsieur Walter, może zechce pan uczestniczyć w tym intratnym interesie?

Wreszcie wyszło szydło z worka: stryj Hasan chciał pieniędzy. Tak właśnie myślałam. Teraz byłam ciekawa, jak Walter zareaguje.

Skinął głową.

– Czemu nie?

Stryj wydawał się zadowolony, a ciotka Zajna była dziwnie dobrze usposobiona. Śmiała się i obejmowała mnie, szczypała mnie w policzek, głaskała po głowie i w ogóle tak się zachowywała, jakbym była jej największą ulubienicą.

Byłam trochę zaskoczona i zauważyłam oczywiście, że ciotka prowadzi fałszywą grę. A jednocześnie delektowałam się tą skupioną na mnie uwagą i sympatią. Czułam się jak królowa. Widocznie rzeczywiście spotkałam człowieka, który mógł nam pomóc. Mimo że nie żywiłam prawdziwie tkliwych uczuć dla moich krewnych, jednak życzyłam im szczodrego sponsora. Może nas Walter uwolni od piętna biedy, ubóstwa i trosk.

Krótko przed północą Walter opuścił nasz dom. Ale nie mogliśmy spać. Stryj Hasan, ciotka, kuzyni i kuzynki byli w pełnej euforii.

Ja byłam zadowolona i miałam wrażenie, że w osobie Waltera Allah zesłał mi anioła. Dzięki niemu zdobyłam szacunek mojej rodziny, o który zawsze walczyłam. Zasypiając czułam, że Walter zdobył kawałeczek mojego serca. Nie była to miłość. To było piękne uczucie – i odrobinę więcej.

Nazajutrz stryj Hasan i ciotka Zajna zaczęli otwarcie agitować za Walterem. Chwalili go ponad wszelką miarę, mówili, jaki jest sympatyczny, jaki bogaty, jaki kochany.

Podczas prania na podwórzu przyłączyła się do mnie ciotka.

– Ten monsieur Walter – powiedziała – to bardzo serdeczny i przyjemny człowiek. Uważam, że jest zacniejszy od Kuwejtczyka. Dla niego będziesz tylko drugą żoną, weźmie sobie jeszcze inne i nagle staniesz się jedną z wielu. W Niemczech nie ma haremów, wiem o tym, będziesz jedyną żoną. Znam kobiety, które wyszły za mąż za Niemców. Teraz mają wille tutaj, w Agadirze. Mnie ten *Almani* podoba się o wiele bardziej niż Kuwejtczyk.

– Ale nie jest muzułmaninem – zauważyłam.

– E tam, gadanie! Muzułmanin czy nie muzułmanin – odparła ciotka – najważniejsze, że dobry człowiek. – A to miało znaczyć: ma pieniądze.

Czułam, jak Walter staje się coraz ważniejszy nie tylko dla mnie, lecz dla całej mojej rodziny. Nadał mi znaczenie, jakiego dotychczas nie miałam. Chodził ze mną do dobrych restauracji, był uprzejmy i uważny, troszczył się o moje zęby, kupował mi śliczne ubrania, podarował mi swatcha, wywarł wrażenie na mojej rodzinie – i nie napastował mnie seksualnie. Do takiego zachowania nie byłam przyzwyczajona.

Kiedyś zaprosił mnie na basen do swojego hotelu. W recepcji doszło do awantury, bo kierownictwo hotelu nie życzyło sobie, żeby goście byli nagabywani przez miejscowe dziewczyny.

Walter okropnie się zdenerwował i doszło do kłótni z dyrektorem hotelu. Bronił mnie.

– Czy pan nie widzi, że to przyzwoita dziewczyna? Nie może pan przecież dyskryminować wszystkich kobiet w swoim kraju. Uważam, że to oburzające.

Potem powiedział do mnie:

– Wiesz co, Ouardo, nie mam już ochoty na tę arabską mentalność. Wracam do Niemiec, a w przyszłości znowu będę jeździł na urlop do Azji. Tam ludzie są bardziej otwarci i uprzejmiejsi.

Dla mnie był to szok. Nagle spostrzegłam, jak wiele czułam do tego *Almani*. Bez niego moje życie byłoby uboższe. Bałam się, że go stracę. Wkroczył w moje życie nieoczekiwanie i łagodnie – jak słońce, które rano wstaje nad górami na wschodzie i ogrzewa ziemię i serca. Teraz mi groziło, że zniknie, tak nagle, jak się pojawił.

– Nie martw się – powiedział Walter – nadal będę się o ciebie troszczył. Jeśli chcesz dalej chodzić do szkoły, oczywiście będę za nią płacił.

Chyba pobladłam jak kreda.

– Ale ja nie chcę, żebyś wyjechał – powiedziałam. – Jeśli wyjedziesz, musisz mnie wziąć ze sobą.

Niewiele brakowało, a nie miałabym odwagi wypowiedzieć tego zdania. Pamiętam, jak siedziałam w mokrym bikini nad basenem i zebrałam całą moją odwagę, by powiedzieć: „Jeśli wyjedziesz, musisz mnie wziąć ze sobą".

Teraz już wszystko zostało powiedziane. Jak zareaguje Walter? Serce mi waliło, jakby chciało wyskoczyć z piersi. Krew szumiała mi w uszach. To dlatego ledwo zrozumiałam jego odpowiedź.

– Wziąć ciebie ze sobą? Jak to? – Walter był zaskoczony. – To byłoby możliwe tylko wtedy, gdybym cię adoptował. Ale że masz już więcej niż osiemnaście lat, musiałbym się z tobą ożenić.

Ku własnemu zaskoczeniu usłyszałam swoje słowa:

– No to się ze mną ożeń.

Walter wyglądał na co najmniej tak samo zdumionego jak ja.

– Jesteś we mnie zakochana?

Zawahałam się, zaczerwieniłam, jeszcze raz zajrzałam w głąb własnego serca.

– Tak, jestem w tobie zakochana. A ty? Kochasz mnie?

– Od pierwszej chwili! – wyznał Walter. – Pokochałem cię od momentu, w którym cię pierwszy raz zobaczyłem.

Moje mokre bikini nagle zlodowaciało. Co ja zrobiłam? Zachowałam się dokładnie tak, jak szanująca się dziewczyna w naszym społeczeństwie w żadnym razie zachować się nie powinna. Nie poczekałam skromnie i pokornie na to, co się ze mną stanie, tylko przejęłam inicjatywę, chociaż byłam kobietą. Oświadczyłam się mężczyźnie, którego ledwo znałam, który mógłby być moim ojcem. Jakiemuś *Almani*, niewiernemu, obcemu. Czy to może się dobrze skończyć?

Byłam dumna ze swojej odwagi i zarazem zawstydzona moim zachowaniem.

Walter nagle wydał mi się trochę zdenerwowany. Chodził niespokojnie w mokrych spodenkach wokół basenu coraz bardziej podekscytowany. Pocałował mnie w usta. Był to ciepły, miękki, przyjemny pocałunek. W jego ramionach moje zdenerwowanie przeszło.

Walter miał nagle wiele pytań.

– Co teraz zrobimy? – zapytał.

– Myślę, że powinieneś oficjalnie poprosić o moją rękę.

– Ale kogo?

– Mojego stryja.

– Okay, żaden problem. Ale potrzebny ci paszport, jeśli chcesz jechać ze mną do Europy.

– Tak – przyznałam mu rację. O tym jeszcze nie pomyślałam.

– Zlecę to braciom „Oblubienicy Południa", bo niedługo muszę wracać do Niemiec. Interesy. Bracia zatroszczą się o wszystko.

Pobiegł zadzwonić do braci. Siedziałam sama nad basenem. Myśli kłębiły mi się w głowie. Czy to wszystko jest właściwe? Czy nie popełniam jakiegoś wielkiego błędu? A może to jest mój ratunek? Jak to powiem rodzinie? Co powiem Kuwejtczykowi?

Trochę kręciło mi się w głowie. Wskoczyłam do wody i zanurkowałam, aż mi zabrakło powietrza. Potem się wynurzyłam i aż do wyczerpania pływałam w basenie w tę i z powrotem. Wiedziałam, że moje życie nigdy już nie będzie takie jak przedtem. Zaufałam Walterowi. Zaufałam losowi. Zaufałam tej nowej przyszłości, która nagle stała się bliska na wyciągnięcie ręki.

– Ten człowiek z Niemiec – zaczęłam – chce się ze mną ożenić.

Stryj Hasan nic nie powiedział, za to ciotka Zajna zareagowała natychmiast, zupełnie inaczej, niż się spodziewałam.

– Allahowi niech będą dzięki – powiedziała – moje najskrytsze życzenia zostały wysłuchane.

– Twoje życzenia zostały wysłuchane?

– Tak, to jest dobry zięć – powiedziała ciotka Zajna. – Ma chyba dużo pieniędzy.

Również stryj Hasan znalazł właściwe słowa.

– Wiesz – powiedział – ten człowiek to dobry człowiek. Przeczuwałem, że do tego dojdzie. Odmówiłem już Kuwejtczykowi.

– Co zrobiłeś? – zapytałam zdumiona.

– Tak, poszedłem do jakiegoś sekretarza i podyktowałem mu list do Kuwejtczyka.

Jak się okazało, stryj już po pierwszej wizycie Waltera uznał, że *Almani* jest o wiele lepszy od Kuwejtczyka. Ponieważ *ammi* Hasan sam nie umiał pisać, zawiadomił go przez sekretarza, że mój rodzony ojciec nie wyraził zgody, by Kuwejtczyk zgodnie ze swoim życzeniem zabrał mnie na Bliski Wschód. W tej sytuacji zaręczyny i obietnica małżeństwa tracą ważność. Niech Allah w swojej wielkości i łaskawości przyjmie to z zadowoleniem do wiadomości.

Moje rodzeństwo miało podzielone zdanie. Muna była przeciwna, co skłoniło ciotkę Zajnę do stwierdzenia, że jest tylko zazdrosna o moje szczęście. Nie wierzę jednak, żeby tak było. Rabi'a mnie poparła. W minionych dniach dużo rozmawiała z Walterem, żeby się przekonać, co z niego za człowiek. Uznała, że jest sympatyczny i godny zaufania. Dżamili nie mogłam zapytać, bo mieszkała ze swoim pierwszym mężem w Tiznicie. A Dżabir cieszył się razem ze mną.

Później jednak twierdził: „Gdybym był wtedy dorosły, nigdy bym się nie zgodził, żebyś wyjechała z takim typem".

To było jednak długo po tym, jak opuściłam Maroko i zamieszkałam w Niemczech.

Nazajutrz Walter był bardzo zajęty. Zaraz po wschodzie słońca poszedł do meczetu i wypowiedział szahadę, zdanie, które z każdego człowieka czyni muzułmanina: „Wyznaję, że nie ma bóstwa prócz Boga Jedynego, wyznaję, że Mahomet jest Jego wysłańcem". Obaj brodaci mężczyźni z „Oblubienicy Południa" byli jego świadkami.

Gdy spotkałam się z Walterem o dziesiątej, nie miał już na imię Walter, tylko Walid i był muzułmaninem. Przyniósł nawet pisemne poświadczenie imama, z pieczęcią i podpisem.

Byłam trochę zaskoczona. Nikt tego od Waltera nie wymagał, a najmniej ja. Teraz był więc Walidem. Mnie nie czyniło to różnicy, dopóki wszystko inne pozostawało po dawnemu.

Tego dnia pojechał ze mną na suk do Inazkanie i kupił mi złotą biżuterię. Ogromne długie kolczyki, drogą bransoletkę za dwa i pół tysiąca dirhamów, grubą obrączkę i pierścionek zaręczynowy z pyskiem kota. Tak cennych rzeczy nie posiadałam jeszcze nigdy w całym moim życiu. Wszystko to było dla mnie trochę niesamowite. Nie miałam pojęcia, skąd Walter ma tyle pieniędzy. Wiedziałam tylko, że odziedziczył kilka domów w Monachium i że żyje z dochodów z czynszu. Niewiele mi to jednak mówiło. Ale odrzucić jego pięknych prezentów też nie chciałam. Tym bardziej że w Maroku jest taki zwyczaj, iż pan młody przez cenne dary pokazuje, że jest w stanie dobrze zadbać o swoją przyszłą żonę. Później stryj Hasan mówił, że jak na stosunki marokańskie prezenty Waltera były i tak skromne.

Mnie było to obojętne. Wspaniałomyślnymi darami Walter mi udowodnił, jak wiele dla niego znaczę. To podnosiło moje poczucie własnej wartości. W końcu moja rodzina traktowała mnie poważnie.

Wieczorem odbyły się zaręczyny. Ciotka Zajna i kuzynki znowu gotowały. Wszystkie kobiety w rodzinie łącznie ze mną poszły do fryzjera. Teraz siedziałam w swoim najlepszym kaftanie i miałam włosy proste i gładkie jak dziewczyny z Europy. U nas to uchodzi za ideał urody.

Gdy Walter wreszcie się zjawił, naturalnie z obydwoma braćmi z „Oblubienicy Południa", panowało już u nas ogromne napięcie. Stryj Hasan od dwóch godzin warował przed domem. Kuzynki co chwila sprawdzały swój makijaż. Dżabir regulował telewizor, żeby uzyskać jak najlepszy obraz. Kto w Maroku ma telewizor, ten go włącza, gdy mają przyjść ważni goście.

Najpierw mężczyźni poszli na podwórze i omówili warunki finansowe. Pewna koperta zmieniła właściciela. Stryj Hasan był bardzo szczęśliwy i zaczął nazywać Waltera swoim „synem". Ciotka Zajna obejmowała mnie tak czule, że prawie kręciło mi się w głowie. Bracia z „Oblubienicy Południa" odmówili swoje *du'a* – modlitwy. Dopiero gdy poszli, kuzynki nastawiły muzykę i zaczęliśmy tańczyć.

Znowu byłam zaręczona. Tym razem z Niemcem. I tym razem to nie zabawa, jak z Kuwejtczykiem, tylko poważnie.

Nie mogłam zasnąć. Niespokojnie kręciłam się na cienkim materacu, który sobie kupiłam za własne zarobione pieniądze. Czułam, że ważny etap życia mam za sobą. Nie byłam już dzieckiem, tylko przyszłą żoną. To wiele zmieni. Opuszczę Maroko i pojadę do Niemiec. Zdam się na mężczyznę, który jest mi obcy, choć sądzę, że go kocham. Stracę dziewictwo i stanę się dorosła.

Na to się cieszyłam. A jednocześnie czułam jednak pewien dyskomfort. Czy nie zostałam sprzedana jak jagnię? Czy moja rodzina nie zamierza z moją pomocą oskubać i wykorzystać tego *Almani*? Czy chodzi tylko o pieniądze, podczas gdy mnie się wydaje, że coś czuję?

Kiedy wreszcie zasnęłam, słońce nad horyzontem na wschodzie już wzeszło i przepłoszyło cienie nocy.

Pożegnanie

Walter wrócił samolotem do Niemiec. Bracia z „Oblubienicy Południa" zostali łącznikami między nim a mną. Zarządzali pieniędzmi, które były potrzebne do załatwiania spraw w urzędach. Musiałam wyrobić sobie paszport, a mój ojciec, podobnie jak rząd, musiał wyrazić zgodę na małżeństwo. Należało przygotować uroczystości weselne.

Moi krewni całkiem oszaleli. Myśleli, że teraz spłynie na nich deszcz pieniędzy, o jakim nawet nie śmieli marzyć. *Almani* wydawał im się nieskończenie zamożny. A ja byłam środkiem, za pomocą którego uzyskają dostęp do jego bogactwa. Stryj Hasan, ciotka Zajna i kuzynki spędzali wieczory na wyobrażaniu sobie, co będą mieli. Sporządzali listy pilnych i mniej pilnych potrzeb, wyrzucali je, robili nowe. Listy życzeń wciąż się wydłużały. Mieszkanie w Agadirze. Ciężarówkę dla stryja. Odświętną suknię dla ciotki. Konto dla wszystkich. Wesele, jakiego jeszcze w mieście nie było, i tak dalej, i tak dalej...

Mąciło mi się w głowie od wszystkich tych życzeń, z którymi do mnie przychodzili. Całkiem obcy ludzie zaczepiali mnie na ulicy, gratulowali zamożnego narzeczonego, delikatnie zwracając uwagę na swoje własne ubóstwo. Urzędy żądały opłat za każdy papierek, wystawiany w związku z przygotowaniami do ślubu i wyjazdu. Sam paszport kosztował dwa tysiące dirhamów. Za to był gotowy już w ciągu dwóch tygodni, a nie, jak zwykle, kilku miesięcy.

Wszystko szło gładko. Czasami wydawało mi się, że to cud. Coraz częściej jednak nachodziły mnie niedobre myśli, gdy patrzyłam na całe to zamieszanie, jakie wywołałam w swojej rodzinie i wśród sąsiadów. Nasza ulica miała nadzieję, że przyszłość będzie rogiem obfitości.

A ja? Ja byłam tylko środkiem do celu.

Pewnego dnia miałam tego wszystkiego dość. Od brodatych braci z „Oblubienicy Południa" pożyczyłam trochę pieniędzy Waltera i zadzwoniłam do Monachium.

– Walterze – powiedziałam. – Mam tego po dziurki w nosie. Nie chcę wychodzić za mąż w Maroku. Nie musisz mnie kupować od mojej rodziny jak wielbłąda. Ty już mnie masz. Kocham cię. Zabierz mnie do Niemiec, zanim zwariuję.

Walter myślał przez chwilę. Należał do ludzi szybko podejmujących decyzje.

– Okay – powiedział. – Pobierzemy się w Monachium. Załatwię ci umowę o pracę w Maroku i zaproszenie do Niemiec, żebyś dostała wizę. Daj mi kilka dni czasu, postaram się o wszystko.

Ostatnie tygodnie w Maroku stały się dla mnie piekłem. Stryj Hasan tak się zawziął na pieniądze Waltera, że stracił resztki przyzwoitości i terroryzował mnie swoją chciwością.

Walter założył mi konto, na które wpłacił kilka tysięcy dirhamów. Miało to być potwierdzeniem dla władz niemieckich, że posiadam wystarczająco dużo pieniędzy, by odbyć podróż do Europy i z powrotem. Stryj Hasan uznał, że to on może wydać te pieniądze, bo jest przecież głową rodziny. Byłam innego zdania. To były pieniądze Waltera i w całości należały mu się z powrotem.

Doszło do okropnej kłótni.

– Podaj mi numer konta! – powiedział stryj.

– Nie – odpowiedziałam – to nie twoje pieniądze, tylko Waltera.

– Jestem twoim stryjem i rozkazuję ci, daj mi numer konta. Potrzebujemy tych pieniędzy.

Już od dawna nie ośmielał się mnie bić, ale teraz był tego bliski.

– Stryju Hasanie – odparłam – cokolwiek byś zrobił, nie dam ci tych pieniędzy. Nie należą do nas i wydanie ich byłoby nieuczciwe.

Kłótnia przybierała coraz większe rozmiary, aż w końcu kartkę z numerem konta podarłam na drobne kawałeczki i wyrzuciłam na ulicę.

Od tej chwili Walter przestał być „synem" Hasana. Stryj wypowiedział wojnę mojemu narzeczonemu i mnie.

– Głupia jesteś, za tanio się sprzedajesz – zarzucał mi. – On jest tak stary, że powinien się cieszyć, że dostanie taką młodą dziewczynę. Ale musi za to zapłacić. Nie oddawaj się za parę tysięcy dirhamów. Wychowaliśmy cię. Teraz masz szansę wszystko zwrócić. Jesteś egoistką i myślisz tylko o sobie i swoim małym szczęściu, a nie o swojej rodzinie, która cię kocha.

Nie miałam już ochoty na kłótnie. Ta rodzina nigdy mnie nie kochała, tylko upokarzała i znęcała się nade mną. Moi krewni całymi latami deptali moje uczucia i wykorzystywali mnie. Teraz nie miałam już zamiaru się na to godzić. Czułam się silna, dumna i bynajmniej nie skłonna rezygnować z własnego honoru.

Nagle poczułam, że bardzo dobrze wiem, co jest słuszne, a co nie. Że mam odwagę bronić samej siebie. Nie pozwolę, żeby mnie krewni wciągnęli do tego moralnego bagna, w którym sami tkwili.

Dość już tego! Definitywnie dość!

Z Rabi'ą poszłam do ginekolożki, która wystawiła mi zaświadczenie, że jestem dziewicą. Dzisiaj wydaje mi się to śmieszne, ale wtedy było dla mnie ważne. Dziewczyna powinna opuszczać rodzinę nietknięta. Chciałam pokazać stryjowi, ciotce i kuzynkom, że jestem przyzwoita. Zaświadczenie od lekarki położyłam w domu na parapecie okna.

Gdy Walter wrócił do Maroka, postanowiliśmy razem polecieć do Casablanki po moją wizę. Stryj się nie zgadzał, żebym podróżowała z tym człowiekiem sama.

– Będziecie musieli tam przenocować – krzyczał. – Wiem, co się wtedy stanie: będziecie spać w jednym pokoju i uprawiać seks. Nierząd. Zhańbienie. Nie pozwolę na to. Musicie mnie wziąć ze sobą.

Nie miałam wątpliwości, że stryjowi chodzi o coś zupełnie innego. Chciał pojechać z nami, żeby wyciągnąć od Waltera jeszcze więcej pieniędzy.

Postanowiliśmy, że spróbujemy dokonać rzeczy niemożliwej i zdobyć wizę w ciągu jednego dnia.

Walter zabukował pierwszy lot do Casablanki i ostatni powrotny. Zostawało nam sześć godzin na załatwienie sprawy w ambasadzie. Bilety pokazał stryjowi, który, zgrzytając zębami, musiał się zgodzić na nasz wyjazd, bo w planie nie było noclegu.

Był to mój pierwszy lot. Ręce miałam całkiem spocone, gdy uchwyciłam się nimi oparcia podczas startu samolotu Royal Air Maroc. Lot przebiegał bez problemów – do czasu, aż podano śniadanie. Nie spodziewałam się, że istnieją plastikowe pojemniczki z mlekiem. Gdy z rozmachem jeden otworzyłam, cała zawartość wylądowała na koszuli Waltera.

Popatrzył na mnie zaskoczony:

– Co ty robisz?

– Sama nie wiem – wyjąkałam. – Myślałam, że to marmolada.

Podczas niezbyt gładkiego lądowania trzymałam go za rękę. Dało mi to ciepłe poczucie bezpieczeństwa, którego od tak dawna poszukiwałam.

Na lotnisku wsiedliśmy do taksówki, prowadzonej przez starszego człowieka:

– Czy mogę cię spytać, moja córko, dokąd zamierzasz się udać w Niemczech, gdy dostaniesz wizę?

– Do Monachium, *sidi*.

Taksówkarz zjechał na bok i zatrzymał samochód. Odwrócił się do mnie.

– Do Monachium! – wykrzyknął zachwycony. – Jesteś dzieckiem szczęścia! Monachium to raj, moja córko. Jak już tam będziesz, nic ci się nie może przytrafić. Allah musi cię bardzo lubić, skoro już za życia wysyła cię prosto do raju. Niech i w przyszłości będzie ci przychylny. Amen.

– Amen – odpowiedziałam.

Uznałam ten wybuch radości za dobry omen.

Pod ambasadą niemiecką stała kolejka, która zaczynała się na ulicy i ciągnęła po schodach aż do wydziału konsularnego. Wyglądało na to, że się nie posuwa.

Wielu ludzi stało już tak od kilku dni. Byli to głównie młodzi mężczyźni, z nowymi paszportami w ręce, wyczerpani czekaniem, ale pełni nadziei na lepszą przyszłość.

Walter po prostu ominął kolejkę. Zrobiło mi się bardzo nieprzyjemnie. Mężczyźni gapili się na mnie z zazdrością, bo byłam w towarzystwie obcokrajowca.

W recepcji siedział Arab z wielkimi wąsami.

– *Salam alajkum* – powiedziałam – chciałabym odebrać moją wizę.

Sekretarz ledwie na mnie spojrzał.

– Witam, piękna damo, bardzo chętnie. Ale musi pani poczekać na swoją kolej.

Odwróciłam się i popatrzyłam na twarze czekających.

– Czy chce pan powiedzieć, że mam zejść po schodach i stanąć na ulicy na końcu kolejki?

– Właśnie, piękna damo – powiedział sekretarz – wszyscy tak robią.

Walter się zorientował, że sprawa nie przybiera takiego obrotu, jakiego się spodziewał.

– O co chodzi? – zapytał.

– Mamy stanąć na końcu kolejki – przetłumaczyłam treść rozmowy.

– Zwariował? – mruknął Walter i odwrócił się do sekretarza. Miał wszystko starannie przygotowane. Walter ma na każdą okoliczność życiową opracowane strategie, które zapisuje sobie na karteczkach. Miał również plan dotyczący załatwiania wizy.

I teraz zaczął ten plan realizować. Pochylił się ku brodatemu sekretarzowi. Mimo że był niepalący, nagle pojawiła się w jego ręce paczka papierosów. Celofanowe opakowanie było rozerwane, a pod nim tkwił złożony pięciusetdirhamowy banknot.

– Przepraszam – powiedział Walter i położył swój niemiecki paszport i paczkę papierosów na stole sekretarza. Uznałam ten manewr za trochę niezręczny.

– Jestem Niemcem i chciałbym niezwłocznie rozmawiać z moim konsulem.

Sekretarz spojrzał na Waltera. Bardzo nieprzyjemna sytuacja. Wolno wyciągnął banknot z pudełka i rzucił na stół.

– Dziękuję za papierosy – powiedział – ale do pudełka coś panu wpadło.

Byłam dumna z mojego krajana, który nie dał się przekupić. Z godnością storpedował próbę korupcji ze strony mojego narzeczonego. Jeden do zera dla Maroka, pomyślałam, trochę zażenowana, że zwracam się w ten sposób przeciwko mojemu przyszłemu mężowi, który przecież tylko działał w moim interesie.

Mimo to występ Waltera skończył się sukcesem. Z pokoju na zapleczu wyszła dama mówiąca po niemiecku i oboje przez kilka minut dyskutowali w swoim języku.

Potem Walter powiedział:

– Chodź, pójdziemy coś zjeść. Wiza będzie gotowa za dwie godziny.

Usiedliśmy w restauracji, a wczesnym popołudniem wróciliśmy do ambasady. Wiza była faktycznie gotowa i zezwalała mi na trzytygodniowy pobyt w Niemczech.

Sekretarz dał mi paszport do ręki.

– Zgodnie z tą wizą – powiedział – będzie tu pani za trzy tygodnie z powrotem. Ale jest pani o wiele za ładna, żeby wrócić. Niech Allah chroni panią w nowej ojczyźnie. Życzę miłej podróży. Pokój niech będzie z panią.

Przejrzał mnie. Schodząc po schodach, mijając wszystkich tych ludzi, którzy z paszportem w ręce i nadzieją w sercu czekali na prawo wstępu do lepszego życia, nagle poczułam tak wyraźnie jak jeszcze nigdy, że to wszystko tutaj to moja przeszłość. Życie w Maroku przeżyłam, a nowe życie na mnie czeka. Bałam się go, ale właściwie mogło być tylko lepiej.

– Może być tylko lepiej – wyszeptałam po arabsku, gdy opuściliśmy ambasadę. – Może być tylko lepiej.

– Co mówisz? – zapytał Walter.

– Może być tylko lepiej – powiedziałam po francusku. To był nasz wspólny język. Niemieckiego miałam się nauczyć dopiero po przyjeździe do Monachium.

– B ę d z i e lepiej – stwierdził Walter i chwycił mnie za lewą rękę. W prawej wciąż jeszcze ściskałam paszport z cenną wizą, którą mi tak zaskakująco szybko przyznano.

W Agadirze Walter poprosił:

– Daj mi paszport, przechowam go.

Ale zawierzyłam mu już tyle, moją przyszłość, całe moje życie złożyłam w jego ręce, że przynajmniej ten dowód mojej tożsamości chciałam zatrzymać przy sobie. Poza tym byłam tak dumna z wizy, że koniecznie chciałam ją pokazać rodzeństwu. Ta mała zielona książeczka z moim zdjęciem i niemiecką pieczęcią była moją przepustką do raju, jeśli taksówkarz z Casablanki miał rację.

W domu wszyscy już na mnie czekali. Pokój był zaciemniony, jak zwykle, telewizor chodził, stryj leżał rozparty na kanapie i pokasłując palił wieczornego papierosa. Na podłodze stał dzbanek z gorzko-słodką herbatą mieszkańców pustyni.

– Masz? – zapytali wszyscy.

Niech się podenerwują.

– Co?

– No, wizę!

Miałam paszport w ręce. Ale trzymałam ich jeszcze chwilę w niepewności, rozkoszując się rosnącym napięciem.

– Cóż – powiedziałam przeciągle. – Chodzi o to, że...

Zrobiłam pauzę.

– No, mówże! – zawołali.

– Chodzi o to, że... – Dłużej już nie mogłam przeciągać sprawy. – Tak, mam wizę.

Twarz Rabi'i promieniała. Dżabir promieniał. Muna promieniała. Mój kuzyn Ali patrzył z zazdrością. Kilka razy znów próbował dostać wizę do Europy, ale bezskutecznie. Kuzynki i ciotka Zajna śmiały się z udawanym zainteresowaniem.

Stryj Hasan chwycił paszport.

– Pokaż!

Wolno przewracał kartki. Potem zobaczył wstemplowaną wizę.

– Bardzo ładnie – powiedział i schował paszport do kieszeni spodni. – Ale na nic ci się nie przyda, bo twój narzeczony nie dał nam dość pieniędzy. Złamał umowę. Niestety, nie może cię zabrać.

Stałam jak ogłuszona i czułam, jak mi krew odpływa z twarzy. Łzy cisnęły mi się do oczu, ale postanowiłam, że się nie rozpłaczę. Ręce mi drżały.

– Oddaj mi paszport! – krzyknęłam. – Należy do mnie, to mój paszport i moje życie.

Stryj tylko złośliwie się roześmiał i wyszedł z pokoju. Nikt nie odezwał się ani słowem. Moje rodzeństwo milczało przerażone, pozostali – z cichą satysfakcją. Mnie jakby ziemia usunęła się spod stóp. W jedną sekundę stryj Hasan zniszczył szczęście, które wydawało się takie bliskie.

Tej nocy znowu nie mogłam spać z rozpaczy. Krewni zabronili mi spotkać się z Walterem. Kuzyni mnie pilnowali. Znowu byłam więźniem mojej rodziny.

W końcu się uspokoiłam, mówiąc sobie, że to może już ostatnia demonstracja władzy stryja, ostatni wysiłek, żeby mnie upokorzyć i udręczyć psychicznie. Postanowiłam do tego nie dopuścić. Odejdę tak czy inaczej, z paszportem czy bez. To będzie ostatnia moja noc w tym domu.

Następnego dnia udało mi się uciec. Zadzwoniłam do Waltera i opowiedziałam, co się stało.

– *Kruzifünferl!* – zaklął przy telefonie.

– Słucham? – zapytałam. Dopiero później się dowiedziałam, że Walter zawsze przeklinał po bawarsku, gdy był zdenerwowany.

– Dość mam tych gierek z twoją rodziną – powiedział. – Odechciało mi się. Zapomnij o wszystkim. Zapomnij o małżeństwie. Zapomnij o Niemczech. Zapomnij o mnie. Wracam sam.

Płakałam. Walter był moją ostatnią nadzieją, wierzyłam, że kto jak kto, ale on na pewno znajdzie wyjście z sytuacji. A teraz i on mnie opuścił.

W końcu Walter się uspokoił i, jak to miał w zwyczaju, wymyślił nową strategię. Oczywiście brodaci bracia z „Oblubienicy Południa" znowu odegrali pewną rolę.

– Idź, proszę, do ich fabryki – powiedział Walter. – Ukryją cię tam, dopóki czegoś nie wymyślę.

Bracia oddali mi do dyspozycji niewielkie pomieszczenie. Razem ze mną modlili się do Allaha, a ja obwiązywałam sobie głowę chustką, żeby nie ranić ich uczuć religijnych.

Stryj Hasan przyszedł do fabryki mnie szukać, ale bracia go odprawili. Poszedł nawet na policję i złożył doniesienie na Waltera o uprowadzenie nieletniej. Posunął się nawet do tego, że skopiował moje zdjęcie i oddał policji na lotnisku. Na wypadek gdybym próbowała nielegalnie wyjechać z kraju. Najwyraźniej traktował sprawę naprawdę poważnie. Dla niego było oczywiste, że musi teraz pójść na całość, jeśli chce wyciągnąć od Waltera jeszcze więcej pieniędzy.

Podczas gdy ja w „Oblubienicy Południa" byłam chwilowo bezpieczna, zaczęły się trudne pertraktacje między stryjem Hasanem a Walterem i brodatymi braćmi. Dowiedziałam się o tym dopiero nazajutrz, gdy bracia wsadzili mnie do samochodu, pojechali po Waltera i wszyscy razem przyjechaliśmy na rue el Ghazoua.

Walter znowu wręczył stryjowi Hasanowi kopertę z pieniędzmi. Stryj przeliczył banknoty, oddał Walterowi paszport i wyszedł z pokoju, nie zaszczycając mnie nawet jednym spojrzeniem.

Moje rodzeństwo obejmowało mnie, płacząc. Nie było jednak czasu na serdeczne pożegnania. Walter nalegał, żebyśmy już jechali, nie chciał ryzykować, że stryj Hasan wymyśli kolejne drogie szykany. Ciotka Zajna wcisnęła mi na pożegnanie małą zasznurowaną paczuszkę do ręki.

– Dają to wszystkie matki swoim córkom, gdy te opuszczają dom – wyszeptała. – Niech przyniesie ci szczęście.

Nie ufałam jej prezentowi. Pewnie jakiś zły czar wudu. Jeszcze na rue el Ghazoua wyrzuciłam podarunek z samochodu na ulicę, na której przeżyłam tyle cierpień i straciłam tyle nadziei.

Gdy mijaliśmy drzewko oliwne na rogu, obejrzałam się jeszcze raz. Przebiegłam spojrzeniem po zakurzonym placu przed naszym domem, niebieskich drzwiach wejściowych, pościeli wietrzonej w oknach, sklepie stolarza Sa'idiego i sąsiadach w dżellabach.

Nie płakałam. Nie pomachałam na pożegnanie. Nie wiedziałam, czy kiedykolwiek tu wrócę. I wcale nie było mi żal. Ale nie odczuwałam też szczęścia, które miało mnie czekać w zimnym kraju po tamtej stronie morza i gór.

Życie, które mnie czekało w Niemczech, okazało się niełatwe. Miało mnie wystawić na ciężkie próby, ale żadna z nich nawet w przybliżeniu nie była tak twarda jak los, który zniszczył moje dzieciństwo. W końcu jednak odnalazłam spokój wewnętrzny i szczęście.

Gdy trzy lata później po raz pierwszy wróciłam do Maroka, byłam innym człowiekiem. Rozwiodłam się z Walterem, bo nasze małżeństwo się nie udało. Miałam małego synka – i stałam się dorosła, świadoma siebie, silna. Europejka o arabskim sercu.

Na skrzyżowaniu z dużą ulicą stał młody człowiek i czekał na nasz samochód. Był to Muhsin, moja pierwsza miłość. Tego się nie spodziewałam. Byłam zaskoczona i wzruszona.

– Ouardo – powiedział. – Słyszałem, że opuszczasz nasz kraj. Życzę ci wszystkiego najlepszego.

Pocałował mnie w policzek. Potem odsunęły go na bok dwie wysokie, szczupłe dziewczyny z sąsiedztwa. Miały krewnych w Niemczech i ostrzegały mnie:

– Musisz uważać, żebyś tam nie utyła. Ludzie w Niemczech ciągle jedzą ser, kiełbasę i wieprzowinę, a kiedy utyjesz, twój mąż cię odeśle z powrotem do Maroka. Wszyscy niemieccy mężowie tak robią.

– To prawda? – zapytałam Waltera, przerażona.

Śmiał się:

– Nic się nie bój. Dostaniesz roczny abonament do fitness klubu. Dopilnuję, żebyś pozostała piękna.

Noc spędziliśmy w osobnych łóżkach u niemieckich przyjaciół Waltera. Był to spokojny wieczór i miałam czas pomyśleć o wszystkim, co się wydarzyło w ostatnich dniach.

Walter. Zaręczyny. Wiza. Stres ze stryjem Hasanem. Pieniądze, które zmieniły właściciela. Moja rola w tej sprawie...

Przede wszystkim ten ostatni punkt dawał mi do myślenia. Czy postąpiłam niewłaściwie? Czy zostałam sprzedana? Czy sama się sprzedałam? Czy były między nami prawdziwe uczucia? A może wszystko to tylko sobie wmówiłam? Czy to w gruncie rzeczy tylko nieuczciwy interes i nic więcej?

Doszłam do wniosku, że nie mam sobie nic do zarzucenia. Czułam wielką sympatię do człowieka z Niemiec. Nie straciłam godności, choć okoliczności temu sprzyjały. Wzięłam swoje życie w swoje ręce. I wszystko jedno, jak wielkie ryzyko wiązało się z tymi zmianami, mogło być tylko lepiej.

„Może być tylko lepiej".

To była moja mantra w tym czasie.

„Może być tylko lepiej".

Z tym zdaniem na ustach zasnęłam.

Nazajutrz rano pojechaliśmy na lotnisko. Mieliśmy lecieć osobno, na wypadek gdyby stryj jeszcze nie wycofał doniesienia. Walter poleciał Lufthansą bezpośrednio do Monachium, a ja samolotem Royal Air Maroc najpierw do Frankfurtu.

Miałam na sobie zamszowy kostium bordo, który bracia z „Oblubienicy Południa" wręczyli mi na pożegnanie. Składał się z zapinanego żakietu i wąskiej spódniczki mini, bo tak zażyczył sobie Walter. Do tego szpilki i czarną torebkę. Wydawałam się sobie nieco zdzirowata, ale bardzo europejska.

Jeszcze nie byłam pewna, czy nie będę miała problemów przy wyjeździe. Może stryjowi Hasanowi wpadła do głowy jakaś nowa złośliwość. Ale odprawa przebiegła gładko, oddałam na bagaż swoją walizeczkę z nielicznymi ubraniami, które chciałam zabrać ze sobą do Niemiec. Poza tym zapakowałam kilka zdjęć mojej rodziny – na pamiątkę. Nie wzięłam żadnej fotografii moich krewnych, ale zdjęcie ojca i matki, zrobione jakiś czas przed jej śmiercią. Ojca wycięłam nożyczkami.

Podczas kontroli paszportów dwóch urzędników skrupulatnie sprawdzało moją wizę.

– Szkoda, szkoda – mruknął jeden – zawsze najładniejsze kobiety wyjeżdżają z kraju.

– Siostro – powiedział drugi – spodziewamy się, że nie wrócisz. Pozostań czysta w obcym kraju, który sobie wybrałaś.

Czułam się przyłapana, ale już mi to nie przeszkadzało. Skończyłam z przeszłością, teraz zaczynała się moja przyszłość.

W samolocie dostałam miejsce przy oknie. Na pasie startowym maszyna przyspieszyła, a potem wzbiła się w powietrze. Pode mną było morze, które tak kochałam, i miasto, w którym tyle wycierpiałam. Przelecieliśmy obok góry Kasby ze świątynią, w której *gnaoua* mieli wyleczyć mojego kuzyna Alego. Zanim samolot zanurzył się we mgle, która pod koniec lata zwykle wisi nad Agadirem, zdążyłam jeszcze spojrzeć na nędzne poletko u podnóża góry zamkowej, gdzie została pochowana moja matka.

Potem samolot spowiła szarość nieba. Było ono coraz bliżej i czułam, jak sięga po moje serce. Ale nim melancholia pożegnania zdążyła mną zawładnąć, samolot przebił się przez warstwę chmur i jaskrawe światło słońca rozpędziło moje smutne myśli.

Około południa 17 lipca 1993 roku, w sobotę, samolot linii Royal Air Maroc przeleciał nad Morzem Śródziemnym. Patrzyłam w dół na powierzchnię wody, pokrytą delikatnym, drżącym wzorem fal. Widziałam statki maleńkie jak zabawki. I przypomniałam sobie o dawnym wierzeniu, według którego złe myśli ludzi i dżinnów nie mogą przekroczyć morza: pozostają uwięzione w rodzinnych stronach. A za wielką wodą zaczyna się nowe, czyste życie. To wyobrażenie duchowego nowego początku dało mi poczucie bezpieczeństwa, jakiego jeszcze nie znałam.

Popatrzyłam za siebie, na południe, gdzie Maroko znikało we mgle. I przed siebie, gdzie na horyzoncie wynurzała się Europa.

Dopiero teraz zaczęłam płakać.

Cierpienia dzieci

Praca nad tą książką zawiodła mnie z powrotem do doliny łez, którą wędrowałam w dzieciństwie i młodości. Przywołując z głębi świadomości te wspomnienia, jeszcze raz przeżywałam grozę, strach i ból tamtych lat. Wszystko wróciło, nawet to, co wydawało mi się zapomniane. Gdy otworzyłam bramę do przeszłości, nie mogłam jej już zamknąć, choć czasem tego pragnęłam.

Wyparte emocje z tamtego czasu, które teraz nareszcie znalazły ujście, niemal mnie przygniotły, zalały jak fale powodzi. Również moje rodzeństwo wciągnął wir wspomnień, grożąc ponownym podziałem mojej rodziny. Część rodzeństwa z wielkim zapałem poparła mój projekt, część zachowała się biernie, część początkowo go odrzuciła z powodów osobistych lub religijnych.

Musiałam się z tym pogodzić. Nie mogłam oczekiwać, że będą już teraz gotowi wkroczyć na niebezpieczną drogę przezwyciężania przeszłości tak jak ja, mająca bezpieczne oparcie w mojej niemieckiej rodzinie.

Sytuacji w Maroku i w Niemczech nie można porównywać. Moja ojczyzna stoi u progu dzielącego przeszłość od teraźniejszości, ale go jeszcze nie całkiem przekroczyła. Coraz więcej kobiet walczy o swoje prawa, a jednocześnie stwierdzam, że wiele z nich nie jest gotowych lub nie jest w stanie niczego zmienić w swojej sytuacji. Społeczeństwo w Maroku zdaje się dryfować w różnych kierunkach. W niektórych okolicach, głównie w dużych miastach, powstały nowoczesne struktury społeczne, otwierające kobietom drogę ku równouprawnieniu. W innych częściach kraju nic się w zasadzie nie zmieniło. Nadal kobiety są ciemiężone, wykorzystywane, maltretowane. I nadal cierpią zwłaszcza dzieci, tak jak ja wtedy.

Szczególnie przygnębiająca jest instytucja *petites bonnes*, o których także napisałam w tej książce. Jeszcze dzisiaj są ich w moim kraju tysiące. Jest to forma nowoczesnego niewolnictwa. Ofiarami padają dziewczynki, często dopiero siedmio-, ośmio- czy dziewięcioletnie, pochodzące z regionów wiejskich, gdzie jeszcze dzisiaj żyją ludzie nieumiejący czytać i pisać. Wiem o tym, bo moja siostra Wafa pracuje jako nauczycielka w ramach projektu zwalczania analfabetyzmu na wsi.

Zamożne rodziny przyjmują *petites bonnes* w charakterze pomocy domowych. Czasem dziewczynki mają szczęście i droga do przyszłości staje przed nimi otworem. Często mają pecha i są wykorzystywane, maltretowane i gwałcone przez mężczyzn w rodzinie, która je przyjęła. Jeśli zachodzą w ciążę, wypędza się je i wyrzuca na społeczny margines muzułmańskiego Maroka. Jedną z konsekwencji napisania tej książki jest postanowienie, że będę w przyszłości walczyć o prawa tych dziewczynek. Ci z Państwa, którzy zechcą mnie w tym wesprzeć, znajdą informacje pod adresem internetowym: **www.traenenmond.de**.

Książka ta opiera się na moich osobistych wspomnieniach i odczuciach. Gdzie tylko to było możliwe, poddawałam je weryfikacji. Moje siostry Rabi'a i Asja okazały się dla mnie nieocenioną pomocą. Rabi'a dzięki swojej znakomitej pamięci i współpracy dostarczyła mi wielu niezbędnych informacji. Zdawałam sobie z tego sprawę już wcześniej, ale teraz wiem na pewno, że ona była tą, która swoim autorytetem moralnym ustrzegła mnie przed wykolejeniem.

Dociekliwości i uporowi Asji zawdzięczam, że otrzymałyśmy protokoły z przesłuchań mojego ojca i innych świadków zabójstwa mojej matki.

Z tych protokołów wynika, że moje wspomnienia są bardzo dokładne. Mimo to nie mogę wykluczyć, że pomyliłam się w szczegółach lub potraktowałam kogoś niesprawiedliwie. Odpowiedzialność za ewentualne błędy ponoszę wyłącznie ja.

W wypadkach niektórych osób nienależących do rodziny zmieniłam imiona, bo nie chciałam ich kompromitować książką, która może wywołać w Maroku sprzeczne reakcje – zwłaszcza gdy ktoś sam się w niej odnajdzie. Nie każda Fatima ma więc w rzeczywistości na imię Fatima. I nie każdy Muhammad jest faktycznie Muhammadem. Ale nazwiska i dane wszystkich ważnych osób w moim życiu pozostały niezmienione.

Powód, dla którego najbliżsi krewni mojego ojca nie wypadli w tej książce szczególnie korzystnie, jest prosty: za ich sprawą lata mojego dzieciństwa i młodości były dla mnie i mojego rodzeństwa okresem ciężkiej próby.

Z drugiej strony, z perspektywy czasu, patrzę także z pewną łagodnością na to, jak moja ciotka i mój stryj wzięli na siebie – jakiekolwiek powody nimi kierowały – niemal niewykonalne zadanie wychowania oprócz swoich dziewięciorga dzieci także mnie i sześciorga mojego rodzeństwa. Że poniosą klęskę, można było oczekiwać. Nie jest to dla mnie żadna pociecha – zbyt wielkie są urazy i upokorzenia, jakich doznałam. Ale to mimo wszystko jakieś wyjaśnienie.

Glosariusz

ahlan	„halo", „cześć"
alan din-ummak	marokańskie przekleństwo „przeklinam wiarę twojej matki"
al-chadama	rzemieślnik
al-hamdu li-Allahi	„chwała Allahowi"
Al-Kadar	Noc Przeznaczenia, ważna religijna noc podczas → ramadanu
Allahu akbar	„Allah jest największy"
Almani	Niemiec
ammi	stryj
ana dżau'ana	„jestem głodna"
a'oultma	„ty, moja siostro", w dialekcie berberyjskim
bakszysz	łapówka
Ben Sergao	dzielnica Agadiru
bi-ismi Allah	„w imię Boga"
bi-salama	„do widzenia"
chalati	ciotka
chali	wuj
Dar al-hadana	Dom Pomocy; instytucja pomocy społecznej w Agadirze
darbo-szi-fal	określenie kobiet przepowiadających przyszłość

dirham	waluta marokańska: dziesięć dirhamów to równowartość jednego euro
du'a	modlitwa muzułmańska
Dżajra	przedmieście Agadiru
dżellaba	suknia lub płaszcz z kapturem, noszony przez kobiety i mężczyzn
dżinn	duch, dobry albo zły
fakir	dosłownie: biedak; pobożny asceta
Front Polisario	(Frente Popular para la Liberación de Saguia el Hamra y Rio de Oro) Front Wyzwolenia Sahary Zachodniej
gandura	niebieska szata z krótkimi rękawami i bez kaptura, noszona przez ludzi pustyni
gnaoua, gnaoui	członkowie marokańskiego odłamu sekty wudu
haba	berek (zabawa dziecięca)
hammam	łaźnia parowa
harira	pożywna marokańska zupa z soczewicy, ciecierzycy, mięsa i ryżu; przyrządzana głównie w → ramadanie
huszuma	grzech
Id al-Adha	coroczne Święto Ofiarowania, podczas którego szlachtuje się jagnięta
imam	prowadzący rytualną modlitwę w → meczecie
Imazighen	dosłownie: „wolni ludzie"; plemię berberyjskie w prowincji → Sus
imie	mama, w dialekcie berberyjskim
in sza Allah	„z boską pomocą"
isawi	święci mężowie z sufickiego zakonu isawijja
jenoui	marokańskie określenie ostrego noża, maczety

kadi	sędzia
kaftan	odświętna szata wierzchnia bez kaptura
kasba	zamek albo forteca
kuskus	tradycyjna marokańska potrawa z kaszy (pszennej)
la	„nie”
lala	uprzejma formułka zwracania się do nieznajomych kobiet: „moja pani”
lila	nocne obrzędy → *gnaoua*
Marrakuszijja	kobieta z Marrakeszu
meczet	muzułmańskie miejsce kultu
muezzin	urzędnik w meczecie nawołujący do modlitwy i wypowiadający jej słowa
musamman	cienki chleb pieczony na patelni
Nouveau Talborjt	dzielnica Agadiru
pasza	wysoki urzędnik sądowy
petite bonne	dziewczynka służąca, niewolnica
Polisario	zob. Front Polisario
ramadan	miesiąc postu
sadaka	jałmużna piątkowa zamożnych muzułmanów dla ubogich współbraci
salam alajkum	formułka powitalna: „pokój z tobą”
salla Allahu alajhi	„Błogosławieństwo Allaha niech będzie z nim”
si, sidi	pan
sir fi halak	„zjeżdżaj”
suhur	posiłek przed wschodem słońca w → ramadanie
suk	targ
sura	rozdział Koranu
Sus	prowincja wokół Agadiru, nazwa pochodząca od rzeki Sus
szabakijja	dosłownie: gniazdo; wypiek słodzony miodem

szahada	muzułmańskie wyznanie wiary: „Wyznaję, że nie ma bóstwa prócz Boga Jedynego, wyznaję, że Mahomet jest Jego wysłańcem". Kto wypowie to zdanie w obecności świadków, jest muzułmaninem.
szarif, szarifa	święty, święta, rzekomo bezpośredni potomkowie założyciela religii, Mahometa
tadżin	tradycyjna marokańska potrawa jednogarnkowa, przyrządzana w glinianym naczyniu na węglu drzewnym
takija	tradycyjna biała czapeczka
talib	nauczyciel w szkole koranicznej
taszilhajt	język → Imazighenów
Terre des Hommes	międzynarodowa organizacja pomocy dzieciom
Umm al-Banin	Matka Dzieci; instytucja pomocy społecznej w Agadirze
walad al-kahba	wyzwisko: skurwysyn
ye	„tak"
zakat	jałmużna dla ubogich (rodzaj podatku), dawana w największe święto w ramadanie
zamil	wyzwisko: „onanista"

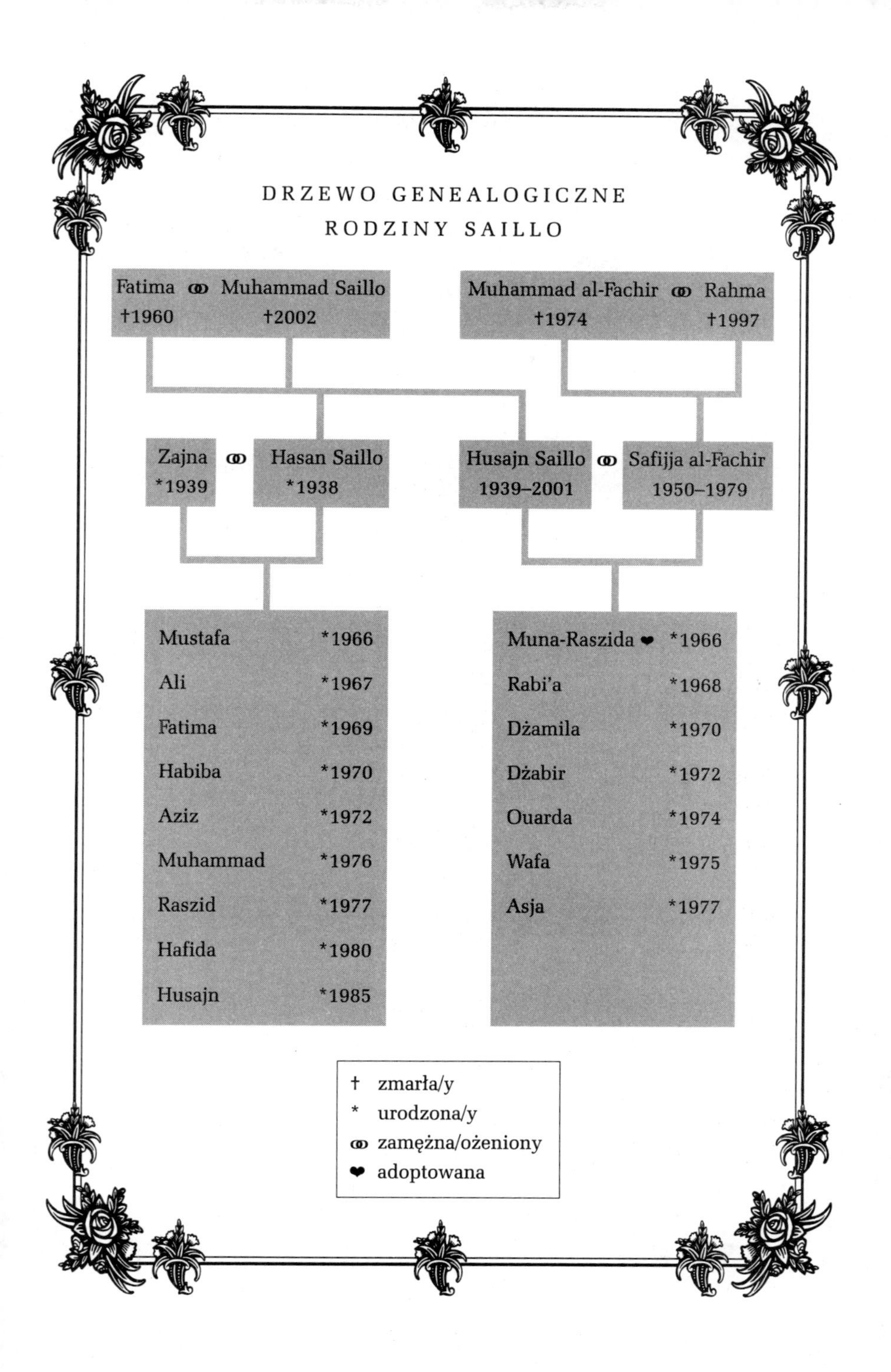
DRZEWO GENEALOGICZNE
RODZINY SAILLO
Fatima ⚭ Muhammad Saillo
†1960 †2002
Muhammad al-Fachir ⚭ Rahma
†1974 †1997
Zajna ⚭ Hasan Saillo
*1939 *1938
Husajn Saillo ⚭ Safijja al-Fachir
1939–2001 1950–1979
Mustafa *1966
Ali *1967
Fatima *1969
Habiba *1970
Aziz *1972
Muhammad *1976
Raszid *1977
Hafida *1980
Husajn *1985
Muna-Raszida ❤ *1966
Rabi'a *1968
Dżamila *1970
Dżabir *1972
Ouarda *1974
Wafa *1975
Asja *1977
† zmarła/y
* urodzona/y
⚭ zamężna/ożeniony
❤ adoptowana

Spis treści

PRZEDMOWA
Ślad łez 7

CZĘŚĆ 1.
AGADIR, MAROKO
19 września 1979 roku

Śmierć 13

CZĘŚĆ 2.
PROWINCJA SUS, MAROKO
1974–1979

Ucieczka 19
Człowiek z pustyni 22
Narodziny 24
Powrót 28
Miasto nad Atlantykiem 32
Dom bez dachu 42
Tajemnica Fasku 51
Przemiana 57
Cień Proroka 64
Rozwód 70
Wieszczka 75
Przeklęty nóż 80
Ostatnie lato 88
Koniec 92

CZĘŚĆ 3.

Agadir, Maroko

1979–1993

Dzień później 97
Inny brat 103
Stary dom 109
Więzień 114
Głód 118
Królestwo duchów 127
Dom Pomocy 148
Małe niewolnice 155
Czas przemocy 161
Egzorcyzmy 167
Utracona niewinność 177
Morze 185
Wieś u podnóża gór 196
Pięść stryja 204
Być kobietą 212
Rozczarowanie w Safi 227
Koniec nauki 234
Praca 247
Szejk 254
Człowiek z Niemiec 261
Pożegnanie 276

POSŁOWIE

Cierpienia dzieci 291

Glosariusz 295
Drzewo genealogiczne rodziny Saillo 299